La fille de Maggie

Guy Saint-Jean Éditeur
4490, rue Garand
Laval (Québec), Canada, H7N 5Z6
450 663-1777
info@saint-jeanediteur.com
saint-jeanediteur.com
....

Données de catalogage avant publication disponibles à Bibliothèque et Archives nationales du Québec et à Bibliothèque et Archives Canada.
....

Nous reconnaissons l'aide financière du gouvernement du Canada ainsi que celle de la SODEC pour nos activités d'édition. Nous remercions le Conseil des arts du Canada de l'aide accordée à notre programme de publication.

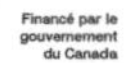

Gouvernement du Québec – Programme de crédit d'impôt pour l'édition de livres – Gestion SODEC
Nous reconnaissons l'aide financière du gouvernement du Canada par l'entremise du Programme national de traduction pour l'édition du livre, une initiative de la *Feuille de route pour les langues officielles du Canada 2013-2018 : éducation, immigration, communautés*, pour nos activités de traduction.

Titre original : *The Home for Unwanted Girls*

Publié initialement en anglais en 2018 par HarperCollins, New York.

Conception graphique et mise en page : Olivier Lasser
Traduction : Danielle Charron
Révision : Fanny Fennec
Correction d'épreuves : Johanne Hamel
Photos de la page couverture : Arcangel / Mark Owen

Dépôt légal – Bibliothèque et Archives nationales du Québec, Bibliothèque et Archives Canada, avril 2018
ISBN : 978-2-89758-471-9
ISBN EPUB : 978-2-89758-472-6
ISBN PDF : 978-2-89758-473-3

Imprimé au Canada
1re impression, avril 2018

Guy Saint-Jean Éditeur est membre de
l'Association nationale des éditeurs de livres (ANEL).

JOANNA GOODMAN

La fille de Maggie

ROMAN

Traduit de l'anglais par Danielle Charron

À maman

To an Insignificant Flower Obscurely Blooming in a LonelyWild

. . . And though thou seem'st a weedling wild,
Wild and neglected like to me,
Thou still art dear to Nature's child,
And I will stop to notice thee.

For oft, like thee, in wild retreat,
Array'd in humble garb like thee,
There's many a seeming weed proves sweet,
As sweet as garden-flowers can be.

And, like to thee, each seeming weed
Flowers unregarded; like to thee,
Without improvement, runs to seed,
Wild and neglected like to me.

JOHN CLARE

PROLOGUE

1950

Celui qui plante une semence sème la vie. Voilà une maxime que le père de Maggie se plaît à répéter ; il la tire de ses précieux annuaires d'agriculture, les *Yearbooks of Agriculture 1940-48.* Lui ne se contente pas de planter des semences, il y consacre son existence comme un prêtre se voue à Dieu. En ville, on l'appelle l'Homme qui sème, un surnom un peu ridicule, mais qui n'est pas dépourvu de noblesse. Maggie est fière d'être la fille de l'Homme qui sème. C'est prestigieux – ou, à tout le moins, ça l'était. À l'instar de sa province, où les Canadiens français et anglais sont toujours à couteaux tirés, sa famille est divisée en deux. Maggie a compris tôt dans la vie qu'il lui fallait choisir son camp et prêter allégeance. Elle s'est alignée sur son père, et lui sur elle.

Lorsque Maggie était toute petite, son père avait l'habitude de lui lire des passages d'ouvrages d'horticulture dont il avait une impressionnante collection. Son préféré était *The Gardener's Bug Book*, qui s'ouvrait sur un poème qu'elle avait appris par cœur. *Le puceron sur la rose est néfaste ; tout comme le sont ceux qui voient le puceron et non la rose.*

À l'heure où la plupart des enfants se faisaient lire des contes de fées pour s'endormir, Maggie aimait qu'on lui raconte les aventures de célèbres botanistes du XIXe siècle – Johnny Appleseed qui transportait ses semences depuis les pressoirs de cidre de la Pennsylvanie, qui faisait des centaines de kilomètres à pied rien qu'à s'occuper de ses vergers, qui partageait son abondante récolte de pommes avec les colons et les Indiens ; ou Gregor Mendel, le moine autrichien qui cultivait des petits pois dans le jardin de son monastère en étudiant les caractéristiques de chaque récolte, et dont les archives constituent apparemment le fondement des connaissances actuelles sur la génétique et l'hérédité. De telles réussites, soulignait le père de Maggie, commençaient toujours par une simple semence.

Un jour, Maggie a demandé à son père comment il fabriquait les semences qu'il vendait.

— Je ne fabrique pas les semences, Maggie, lui a-t-il répondu en la regardant comme si elle l'avait blessé. Elles proviennent des fleurs.

C'est leur potentiel de beauté qu'il admire le plus : la grâce de la tige à venir, la forme de la feuille, la couleur de la fleur et l'abondance des fruits. En observant une simple semence au creux de sa main, le père de Maggie comprend le miracle qui se produira une fois qu'elle aura rempli sa mission.

Il apprécie également la prévisibilité des semences. Celle du maïs, par exemple, produit toujours une plante mature en 90 jours. Il aime pouvoir se fier à de telles choses, même si ses plantes sont parfois imparfaites ou déformées, ce qui d'ailleurs le trouble profondément et le garde éveillé la nuit, comme en proie à un sentiment de trahison.

Les histoires réconfortantes que lui racontait son père lorsqu'elle était petite ont encore plus de sens pour elle en cette fin d'après-midi où elle tente de trouver le sommeil dans cet étrange lit, cet étrange corps. À 16 ans, Maggie a elle-même une semence qui croît dans son ventre et qui est presque arrivée à maturité. Le bébé bouge et lui donne des coups avec entrain, lui rappelant avec ses pieds et ses coudes la façon dont il a bouleversé sa confortable existence, la terrible transgression qu'elle a commise et la honte qu'elle a subie.

Il fait nuit maintenant. Il est probablement l'heure de dîner. Elle est montée plus tôt pour faire une sieste, mais elle n'a pas fermé l'œil. Elle pose une main sur son ventre et sent aussitôt les troublantes acrobaties du bébé. Au moins, elle n'est plus seule dans cet endroit.

Sa tante l'appelle pour manger. Maggie s'étire, allume à regret, sort lentement du lit et s'apprête à descendre affronter sa famille.

Entouré de plats de carottes, de pommes de terre et de petits pois, un rôti de bœuf trône sur la table dressée pour le repas dominical. Une bouteille de vin est ouverte pour les adultes. Il y a du pain frais, du beurre ramolli, du sel, du poivre. Les parents de Maggie sont venus lui rendre visite. Elle est ravie de voir son père. Il lui manque même s'il n'est plus le même avec elle. Elle voit bien qu'il fait un effort, mais dorénavant, une ombre obscurcit ses yeux bleus chaque fois qu'il la regarde, ce qui n'arrive pas assez souvent. Sa tentative de pardon manque de conviction. Il ne peut tout simplement pas s'empêcher de se sentir trahi.

Maggie regarde son oncle aiguiser cérémonieusement le couteau avant de découper de fines tranches de la viande qui saigne sur la porcelaine blanche. Ses sœurs jacassent et rient bêtement, sans s'occuper d'elle. Quelqu'un demande s'il y a du raifort. Maggie sent un flot de liquide chaud s'écouler entre ses jambes au moment même où sa mère s'exclame :

— Tabarnac*[1], j'ai oublié le raifort.

---

1 Les mots suivis d'un astérisque sont en français dans le texte original.

La robe de Maggie est trempée. Elle se sent rougir d'embarras. Elle voudrait se ruer aux toilettes, mais ça n'arrête pas de couler.

— J'ai fait pipi, lâche-t-elle, en se levant, tandis que le liquide, étonnamment inodore, continue de se répandre sur le plancher de bois.

Elle se tourne vers sa mère, prise de panique. Ses sœurs regardent fixement sa robe tachée sans comprendre. Puis, tante Deda s'écrie :

— Elle perd les eaux !

Nicole, sa plus jeune sœur, se met à geindre. Maman*[2] et Deda s'activent. Les hommes quittent la table, stupéfaits. L'air embarrassé, ils attendent docilement que les femmes leur disent quoi faire.

— Les contractions ont commencé, dit calmement Maman.

— Déjà ? dit le père de Maggie, en la regardant pardessus l'imposant rôti, fraîchement tranché, au centre de la longue table en pin. Elle est censée accoucher dans un mois, seulement.

— Ces choses-là ne se passent pas toujours comme on veut, dit Maman d'un ton sec. Tu ferais mieux d'appeler le docteur Cullen. Dis-lui de nous retrouver à l'hôpital.

— Que se passe-t-il ? demande Maggie.

Personne ne l'a préparée à cela.

Deda se précipite vers elle et lui entoure les épaules de son bras dodu.

— Tout va bien, ma cocotte*, la rassure-t-elle. Le bébé arrive plus tôt que prévu. C'est tout.

Ils ne disent jamais « ton bébé ». C'est toujours « *le* bébé ». Même Maggie y pense comme étant « le bébé ». Pourtant, malgré tous les ravages qu'il a causés, elle n'est pas tout à fait prête à s'en défaire. Elle a fini par le voir comme un allié ou un porte-bonheur, mais quand même pas comme

---

2 Toutes les occurrences de « Maman » sont en français dans le texte original.

son futur enfant. Elle est encore trop jeune pour cela, la maternité n'est pas un concept qui lui est familier. Mais de toute façon, ce n'est pas nécessaire. La naissance du bébé ce soir ne signifie vraiment qu'une seule chose pour elle : la fin de son emprisonnement à la ferme de son oncle et de sa tante. Elle pourra finalement rentrer chez elle.

Une contraction lui arrache un hurlement de douleur.

— Il arrive, dit sa mère. *Il arrive.*

PARTIE I

1948–1950

LE CONTRÔLE DES MAUVAISES HERBES

« On peut freiner la croissance des mauvaises herbes vivaces, en particulier celles de type charnu, en les laissant pousser librement jusqu'à ce qu'elles soient sur le point de fleurir. C'est alors qu'on les fauche pour ensuite les déposer en paquets serrés sur les racines… »

Old Wives' Lore for Gardeners

CHAPITRE 1

1948

« Avoue-le, l'Homme qui sème, tu as voté pour Duplessis ! » Les éclats de rire montent jusqu'au grenier où Maggie est en train de peser et de compter les semences. La récente réélection du premier ministre Duplessis crée l'événement dans le magasin. Maggie jette une poignée de semences sur le plateau de la balance, tout en tendant l'oreille.

— Allons, l'Homme qui sème, insiste malicieusement l'un des agriculteurs. Il n'y a pas de honte à avoir !

Maggie abandonne sa tâche et s'accroupit en haut de l'escalier pour suivre la discussion sans se faire voir. Elle travaille pour son père chaque week-end depuis son douzième anniversaire, deux ans auparavant. Elle pèse les semences et les emballe dans de petits sachets de papier. C'est parfois fastidieux, surtout quand il s'agit des grosses semences qu'elle doit dénombrer, mais ça ne la dérange pas. Elle aime être dans le magasin de son père, car c'est l'endroit qu'elle préfère entre tous. Elle prévoit de travailler au rez-de-chaussée un jour, avant de reprendre toute l'affaire quand son père partira à la retraite.

Le magasin, Semences Supérieures/Superior Seeds, se situe à mi-chemin entre Cowansville et Dunham, une petite ville où habite la famille de Maggie, à environ 80 kilomètres au sud-est de Montréal. L'enseigne est bilingue, car aux dires de son père, si on veut prospérer en affaires au Québec, il ne faut exclure personne.

Maggie descend quelques marches en douce pour se rapprocher de l'action. Le magasin est humide et sent l'engrais, une odeur qu'elle adore. En arrivant le samedi matin, elle inspire toujours profondément et plonge parfois les mains dans la terre fraîche des petits pots où germent les semences pour que l'odeur imprègne ses doigts toute la journée. Pour Maggie, c'est ça le bonheur.

Si le magasin propose des articles de base comme les engrais et les pesticides, le père de Maggie s'enorgueillit d'être le seul de la région à offrir une impressionnante sélection de semences rares. Assez vaniteux pour se considérer comme un pourvoyeur de vie, il se rachète par son dévouement total à son travail. Il inspire autant le respect que les moqueries, et les agriculteurs viennent le voir non seulement pour lui acheter des semences, mais pour profiter de ses connaissances sur les questions rurales et politiques. Les jours comme celui-ci, son magasin est aussi bien un lieu de rencontre qu'un commerce.

À l'arrière du magasin se trouve un grand meuble à petits tiroirs remplis de semences. Posés à même le sol, d'énormes barils de maïs, de blé, d'orge, d'avoine et de tabac côtoient les sacs de fumier de mouton, de Fertosan, de farine d'os, de RAPID-GRO. Des plants d'arbres et d'arbustes, des outils de jardinage, des arroseurs automatiques de pelouse et des tuyaux sont exposés sur une étagère de bois. Les tablettes débordent de sachets de poudre et de bombes aérosol de DDT, de Nico-fume, de larvicide, de malathion, de Slug-Em. Il n'y a rien qu'un fermier, agriculteur ou jardinier ne puisse trouver dans ce magasin.

— Le jour où je voterai pour l'Union nationale, je fermerai boutique, déclare le père de Maggie, fanfaron, les extrémités de sa moustache tournées vers le haut comme pour marquer le coup.

Cet homme a beaucoup de charme. Avec ses yeux bleus et sa moustache hollywoodienne, il est aussi séduisant qu'une vedette de cinéma. Il a commencé à perdre ses cheveux dès la vingtaine, mais sa calvitie lui confère une certaine dignité – du raffinement, selon Maggie. L'été, il porte des costumes en lin, qu'il délaisse pour des vestes en tweed et des chapeaux de feutre l'hiver. Il fume des cigares de la marque House of Lords, qui remplissent la maison d'une odeur à la fois désagréable et merveilleusement paternelle. Même son nom, Wellington Hughes, est frappant.

Wellington avance le menton d'une manière caractéristique, avec obstination et fierté.

— Cet homme est un bandit et un dictateur, dit-il dans ce français qu'il parle couramment, grand partisan qu'il est du bilinguisme comme outil commercial.

Puisqu'il est un homme très influent au sein de la communauté agricole, on s'attendrait à ce qu'il soutienne tout politicien qui, tel Duplessis, valorise, protège et encourage l'agriculture. Mais il est aussi un fier anglophone. Il méprise Duplessis et ne s'en cache pas. Selon lui, le premier ministre est celui-là même qui a maintenu les Canadiens français dans l'ignorance et la grande noirceur. Le père de Maggie tolère les opinions politiques de ses clients uniquement parce qu'ils s'approvisionnent chez lui et qu'il tient à leur loyauté. Mais lorsqu'il entend le nom de Maurice Duplessis, ses joues, habituellement pâles, deviennent rouges et sa voix monte d'une octave ou deux.

— On sait que tu as voté pour lui, Hughes, dit Jacques Blais pour le narguer. Tu as besoin de ses crédits d'impôt agricoles. Car quand nos affaires vont bien, les tiennes vont bien aussi, pas vrai ?

— Mes affaires se porteraient très bien, même sans cet être égocentrique qui se trouve à la tête du Québec, répond Wellington avec emphase.

— Il faut être égocentrique pour en reconnaître un autre, marmonne Bruno Roy, ce qui déclenche l'hilarité générale.

— Vous, les Québécois, vous n'avez aucune loyauté envers ce pays, dit Wellington, en prononçant le mot « loyauté » avec révérence, comme si c'était le trait le plus noble qu'un homme puisse posséder.

— Maudit Anglais*, rétorque Blais en riant.

C'est à ce moment que tinte la clochette au-dessus de la porte.

Les hommes se tournent pour voir qui entre dans le magasin et cessent de parler lorsqu'ils constatent qu'il s'agit de Clémentine Phénix. Une tension palpable remplace rapidement l'atmosphère joviale qui régnait un instant plus tôt.

— J'ai besoin de DDT, dit-elle d'une façon qui ressemble davantage à un défi qu'à une demande, remplissant l'espace de sa voix rauque et de sa présence controversée.

Le père de Maggie se dirige vers l'étagère où il conserve les pesticides, prend une bombe de DDT et, sans un mot, la lui tend. Un courant passe entre eux – une communication, un regard énigmatique –, mais il lui tourne aussitôt le dos et s'éloigne. Rien de plus qu'une manifestation de leur vieux conflit territorial ? Peut-être.

La famille Phénix habite une petite bicoque dans le champ de maïs adjacent à la terre des Hughes. C'est la pomme de discorde entre les deux familles. Wellington estime que la proximité de cette cabane diminue la valeur de sa propriété. Les Phénix possèdent le champ, mais rien de plus. Ils gagnent leur vie en vendant leur récolte de maïs et de fraises durant l'été. L'hiver, le frère de Clémentine travaille dans une usine à Montréal. Il n'y a plus qu'eux trois à la maison maintenant – Clémentine, Gabriel et leur sœur Angèle –, en plus de Georgette, quatre ans, l'enfant que Clémentine a eue d'un mariage qui s'est soldé par un divorce. Leurs deux autres sœurs et leurs parents sont morts dans un accident de voiture quelques années auparavant.

Clémentine suit Wellington jusqu'au comptoir, à l'avant du magasin, ignorant les ricanements des autres clients, auxquels elle est sans doute habituée maintenant. Elle a été mise au ban de leur petite communauté catholique, pour qui le divorce est non seulement un péché, mais un acte illégal. Pour l'obtenir, elle a dû aller jusqu'à Ottawa, un crime impardonnable aux yeux des moralistes du coin comme la mère de Maggie.

— Il m'en faut deux, dit Clémentine en croisant ses solides bras bronzés sur sa poitrine.

Elle a le teint hâlé, des taches de rousseur et pas un soupçon de maquillage. Telle une corde à sauter, sa longue tresse blonde cabriole derrière elle. Maggie la trouve belle même si elle est dépourvue de tous les attraits habituels de la féminité. En réalité, Clémentine réussit à être féminine malgré son côté garçon manqué. Son expression dure, ses gros bras musclés et sa salopette informe et peu flatteuse qui cache la moindre courbe n'enlèvent rien à son ravissant minois.

Ce qui est remarquable chez elle, note Maggie, c'est la tranquille attitude de défi qu'elle a en présence des hommes. Même si elle est dépourvue de tout ce qui donne généralement leur légitimité aux femmes – un mari, des enfants, de l'argent –, elle semble faire tout ce qu'il faut pour s'occuper de sa famille et pourvoir à ses besoins.

— Mon maïs est infesté de chrysomèles, explique Clémentine.

Tous les yeux sont tournés vers elle. Si cela la met mal à l'aise, elle n'en laisse rien paraître.

Wellington traverse de nouveau son magasin et revient avec une deuxième bombe de DDT à la main, l'air passablement agité. Soudain, la porte s'ouvre sur Gabriel Phénix. Il se dirige vers Clémentine, attirant l'attention de tous les agriculteurs présents.

Maggie, qui n'a pas vu Gabriel depuis l'été précédent, en a le souffle coupé. Ce n'était qu'un jeune garçon lorsqu'il est parti à Montréal l'automne précédent. Elle se souvient de ses jambes maigrichonnes quand il courait dans le champ, de ses épaules étroites, de son visage joufflu et innocent. Mais c'est un homme maintenant. Il doit avoir 16 ans. Ses cheveux blonds sont coiffés en une vague lisse, ses yeux gris brillent comme des lames de rasoir, et il a les mêmes pommettes saillantes et les mêmes lèvres pleines que sa sœur. Il est mince au point que Maggie peut dénombrer ses côtes à travers le coton du t-shirt blanc, mais ses bras joliment musclés lui donnent de la carrure et de la consistance. En le regardant depuis son poste d'observation secret, elle sent quelque chose d'étrange dans son corps, comme le bruissement qui la traverse quand elle plonge dans l'eau du lac Selby du haut des rochers. Quelque chose en lui l'empêche de détourner le regard.

— Ça va? demande-t-il à sa sœur.

Clémentine opine et pose sa main sur sa poitrine pour lui signifier de rester en retrait et de l'attendre. Il s'exécute, les poings serrés et une expression sérieuse et insolente sur le visage, prêt à se porter au secours de sa sœur en cas de besoin.

Le père de Maggie met les deux bombes aérosol de DDT dans un sac de papier et appuie sur les touches de sa caisse enregistreuse.

— J'ai besoin que vous me fassiez crédit, dit Clémentine.

Nouveaux ricanements.

— Crédit? répète le père de Maggie avec mépris. Wellington Hughes ne fait pas crédit. C'est la politique. C'est *sa* politique, et ses politiques sont comme des commandements. *Crédit, tu ne feras point.*

— Nous allons récolter dans quelques semaines, explique-t-elle. Je vous paierai à ce moment-là.

Maggie essuie la fine couche de transpiration qui s'est formée au-dessus de sa lèvre supérieure. Elle comprend pour la première fois de sa vie à quel point l'existence doit être difficile pour les Phénix. En vérité, elle n'y avait jamais réfléchi, pas même quand elle était amie avec leur sœur cadette, Angèle. Elle a entendu ses parents parler d'eux – le divorce et le père qui buvait – mais elle n'y a jamais vraiment fait attention. Aujourd'hui, cependant, elle trouve qu'il y a quelque chose de très puissant dans leur audace et leur fierté.

— Si je te fais crédit, dit son père dans son français fluide, tout un chacun en ville va venir me voir entre les récoltes en me promettant de me payer au début de la prochaine.

Gabriel s'avance et défait sa montre. Il la laisse tomber sur le comptoir et la pousse vers le père de Maggie.

— Voilà, dit-il. Prenez ma fichue montre en garantie. Elle appartenait à mon père. Elle est en or.

La lèvre supérieure contractée par un tressaillement, Wellington repousse la montre vers Gabriel.

— Je ne suis pas un prêteur sur gages, dit-il, l'air renfrogné.

Gabriel ne fait pas un geste pour reprendre la montre. Au bout d'un moment, le père de Maggie pousse le sac vers Clémentine.

— Tiens, dit-il. Prends-les, mais ne remets pas les pieds ici avant de pouvoir les payer.

— Merci, répond-elle.

Pas une seconde elle n'a baissé les yeux ni la tête sous l'effet d'une honte quelconque.

Le père de Maggie a l'air dégoûté. Clémentine attrape la montre sur le comptoir lorsqu'elle constate que son frère ne fait pas un geste pour la reprendre, puis elle l'entraîne vers la porte. Avant de sortir, Gabriel regarde en direction de Maggie, comme s'il savait qu'elle était là depuis le début. Leurs regards se croisent, et le cœur de la jeune fille s'accélère. L'expression de Gabriel est pleine de défi et de haine, ses lèvres retroussées sur un rictus indolent. Stupéfaite, elle comprend que ce sourire méprisant lui est adressé.

Elle remarque alors son père qui la regarde sévèrement. Elle comprend son avertissement. *Tu ne sortiras point avec des Canadiens français.*

CHAPITRE 2

Maggie s'est mise à se cacher dans le champ de maïs des Phénix pour deux raisons. D'abord pour se soustraire à ses tâches ménagères. Et ensuite pour observer Gabriel pendant qu'il travaille et, avec un peu de chance, se faire remarquer de lui.

Nous sommes en août, au cœur de la saison du maïs. Étendue par terre entre les rangs, Maggie lit un numéro du magazine *True Romance*, ignorant les fourmis qui se promènent sur ses jambes nues et la chatouillent. Elle se trouve bien là, sous le soleil brûlant, derrière les grandes feuilles de maïs, à l'abri du regard et des réflexions désagréables de sa mère. En ce moment même, elle l'entend vociférer depuis leur cour arrière. Elle râle et râle. Sa sœur Violet a mal fixé certains vêtements à la corde à linge, ils sont tombés par terre et cela a rendu Maman furieuse. Pauvre Violet, se dit Maggie, mais mieux vaut elle que moi.

— T'es encore là?

Maggie laisse tomber son magazine et lève les yeux en prenant un air étonné. Gabriel se tient au-dessus d'elle, la main en visière au-dessus des yeux. Il n'est vêtu que d'un blue-jean. La peau de son torse nu est aussi foncée que les cigares de son père.

— J'aime lire ici, déclare-t-elle.

Il s'accroupit près d'elle. Elle retient son souffle. Un filet de sueur dégouline lentement le long de son cou.

— Tabarnac*, dit-il en examinant un épi de maïs. Les vers mangent les soies.

— Ont-ils pénétré les grains ? demande Maggie.

Grâce à son père, elle connaît tout sur les infestations par les insectes.

Gabriel secoue la feuille de l'épi.

— Avec un peu de chance, dit-il, les feuilles vont être assez souples pour protéger le maïs. Ça devrait aller si les attaques restent en surface.

— Tu aurais peut-être dû semer plus tôt, lance-t-elle, du même ton condescendant que son père.

Un ton de donneur de leçons. Elle s'en mord les lèvres aussitôt, tandis que Gabriel se redresse en lui lançant un regard noir.

— Contente-toi de lire tes magazines à l'eau de rose, se moque-t-il. Moi, je vais m'occuper d'agriculture.

Pourquoi a-t-elle ouvert sa grande gueule ? Sa mère a raison de lui dire qu'elle parle trop.

Lui tournant le dos, Gabriel se penche pour examiner méthodiquement les épis. Elle le regarde travailler, les yeux fixés sur ses vertèbres saillantes, encore gênée de ce qu'elle vient de lui dire. Toute à son admiration, elle oublie les obsessions et les drames de son existence, qui sont emportés par le vent comme les soies d'épis autour d'elle.

— Maggie !

C'est la voix paniquée de Violet.

— Maggie ! crie à nouveau Violet, en repoussant les feuilles de maïs pour se frayer un chemin vers sa sœur. Maman veut que tu rentres. *Maintenant !*

Maggie s'étire comme un chat. Elle se comporte comme si elle n'avait pas peur de sa mère, alors qu'en réalité, elle est terrifiée. Elles le sont toutes.

— Tu ferais mieux de te dépêcher, sinon...

Sinon elle va nous frapper avec sa grosse cuiller de bois ou nous laisser dehors sans dîner. Maggie dévore Gabriel des yeux une dernière fois. Leurs regards se croisent, et elle lui fait signe de la main, mais il ne lui répond pas. Violet observe ce manège en silence.

— Allons-y, presse-t-elle nerveusement.

Elle saisit la main de Maggie et la tire brusquement pour la forcer à se mettre debout.

Elles avancent péniblement dans le champ de maïs juste au moment où le soleil se couche.

— On ferait mieux de courir, suggère Violet.

Et bien que Maggie ne veuille pas se montrer aussi froussarde que sa sœur, elle sait que celle-ci a raison. Elles doivent se dépêcher.

Leur maison est située au bout d'une longue route escarpée en terre battue, qui part du champ de maïs et serpente à travers une forêt de majestueux pins. Les deux filles sont en sueur et halètent comme des chiens lorsqu'elles parviennent à la clairière où, telle la pièce de résistance de la propriété, trône la maison victorienne en pierres grises. La porte moustiquaire claque derrière elles. Maman se tient près de la cuisinière, la cuiller de bois à la main.

— Où t'étais, Maggie ?* demande-t-elle d'une voix douce, mais menaçante.

Géraldine est déjà en train de dresser la table, tandis que Nicole, deux ans, joue à la poupée par terre. Depuis que Peter, leur frère aîné, est au pensionnat à Sherbrooke, il n'y a plus que des filles à la maison.

Violet se précipite pour aider Géri, évitant ainsi d'être dans la ligne de mire de sa mère.

— J'étais dehors, dit Maggie.

— Je sais que tu étais dehors. Qu'est-ce que tu *faisais*?

— Je lisais.

Maggie tente en vain de cacher le magazine derrière son dos. Sa mère le lui arrache des mains et le regarde d'un air moqueur.

— Qu'est-ce que ça veut dire ? demande-t-elle.

Sa mère ne parle ni ne lit un traître mot d'anglais. Cette Québécoise pure laine* n'a jamais fait d'efforts pour apprendre ne serait-ce que les rudiments de cette langue, que ce soit pour son mari ou pour la communauté bilingue où elle vit.

Majoritairement agricole, la région des Cantons-de-l'Est est peuplée de Canadiens français et anglais qui vivent en bonne intelligence – comparativement au reste du Québec, où ces deux groupes se tolèrent par pure courtoisie, mais ne se mêlent pas les uns aux autres comme on le fait dans les communautés plus homogènes. On pourrait en dire autant des parents de Maggie, dont le mariage la rend perplexe depuis toujours.

Wellington a obtenu son diplôme d'horticulture à l'âge de 18 ans et a décroché son premier emploi à la jardinerie Pinney dans l'est de Montréal. Il occupait le poste de directeur adjoint des ventes à la jardinerie lorsque la mère de Maggie y est passée un jour afin d'acheter une plante pour décorer son appartement du quartier défavorisé d'Hochelaga. Cette pauvre Canadienne française n'était jamais sortie d'Hochelaga, tandis qu'il était un Anglo cultivé. Mais il en est tombé amoureux dès qu'il a aperçu sa bouche rouge vermillon et ses jolies boucles brunes.

Aujourd'hui, le français est la langue officielle de la maisonnée – preuve de l'entêtement de la mère – mais le père a gagné sur le front de l'éducation. Par conséquent, tous les enfants vont à l'école protestante anglaise, faisant ainsi de l'anglais la langue de leur avenir.

C'est à l'âge de cinq ans, lors de sa première journée d'école, que Maggie a entendu parler anglais pour la première fois de sa vie. Lorsqu'elle a demandé à son père pourquoi toute sa vie était ainsi chamboulée – elle venait de passer de la maternelle française à l'école anglaise –, il s'est contenté de lui répondre :

— Tu es une Anglaise.

— Maman ne l'est pas, a-t-elle rétorqué.

— Mais toi, tu l'es. Le français est une langue inférieure. Il est essentiel que tu sois éduquée en anglais.

— Qu'est-ce que ça veut dire ?

— Ça veut dire que parler seulement français ne te mènera nulle part.

— Mais toi, tu parles français.

— C'est la raison pour laquelle j'ai du succès. Tu ne dois jamais oublier de parler français. C'est ta deuxième langue et c'est un outil, Maggie. Mais ça ne fait pas de toi une Française. Tu comprends ?

Mais elle ne comprenait pas. Et elle a été encore plus déconcertée lorsque les autres enfants à l'école ont commencé à l'appeler « Pepsi » et « Frog ».

— Pourquoi m'appellent-ils Pepsi ? a-t-elle demandé à son père un soir, assise à même le sol de son bureau exigu.

Cette pièce avait un jour été la chambre de la domestique, mais elle était rapidement devenue le refuge de Wellington. Pas plus large qu'un placard, c'était et c'est toujours l'endroit où il conserve ses catalogues de semences, ses livres, un appareil radio fait maison, ses outils, ses notes et les croquis du potager qu'il créera un jour dans la cour arrière. Y sont également entassés un vieux bureau en bois d'acajou et une machine à écrire. Le lieu empeste la fumée de cigare. Wellington peut y rester enfermé des heures avec sa musique, ses House of Lords, une bouteille de vin et le projet de l'heure. Il garde toujours l'endroit fermé à clé sous prétexte qu'un homme a besoin de son intimité.

Ce soir-là, il a levé les yeux du livre de Dale Carnegie qu'il était en train de lire et a retiré ses lunettes à double foyer. Il a posé une main chaude et rassurante sur le genou de Maggie.

— Parce que le Pepsi est une boisson sucrée qui ne coûte pas cher, a-t-il dit. C'est pourquoi les Canadiens français en boivent autant et c'est pourquoi ils ont les dents gâtées. Mais tu n'es *pas* un Pepsi. Tu es une Anglaise, comme papa.

Après cette soirée, elle a appris rapidement l'anglais. C'était une question de survie. Rien n'était plus important pour elle que d'apprendre à maîtriser cette langue. Mais ce n'était pas tout, il fallait aussi qu'elle *soit* une Anglaise. Pour rentrer dans le rang à l'école, elle a dû tout changer, y compris sa tenue vestimentaire. Elle a troqué les robes informes que sa mère lui faisait porter contre des kilts à carreaux, des chemisiers blancs empesés à col de dentelle et des mocassins que son père commandait sur catalogue, au magasin Eaton. Elle a remplacé sa langue maternelle par un langage plus élégant. Et elle a fini par se sentir Anglaise.

C'est par crainte et obligation que Maggie et ses sœurs continuent aujourd'hui de parler français avec leur mère, dont la présence à la maison est imposante et inévitable. Mais Maggie est loyale à son côté anglais – le côté de son père –, car il élève rarement la voix et est un modèle de raison dans une maisonnée autrement instable.

— Qu'est-ce que ça veut dire ? répète la mère de Maggie, en élevant la voix tandis qu'elle pointe du doigt la couverture du magazine.

— *Vraie romance,* marmonne Maggie.

— Vraie romance ! se moque sa mère, jetant le magazine dans la poubelle. Dégoûtant.

— Elle fait comme si c'est ce qui se passait entre elle et Gabriel, dit Violet.

— Gabriel Phénix ? demande Maman, soudain intéressée.

Violet regarde Maggie avec une lueur de culpabilité dans les yeux, mais n'en poursuit pas moins ses révélations :

— C'est pour ça qu'elle va dans le champ de maïs. Pour le voir.

Maggie fixe Violet du regard pour lui faire comprendre qu'elle ne perd rien pour attendre.

— Je n'aurais jamais cru que ce serait toi qui craquerais pour un des nôtres, dit Maman en souriant.

— De quoi tu parles ?

— Ton père va dire que Gabriel n'est pas assez bon pour toi parce que c'est un Canadien français, répond sa mère. Mais j'étais assez bonne pour *lui*. Souviens-toi de ça.

Elle recule d'un pas, une expression de satisfaction sur le visage, et se tourne vers la cuisinière.

Maggie monte dans sa chambre pour jeter un coup d'œil à son jardin intérieur. Elle plante des semences dans de vieux pots Mason[3] depuis qu'elle est toute petite. Elle les dispose en rangées bien droites sur la commode qui se trouve devant la fenêtre orientée plein sud, afin qu'elles profitent de la lumière du soleil et de la chaleur du radiateur. Au fil des ans, elle a empoté ses plus belles réussites – tournesols, zinnias, soucis, radis – qui ont continué de s'épanouir dans la cour arrière.

Son père la surnommait Joanie Appleseed lorsqu'elle était petite. Et si cette habitude a fini par tomber dans l'oubli, la passion de Maggie pour l'horticulture ne s'est jamais démentie. C'est le sentiment d'appropriation qu'elle retire de tout le processus qui l'attire : sélection, collecte et nettoyage des semences, semis et soins constants à apporter aux pousses pour les aider à parvenir à maturité.

Son plus récent projet, entrepris un an auparavant, est une collection de citronniers, lesquels, avec un peu de chance, commenceront à donner leurs fruits dans environ deux ans. Elle est attachée à ses pousses de citronniers – elle en a jusqu'à une dizaine par pot – et elle ne se lasse pas d'observer l'évolution de leur système radiculaire si complexe.

Elle a également planté des semences de fleurs sauvages, qui ont nécessité beaucoup plus de travail que prévu. Elle a dû les faire sécher très longtemps et les nettoyer rigoureusement pour qu'elles soient parfaitement craquantes avant qu'elle puisse s'en servir comme semis. Elle a dû utiliser le meilleur rouleau à pâtisserie de Maman pour

3 Pots de verre utilisés pour faire des conserves.

venir à bout de leur dure capsule, une infraction qu'elle a payée cher. Pourtant, ses efforts n'ont pas encore été récompensés. Elle est déçue par le rythme de croissance des semences. Elle les a cueillies en mai, bien que son père l'eût mise en garde contre leur côté capricieux. Et comme il l'avait prédit, la plupart d'entre elles n'ont pas encore germé.

Elle jette un coup d'œil par la fenêtre en arrosant soigneusement ses semences. Gabriel est toujours dans son champ, occupé à nettoyer les épis de leurs soies dans le soleil couchant. Elle s'émerveille de le regarder ainsi sur sa terre.

Elle décide de s'accrocher à cette troublante et emballante détermination, qui lui donnera envie d'ouvrir les yeux le matin quand sa mère aboiera son nom ou viendra la secouer de ses mains calleuses. Aux dires de ses parents, elle est obstinée et n'abandonne jamais lorsqu'elle jette son dévolu sur quelque chose. *Fais attention au démon noir**, lui dit souvent sa mère.

Gabriel arrache la soie d'une plante de maïs et la laisse tomber sur le sol. Maggie vérifie l'humidité de la terre des citronniers, car elle ne veut pas noyer ses précieuses pousses. Elle les dégage légèrement en tassant un peu la terre, puis elle s'essuie les mains sur sa jupe sans quitter Gabriel du regard.

CHAPITRE 3

L'été se termine rapidement, tel un souffle furtif. Les nuits sont devenues fraîches et l'école a recommencé. Maggie entre en neuvième année[4] au St. Helens High School. Que ce soit une école de filles lui convient parfaitement, car elle est nulle en éducation physique. Il n'y a donc aucun garçon pour se moquer d'elle lorsqu'elle pratique la danse carrée[5] ou joue au ballon-chasseur[6]. La devise de l'école, *Loyauté Nous Oblige**, figure sur l'écusson de sa tunique.

— Qui peut me dire où Napoléon a subi sa première défaite militaire ? demande Mme Parfitt en jetant un coup d'œil anxieux par la fenêtre.

Il pleut à verse et le vent fait vibrer les fenêtres.

— La prise de la Bastille ! lance une jeune fille.

Mme Parfitt soupire de découragement, puis demande à Maggie si elle connaît la réponse.

Maggie aime bien l'histoire, car c'est une matière qui traite de faits et non d'interprétations. Les faits sont fiables, comme les semences.

---

4 L'équivalent de la troisième secondaire dans le système québécois.

5 Sorte de quadrille traditionnel canadien.

6 Équivalent de la balle aux prisonniers.

— L'invasion de l'Égypte en 1798, répond-elle.

Chouchou de la maîtresse, griffonne Audrey sur le front de Napoléon dans le manuel de Maggie.

Maggie est assise entre Nan et Audrey, ses deux meilleures amies depuis la troisième année. Avec ses yeux et ses cheveux noirs, héritage de ses ancêtres hurons, elle est très différente de ces deux ravissantes blondes typiquement anglaises.

Nan lui donne un coup de coude et lui dit tout bas de regarder dehors. Quelques téméraires se sont déjà précipitées à la fenêtre en poussant des cris perçants. Le ciel est devenu noir en un rien de temps. Des trombes d'eau se déversent sur le sol, et les bourrasques frappent la vitre comme des poings. Le monde extérieur est un brouillard déformé.

Maggie se demande comment elle ramènera ses sœurs saines et sauves à la maison. Elle sait que sa mère la tiendrait responsable en cas de malheur. C'est ce qui arrive quand on est l'aînée et qu'on a une mère qui n'attache aucune importance au bon sens.

— C'est un ouragan ! crie l'une des filles.

— Mais non, dit Mme Parfitt. Calmez-vous, tout le monde.

Elle se veut rassurante, mais sa voix est couverte par les cris d'une vingtaine d'adolescentes. Elle est impuissante devant le chaos qui règne dans la classe.

Après quelques minutes d'anarchie, elle libère les élèves. Maggie passe prendre Violet dans la classe de septième année.

Personne ne viendra les chercher, car la mère de Maggie ne sait pas conduire et son père ne peut pas quitter le magasin. Maggie a pour tâche quotidienne de passer prendre Géri à l'école primaire et de rentrer à pied avec ses deux sœurs. Les choses ne seront pas différentes aujourd'hui.

Elle et Violet retrouvent Mme Parfitt devant la porte d'entrée de l'école.

— Comment allez-vous rentrer chez vous? demande l'enseignante, en ajustant un foulard de plastique sur ses cheveux.

Son haleine sent le caramel à cause des bonbons qu'elle suçote toute la journée.

— Mon père va venir nous chercher, ment Maggie, trop fière pour dire la vérité.

Mme Parfitt opine, sort en ouvrant son parapluie et disparaît aussitôt dans l'orage.

Maggie et Vi lui emboîtent le pas. Leurs minces manteaux plissés en sergé ne les protègent guère de la pluie qui les prend d'assaut. Le vent qui se met de la partie les fait presque tomber. Accrochées l'une à l'autre, elles affrontent l'orage, mais c'est peine perdue. Leur fragile parapluie est en pièces au bout de quelques secondes et elles se retrouvent complètement trempées. Elles se regardent l'une l'autre, puis éclatent de rire d'impuissance avant de poursuivre leur chemin dans la tempête.

Elles avancent à l'aveuglette en se cramponnant l'une à l'autre, tiraillées dans tous les sens par le vent. À l'angle de la rue Principale, elles ont l'impression d'avoir parcouru des kilomètres. Maggie sent sa sœur trembler sous son manteau léger. Elle la serre contre elle en lui mettant un bras autour des épaules pour la réchauffer, car elle craint qu'elle attrape une pneumonie ou la tuberculose. Au moment où elles s'engagent dans la rue, le son d'un klaxon les fait reculer vivement.

Maggie regarde autour d'elle, dans l'espoir de repérer la Packard de son père. Mais les trombes d'eau l'empêchent de voir la route, et elle ne reconnaît aucune voiture. Elle doit cligner les yeux pour ne pas avoir la vue embrouillée. Une camionnette de type « pick-up » apparaît soudain et s'arrête près d'elles. Le cœur lourd, Maggie constate que ce n'est pas son père. Mais quand la vitre du côté conducteur s'abaisse, elle aperçoit Clémentine Phénix au volant, Gabriel à côté d'elle et Angèle coincée entre eux.

Elle ne les a pas vus depuis l'été, sauf Gabriel, qu'elle a aperçu dans le champ. Elle vérifie deux fois par jour s'il y est : dès qu'elle se lève le matin et avant d'aller au lit le soir. Elle sait qu'il partira pour Montréal bientôt et la seule pensée de ne pas le savoir à proximité la plonge dans une terrible angoisse.

— Montez ! ordonne Clémentine. Nous étions venus chercher Angèle et nous vous avons vues…

— Je dois aller chercher Géraldine !

— On va la prendre en chemin. On s'arrangera.

Maggie monte, suivie de Violet. La camionnette, une Chevrolet 1939, n'a qu'un long siège pour le conducteur et les passagers.

Angèle adresse un sourire à Maggie, qui le lui rend, le cœur gonflé d'affection. Elles étaient les meilleures amies du monde jusqu'à ce qu'on envoie Maggie à l'école anglaise et qu'elle s'éloigne non seulement d'Angèle, mais de tout ce qui est français.

Maggie est ravie d'être obligée de se serrer contre Gabriel. Leurs épaules se touchent. Elle lui jette plusieurs longs regards à la dérobée cherchant à enregistrer le plus de détails possible – l'angle de la mâchoire, la forme du nez, la courbe des longs cils noirs. Il tourne légèrement la tête vers elle et la regarde de ses yeux gris.

— Pourquoi ton père n'est pas venu vous chercher ? lui demande-t-il après qu'ils ont fait monter Géri.

— Le travail, répond Maggie. Il ne peut pas quitter le magasin.

— Qui va aller acheter des semences par un temps pareil ? fait remarquer Clémentine.

Son père dirait qu'on ne peut pas simplement fermer le magasin au beau milieu de la journée. Et si quelqu'un venait en voiture de Granby ou de Farnham et trouvait porte close ? Le magasin doit être ouvert beau temps, mauvais temps. C'est l'essence du commerce de détail : le client est roi. De plus, c'est la saison du catalogue.

De septembre à novembre, Wellington travaille très fort pour préparer son catalogue de vente par correspondance afin de pouvoir le distribuer à temps en prévision des commandes du printemps. Il fait tout lui-même, à commencer par le découpage minutieux des photos de semences qu'il obtient de ses fournisseurs. Puis, il s'échine sur la mise en page et tape chaque description à la machine. Cette année, il offrira une toute nouvelle graminée, la Prévert, qu'il a créée après des années d'expérimentation systématique. Après avoir passé la plus grande partie de l'été à la tester au Jardin botanique de Montréal, il est prêt à la commercialiser. Peter trouve que « Prévert » sonne comme « pervers ». Il aide son père en dessinant les illustrations, mais il lui a bien fait comprendre qu'il ne souhaitait absolument pas travailler dans les semences. Il veut être architecte, pas vendeur, prévient-il.

— À la radio, ils ont dit qu'il y avait des inondations partout dans les Cantons-de-l'Est, informe Clémentine.

Une veine bleue bat sur le front de Gabriel et il serre les poings jusqu'à en avoir les jointures blanches, tandis qu'il surveille la route et que la camionnette passe à côté de voitures qui ont capoté dans le fossé.

Plus personne ne parle. Maggie ne peut s'empêcher de penser à M. et Mme Phénix et à leurs deux filles qui sont morts sur cette même route. Elle se demande si Gabriel et Clémentine y songent aussi.

La visibilité est nulle. Le va-et-vient des essuie-glaces ne donne pratiquement rien. La route apparaît une seconde avant de disparaître aussitôt derrière la pluie. Clémentine se met à prier tout bas. Lorsqu'elle négocie prudemment un virage sur la rue Bruce, Gabriel tend le bras pour lui presser l'épaule.

— Bravo, Clem, dit-il.

Il sourit, révélant de magnifiques fossettes. C'est la première fois que Maggie le voit sourire. Elle se rend compte qu'il y a entre Gabriel et sa sœur une tendresse dont sa relation avec Peter est complètement dépourvue.

Au sommet de la colline, Clémentine freine brutalement, projetant tous les passagers vers l'avant. Géri se met à pleurnicher.

— La route est inondée, dit Gabriel. C'est un vrai lac. Nous allons devoir marcher à partir d'ici.

Ils sortent de la camionnette et se serrent les uns contre les autres, Géri entre Maggie et Vi. Le ciel est toujours aussi sombre et le sol est devenu une mare boueuse. Ils ont de l'eau jusqu'aux chevilles. Gabriel prend Maggie par le bras et guide les trois filles de façon chevaleresque.

Maggie imagine qu'il est un vaillant soldat au front, tel Napoléon Bonaparte. De le sentir si près lui réchauffe le cœur, bien qu'elle soit transie de froid et qu'elle ait frissonné lorsqu'elle a senti la main du jeune homme sur son bras. Elle ne veut pas rentrer, ne veut pas qu'il la laisse partir. Elle aimerait mieux se noyer avec lui que d'en être séparée.

Mais il la laisse aller lorsqu'ils arrivent devant chez elle, ayant la présence d'esprit d'éviter la mère de Maggie. Elle se tourne vers lui et lui fait signe de la main.

— Merci ! dit-elle.

Mais ce mot totalement inadéquat est emporté par l'orage.

La porte d'entrée s'ouvre et la silhouette de Maman se profile dans le vestibule.

— À l'école, ils nous ont envoyées plus tôt à la maison à cause de l'orage, lui dit Maggie, encore troublée par le contact de la main de Gabriel.

Maman fronce les sourcils, mais même elle ne réussira pas à gâcher la bonne humeur de la jeune fille. Elles entrent dans la cuisine, où Nicole est assise devant le foyer avec sa poupée. Maman ferme la porte avec sa rudesse habituelle et aide ses filles à enlever leurs manteaux mouillés.

— Qu'est-ce que tu as à sourire ? demande-t-elle à Maggie.

— Je ne souris pas, répond Maggie en enlevant ses chaussettes.

— Tabarnac*, marmonne Maman sans colère. Vous êtes complètement trempées. Montez dans votre chambre, enlevez tous vos vêtements et mettez les combines* qui sont en train de chauffer sur le radiateur.

Maggie et ses sœurs se jettent des coups d'œil perplexes. Puis, elles grimpent l'escalier en hâte, de peur que leur mère se souvienne de leur crier après. Les sous-vêtements sont étendus sur le radiateur de leur chambre. Maman a dû prévoir qu'elles seraient trempées à leur retour de l'école. Maggie retire tous ses vêtements, les lance dans le panier à linge et enfile son pyjama par-dessus le long sous-vêtement sans cesser de grelotter. Les trois sœurs claquent des dents à l'unisson.

— Maman n'a pas l'air en colère, dit Violet.

— Pourquoi n'a-t-elle pas crié après nous? demande Géri.

— Ne vous en faites pas, répond Maggie. Elle va bien trouver une façon de nous reprocher l'orage.

Elles rient. Elles descendent et se blottissent les unes contre les autres devant le foyer de la cuisine, enveloppées dans la courtepointe en laine que leur mère a confectionnée à partir des vieux habits de leur père. Maman leur tend chacune une tasse de lait chaud et vérifie leur température en touchant leur front d'un geste sec.

Maggie déguste sa boisson, profite de la chaleur du feu et se remémore la proximité de Gabriel dans le camion, sa main sur son bras sous la pluie. En fin de compte, c'est une journée parfaite, pense-t-elle.

— J'ai dit à votre père d'aller vous chercher, marmonne Maman en remuant bruyamment les casseroles sur la cuisinière, pendant qu'elle prépare le dîner.

Elle porte un tablier sur une robe à fleurs bleu roi et blanc, fermée sur le devant par une rangée de boutons, telle une blouse de médecin. C'est une tenue terne et bien peu seyante. Depuis la naissance de Nicole, elle semble avoir cessé de se soucier de son apparence.

Elle se plaint toujours du fait que la maternité a détruit sa beauté. Elle blâme ses enfants pour ses mèches de cheveux gris, les deux molaires qu'elle a dû se faire extraire et, surtout, le poids qu'elle a pris. Elle a été jolie un jour – des photos en témoignent – mais ce n'est plus le cas maintenant. Son déclin a été d'autant plus rapide qu'elle s'est résignée à son sort – ou plutôt qu'elle en a fait une mission. Le tout a commencé par un style de coiffure qui l'enlaidissait – les cheveux courts, avec raie sur le côté et mèches tombant sur les oreilles –, s'est poursuivi avec les blouses-tabliers tellement commodes et les tristes cardigans, et s'est terminé avec l'abandon total de tout maquillage, comme en signe de protestation.

— Je ne suis pas surprise qu'il ne soit pas allé vous chercher, caquette Maman, persistante comme la pluie.

Violet lève les yeux au ciel et Géri glousse.

— Ça va, dit Maggie, en tentant de dédramatiser les choses. Nous sommes ici. Il ne pouvait pas simplement fermer le magasin au milieu de l'après-midi.

Maman jette le contenu d'une boîte de petits pois dans une casserole en fonte et se tourne vers Maggie.

— Il t'a lavé le cerveau, Maggie. C'est évident qu'il aurait dû fermer le magasin et aller vous chercher.

— Je n'ai pas le cerveau lavé, répond Maggie avec défi, en se surprenant elle-même. La raison pour laquelle il prend tellement soin de son entreprise c'est parce qu'il prend soin de nous.

— Ça ne sert à rien de te parler, répond sa mère en fourrant la marmite de ragoût dans le four à bois avant de fermer la porte bruyamment. Tu n'es pas capable de te faire ta propre opinion. Dieu sait pourquoi tu le vénères à ce point.

Maman s'adosse contre la porte du four et allume une cigarette qu'elle a tirée du paquet dans la poche de son tablier. Elle tire une bouffée paresseusement, fixant Maggie du regard.

— Un jour, tu le verras tel qu'il est, prédit-elle. À moins que tu sois plus stupide que je ne le pense.

Un gros coup de tonnerre fait vibrer la maison. Nicole se met à pleurer et Géri se délecte de son propre cri perçant. Maggie se sent bien au chaud et en sécurité auprès du feu.

— Maggie, Violet, aboie Maman. Mettez la table.

Elles se lèvent et s'exécutent non sans faire des grimaces dans le dos de leur mère. Puis un bruit dans le vestibule attire l'attention de tout le monde.

Une porte claque. Leur père est rentré.

CHAPITRE 4

Le père de Maggie a à peine le temps de retirer son chapeau que Maman l'apostrophe. Aussitôt, le visage de l'homme s'affaisse.

Lorsque Maggie a commencé à travailler au magasin, elle n'a pu s'empêcher de remarquer la bonne humeur de son père. Au travail, il était généralement plein d'entrain et joyeux. Rien à voir avec son état d'esprit à la maison. Elle s'était d'abord sentie le témoin privilégié du côté optimiste de Wellington, mais au fil du temps, elle s'est demandé si l'image professionnelle qu'il projetait n'était pas quelque peu hypocrite. Pourquoi sa famille ne le rendait-elle pas aussi heureux ? Comment expliquer qu'il riait si rarement avec sa femme et ses enfants ?

Inévitablement, Maggie en est venue à jeter le blâme sur sa mère. C'était elle qui les dépossédait de la vraie nature de leur père, qui l'épuisait chaque jour avec ses récriminations et ses remarques désobligeantes. Sa détresse est telle qu'elle peut venir à bout du plus grand enthousiasme qui soit. Obligés de la côtoyer, ils sont tous à la merci de son tempérament imprévisible et de son humeur chagrine.

Maggie a de la difficulté à comprendre pourquoi son père a choisi sa mère. Il aurait pu avoir n'importe quelle jolie fille à la bouche rouge vermillon et aux jolies boucles brunes. Pourquoi a-t-il fallu qu'il tombe sur celle qui avait eu une vie misérable et qui n'en est toujours pas revenue ?

Hortense a grandi dans un quartier défavorisé, dans une maison sans eau courante ni plancher, qui avait été détruite par le feu lorsqu'elle avait 11 ans. Ivre mort, son père s'était endormi une cigarette au bec. Il n'a pas survécu à l'incendie qu'il avait provoqué, pas plus que la prostituée avec qui il se trouvait à ce moment-là. Comme Hortense était l'aînée de la famille, elle a été retirée de l'école et obligée de travailler comme femme de chambre dans une riche famille d'anglophones, ce qui a planté en elle le germe d'une haine qu'elle a ensuite cultivée envers tous les Canadiens anglais. Elle a épousé Wellington dans l'espoir de sortir de la misère. Mais cela ne l'a pas empêchée de finir par mépriser tout ce qui l'avait séduite en lui à l'époque : l'éducation, l'éthique professionnelle, un revenu régulier, la fierté.

— Pourquoi tu n'es pas allé les chercher à l'école ? demande-t-elle à leur père, en lui donnant un petit coup de sa longue cuiller de bois sur la poitrine – du genre de celles que les agriculteurs utilisent pour nourrir les porcs.

Wellington éloigne la cuiller avec son bras.

— Laisse-moi entrer, Hortense, dit-il d'un ton calme, ce qui énerve encore plus son épouse.

— Je serais allé les chercher après le travail, poursuit-il. Elles pouvaient attendre jusqu'à six heures.

Il fait un clin d'œil à Maggie, qui lui sourit en signe de solidarité tout en tentant d'ignorer le léger malaise qui monte en elle. Elle ne peut s'empêcher de repenser à la remarque que sa mère lui a faite plus tôt : *Il t'a lavé le cerveau.*

— Tu ne tiens pas à elles ? demande Maman.

Pendant que son père, l'air résigné, enlève son imperméable et son feutre trempés, Maggie se prend à penser que c'est peut-être étrange en effet qu'il ne soit pas allé les chercher dans la tempête.

— Pas besoin d'en faire toute une histoire, répond-il.

Maman claque la porte du vestibule. Les enfants sursautent.

Wellington pousse un petit soupir et s'assoit à table, les épaules un peu voûtées et l'humeur maussade. Sans un mot, Maman laisse tomber une cuillerée de ragoût dans son assiette. Il joue distraitement avec la nourriture, sépare les pois et les carottes du bœuf, se verse un verre de vin. Il est le seul à en boire. Maman en prend rarement. Elle ne le fait qu'en compagnie de ses amis et de ses frères et sœurs.

— J'essaie de gérer une entreprise, dit-il avec lassitude. Je ne peux pas simplement fermer le magasin pour la moindre fantaisie.

— *Fantaisie ?* s'écrie-t-elle. Tu trouves que cette tempête est une fantaisie ?

— Imagine que j'aie fermé le magasin et que quelqu'un se soit présenté, dit-il. Imagine un client venu en voiture d'une autre ville.

— Quel imbécile irait acheter des semences pendant une tempête ?

Géri glousse. Maggie lui donne un coup de coude.

— Et ? reprend Maman. Quelqu'un *s'est-il* présenté ?

— Non.

Maman frappe la table en pin du plat de la main et renverse la tête en arrière en riant victorieusement. Violet et Géri rient avec elle, mais Maggie reste silencieuse.

— Maudit Anglais*, marmonne Maman. Quel genre de père fait passer son job avant la sécurité de ses enfants ?

Nullement apaisée, elle n'abandonne pas. Elle ne sait pas battre en retraite.

— Ce n'est pas un job, la corrige-t-il. C'est mon entreprise. C'est ce qui nous fait vivre. J'ai une réputation.

— Oh, je t'en prie.

— Ce sont précisément mes valeurs familiales qui guident mon éthique professionnelle, soutient-il avec une éloquence qui berce Maggie. Si je ne me préoccupais pas de ma famille, je fermerais le magasin chaque fois que j'en ai envie, au risque de perdre l'équivalent d'une demi-journée de revenu.

Maggie regarde tour à tour son père et sa mère. Cela lui semble raisonnable. Sûrement que cela a du sens pour Maman aussi.

— Mon éthique professionnelle est indissociable de mes valeurs familiales, poursuit Wellington.

Il boit une gorgée de vin, picore dans son assiette en faisant tinter sa fourchette contre la porcelaine.

— Excusez-moi, dit-il soudain.

Il se lève et quitte la pièce en emportant son verre de vin. Comme s'il y avait repensé à deux fois, il revient, saisit la bouteille et disparaît dans son refuge, près de la cuisine.

— Tu ne peux pas te cacher là-dedans toute la soirée ! lui crie Maman.

Maggie se lève et file en douce. À l'étage, elle longe le corridor jusqu'à la chambre de ses parents. Debout devant la commode de sa mère, elle contemple une photo de Wellington et Hortense qui date d'avant leur mariage. Maman l'a mise dans un cadre en argent gravé, sur un napperon juste à côté de sa boîte de poudre Yardley. Peut-être qu'elle garde cette photo pour se rappeler qu'elle a vécu des jours meilleurs, qu'elle portait bel et bien du rouge à lèvres vermillon et qu'elle était mince tout en ayant de jolies courbes.

Sur la photo, Hortense se tient sur une tondeuse à gazon que son père pousse. Elle porte une robe blanche moulante et diaphane, et des souliers à talons hauts avec des lanières autour des chevilles. Ses cheveux coupés au carré sont ondulés, ses lèvres ressemblent à la flèche de Cupidon. Elle rit aux éclats, la tête renversée. Elle est splendide et heureuse. Maggie a beau chercher, elle ne voit rien qui évoque sa mère dans cette femme immortalisée en sépia, qui a l'air tellement charmante, rieuse, pleine d'espoir.

Hortense a-t-elle passé trop d'années avec un homme qu'elle n'aime pas ? Ou alors, est-ce la tragédie qu'elle a vécue enfant qui l'a marquée avant même qu'elle rencontre son futur mari ? Maman a beau avoir réussi à se sortir de la misère et connu une vie bien meilleure, peut-être qu'une enfance malheureuse est quelque chose qu'on ne parvient pas à surmonter, comme la polio. Ça laisse estropié.

Maggie sort de la chambre à pas de loup. Elle se rappelle ce qu'elle a ressenti quand elle était tout près de Gabriel plus tôt dans la journée, quand elle l'entendait respirer, voyait battre son pouls, sentait sa jambe contre la sienne, sa main sur son bras lorsqu'il les a ramenées à la maison. Elle est impatiente de le revoir.

Pendant qu'elle remplit un verre d'eau dans la salle de bain, elle se demande si ses parents ont déjà eu ce genre de sentiment l'un envers l'autre ou si ça leur arrive encore de l'éprouver. De temps en temps, quand elle se lève au milieu de la nuit pour aller aux toilettes, elle entend des bruits venant de leur chambre. Elle a déjà pensé qu'ils se battaient – que sa mère frappait son père –, mais Peter a remis les pendules à l'heure en lui disant que c'étaient les bruits de l'acte sexuel. Maggie a été choquée. Comment pouvaient-ils se détester à ce point pour ensuite faire l'amour ?

Elle ferme la porte de sa chambre et va examiner les pousses de citronnier et les semences de fleurs sauvages sur sa commode. « Bonjour », leur dit-elle en les arrosant tendrement.

La tempête continue de faire rage dehors. Maggie est émerveillée de voir que, malgré le vent qui hurle et les branches d'arbres brisées qui jonchent la cour, ses semences croissent calmement, sans faire de bruit, bien à l'abri dans le jardin intérieur qu'elle leur a créé. Elle ne voudrait être nulle part ailleurs.

CHAPITRE 5

Par un samedi après-midi de fin d'automne, au moment où les arbres sont dépouillés de presque toutes leurs feuilles et où l'hiver commence à s'installer de façon irrémédiable dans les Cantons-de-l'Est, Maggie travaille au magasin de son père. Perdue dans ses pensées, elle regarde dehors par la fenêtre du grenier. Elle voit la fumée s'élever des cheminées des maisons de l'autre côté de la rue, et imagine les gens assis autour du feu, en train de rire et de bavarder tendrement et respectueusement. Dans chaque foyer, sauf le sien, la vie de famille se déroule dans l'harmonie, de manière plaisante et civilisée.

Une voix masculine provenant du palier la tire de ses rêveries.

— Calice*, dit l'homme.

Elle lève les yeux de la balance et, à sa grande surprise, aperçoit Gabriel. Vêtu d'un manteau de chasse à carreaux rouge et noir, et la tête recouverte d'un bonnet de laine, il a l'air de quelqu'un qui pourrait survivre dans une contrée sauvage en tuant des ours, en faisant des feux à partir de brindilles et en se nourrissant de ce qu'il trouverait dans la nature. Il retire son bonnet et secoue ses cheveux blonds. Il s'appuie contre la table.

— Il faut que tu comptes les semences une par une? demande-t-il.

— Qu'est-ce que tu fais ici? fait Maggie, le cœur battant.

Probablement occupé à servir un client, son père n'a pas dû le voir passer, sinon il ne l'aurait pas laissé monter.

— Le magasin est sur le point de fermer…, ajoute-t-elle.

— Clémentine est en train d'acheter des bulbes pour son jardin.

Voici revenu ce temps de l'année, juste avant que la terre gèle, que les agriculteurs entrent en hibernation, que la neige se mette à tomber et que les fermes deviennent silencieuses, comme ensevelies. Le magasin de son père est alors envahi par tous les habitants du coin venus acheter des bulbes qui fleuriront dans leurs jardins au printemps suivant.

— Ça doit être ennuyeux de peser ces foutues semences toute la journée, dit-il.

— Ça ne me dérange pas, répond-elle. J'aime ce travail.

Il lui jette un drôle de regard, mais ne dit rien. Comment lui expliquer qu'il y a beaucoup plus en jeu que le simple fait de peser des semences, ce qui, elle doit bien l'admettre, peut devenir un peu abrutissant. C'est l'endroit en soi qui est particulier: les merveilleuses odeurs, les conversations et les rires au rez-de-chaussée, le fait d'être avec son père dans cet univers enchanteur qu'il a créé.

Gabriel saisit une poignée de semences.

— Je n'aurais pas la patience.

— Vraiment, ce n'est pas si mal, insiste-t-elle en tendant la main. Sens-les.

Il s'exécute, puis hausse les épaules. Elle ne peut s'empêcher de rire bêtement.

Elle est bien contente de porter sa jupe écossaise à plis et son chemisier à festons de dentelle. Ses cheveux sont bien coiffés aussi. Ils sont ondulés, séparés par une raie sur le côté et retenus par une barrette. Maman lui a fait des ondulations ce matin, non pas avec des pinces comme la plupart des mères le font, mais avec le tranchant de sa main, en lui tirant inlassablement les cheveux jusqu'à ce qu'ils prennent la forme voulue. Maggie en a encore mal au crâne, mais maintenant elle trouve que ça en valait la peine.

— En tout cas, je ne pourrais pas faire ça, assure Gabriel. Passer la journée dans ce grenier surchauffé.

Elle fixe ses yeux gris, s'y perd un moment. Il a les joues rouges à cause du froid qu'il fait dehors. Il est adorable.

— C'est une bonne préparation, dit-elle.

— Pour quoi ?

— Je vais gérer le magasin un jour.

— Pourquoi tu ferais ça ?

— Je vais prendre la relève, lui dit-elle comme si ça devait être évident pour lui. Mon père ne travaillera pas éternellement.

Gabriel ouvre la bouche pour dire quelque chose, mais se tait lorsqu'il entend le père de Maggie monter. Maggie aussi reste silencieuse.

— Monsieur Phénix, l'interpelle Wellington. Les clients n'ont pas le droit de monter ici.

Gabriel passe tout près du père de Maggie dans l'escalier. Avant de disparaître, il tourne la tête et sourit à Maggie dont le cœur s'emballe.

Son père reste quelques minutes dans le grenier sans rien dire. Sa présence est suffisamment éloquente. Il a souvent mis Maggie en garde contre les Canadiens français, lui rappelant chaque fois que la plupart d'entre eux sont pauvres, ne finissent pas leurs études et ont les dents gâtées avant d'atteindre 40 ans. Une année, son oncle Yvon, ivre mort, s'est emparé de l'arbre de Noël et l'a lancé dehors par la porte d'entrée. Wellington a alors pris Maggie à part et lui a servi un sévère avertissement à propos des Canadiens français et de l'alcool.

— C'est pour cela que tu dois rester fidèle aux tiens, lui a-t-il dit.

— Mais toi, tu ne l'as pas fait, lui a-t-elle fait remarquer pendant que Peter et Deda ramenaient l'arbre à l'intérieur, laissant derrière eux des morceaux de guirlande argentée et des éclats de boules de verre.

— Et j'ai fait une erreur. On ne peut pas les changer, Maggie. Souviens-toi de cela.

Elle n'a jamais oublié ces paroles. *On ne peut pas les changer.*

Son père s'appuie contre la table, les bras croisés sur sa poitrine. Maggie scelle une enveloppe de graines de pavot épineuses en léchant le rabat, avant de la déposer parmi d'autres enveloppes.

— J'ai reçu une nouvelle livraison hier, mentionne son père. Des semences de lys des Incas, de lys de Colombie... Les as-tu vues ?

— Pas encore, non.

Il regarde sa montre.

— J'ai de la comptabilité à faire. Pourquoi ne rentres-tu pas sans moi, aujourd'hui ?

Elle envisage le long trajet à pied, seule.

— Je vais t'attendre, décide-t-elle.

Elle aime rentrer à pied avec lui. De plus, elle préfère rester au magasin plutôt que d'être à la maison avec sa mère.

— Je peux commencer à ensacher ces nouvelles semences.

Il regarde à nouveau sa montre.

— Ces lys des Incas valent une véritable fortune, dit-il sévèrement. Fais très attention en les pesant. J'ai besoin d'environ une heure sans être dérangé.

Moqueuse, elle lui fait un salut militaire.

— Sois *précise,* lui répète-t-il. Pas de précipitation, Margueret.

Il la soupçonne sans doute de répartir les semences dans les enveloppes de façon approximative, ce qu'elle fait à l'occasion lorsqu'elle a pris du retard.

— Si tu veux davantage de responsabilités, tu ne peux pas être négligente.

Elle hoche la tête docilement, tout en rougissant de fierté. Elle ne peut s'empêcher de sourire. Il retourne en bas, faisant craquer l'escalier.

— Maggie, lui lance-t-il. *Précision,* hein ?

— Oui, père !

Elle dépose une poignée de semences de lys de Colombie sur la table et commence à les peser, en faisant bien attention au chiffre sur la balance. Elle travaille sans relâche, sans se laisser démonter par le tas de semences devant elle.

Chaque semence de lys de Colombie est un minuscule disque ovale brun niché au creux d'une petite enveloppe de forme triangulaire, écailleuse et fine comme du papier parchemin. Elle en écrase une pour voir quelle sensation cela fait. L'enveloppe se désagrège en poussière, laissant apparaître une semence de la taille de son ongle rose.

Si elle se concentre assez longtemps sur une semence, elle peut oublier de quelle semence il s'agit. Elle peut même complètement oublier qu'il s'agit d'une semence. Un peu comme lorsqu'on répète un mot jusqu'à ce qu'il perde son sens. Son esprit vagabonde ainsi lorsqu'elle se trouve dans le grenier.

Le temps passe. Elle manie les semences avec dextérité, tandis que ses yeux enregistrent les chiffres sur la balance, apparemment déconnectés de son cerveau. Elle a terminé un autre sac de lys de Colombie et déverse un sac de lys des Incas. Elle vérifie l'heure. Elle doit aller aux toilettes. Il n'y en a qu'une dans le magasin, au rez-de-chaussée, tout juste sous l'escalier.

Une fois en bas, elle jette un coup d'œil vers le bureau de son père. La porte est fermée, signe que la comptabilité ne va pas comme sur des roulettes. Il a probablement besoin d'encouragement. Elle devrait peut-être aller lui faire un coucou. Elle sait qu'il aime cela. Il lui sourit toujours avant de lui dire d'une voix faussement sérieuse. *C'est bon, Maggie, ça suffit les bêtises. Retourne en haut.*

Elle entrouvre la porte, s'attendant à le voir penché sur une pile de papiers, ses lunettes à double foyer en équilibre sur le nez. À la place, elle le découvre de dos, debout derrière son bureau, le pantalon baissé révélant ses fesses blanches. Il n'est pas seul. Une personne qu'elle ne voit pas bien à travers l'entrebâillement de la porte est accroupie devant lui. Pétrifiée, Maggie observe la scène pendant un moment, jusqu'à ce que son père gémisse de plaisir et s'effondre sur le bureau.

— Ta fille ! s'écrie alors la femme.

Maggie étouffe un cri. Son père tourne vers elle un visage rouge et luisant de sueur. La femme tente de rester cachée derrière le bureau, mais sa tête surgit une fraction de seconde, et Maggie reconnaît immédiatement les tresses blondes. Clémentine.

Wellington remonte rapidement son pantalon et regarde sa fille droit dans les yeux, empêtré dans la fermeture éclair et la boucle de la ceinture. Plus scandalisée par l'arrogance de son père que par son inconduite, Maggie tourne les talons et s'enfuit.

— Maggie ! crie son père.

Mais elle est déjà en train de monter l'escalier quatre à quatre. Elle l'entend dire à Clémentine :

— Je t'avais dit que c'était stupide !

— Tu aurais pu verrouiller la porte, rétorque-t-elle. La porte d'entrée claque.

Maggie se précipite vers le grenier, s'empare d'une poignée de semences et se met à les compter sans réfléchir. Les semences glissent dans ses mains moites et tremblantes. Tout ce qu'elle a à l'esprit, c'est son père et son pantalon baissé.

Plusieurs minutes plus tard, Maggie entend son père monter. Elle envisage de se cacher sous la table. Il entre dans le grenier, ses cheveux sont recoiffés et son teint a retrouvé sa pâleur naturelle. Il arpente le grenier derrière Maggie, qui continue de compter les semences. *Huit, neuf, dix, onze.* Il va et vient, se frotte la tête, soupire, silencieux, troublé. Il ne parle toujours pas. *Quatorze, quinze, seize.*

— Ce que tu as vu…, finit-il par dire.

— Je n'ai pas vraiment…

— C'était un accident.

— Un accident?

— Mm.

— Je n'ai pas vraiment vu quoi que ce soit.

— Ce n'est pas… Ça ne sera pas…

— Je ne dirai rien.

Il pousse un soupir. Elle ignore si c'est un soupir de soulagement ou de remords, ou si c'est même un soupir. Il continue d'aller et de venir derrière elle en silence pendant encore quelques minutes avant de sortir et de descendre.

Elle laisse les semences de lys des Incas glisser entre ses doigts comme du sable.

Ils rentrent à pied en silence. Le père de Maggie ne fait rien pour alléger l'atmosphère. Leur badinage habituel a cédé la place au poids de la honte qu'ils partagent et qui occupe l'espace entre eux dans le froid. Lorsqu'ils finissent par arriver à la maison, Maggie se rue à l'intérieur.

La cuisine embaume le clou de girofle et le quatre-épices. Maggie note la présence de trois tartes au sucre alignées sur le rebord de la fenêtre. Devant la cuisinière, sa mère brasse le contenu d'une énorme casserole. Du ragoût de boulettes*. Probablement qu'ils reçoivent des gens.

— Tu ferais mieux de te préparer, prévient Maman. Tout le monde va être ici à 19 heures.

— Qui ça? demande son père.

— Je t'ai dit que j'avais invité les Dion et les Fréchette, répond-elle, impatiente, en lui lançant un regard désobligeant. Elle n'a pas encore mis son corset, ce qui rend Maggie tellement furieuse qu'elle détourne le regard. Elle en veut aux seins tombants et au ventre mou de sa mère, et aurait voulu que celle-ci fasse un effort pour préserver sa beauté au fil des ans. Ce qui s'est passé au magasin aujourd'hui ne peut être que de sa faute.

—Je n'ai pas du tout envie de recevoir, marmonne son père, en évitant de croiser le regard de Maggie. La journée a été longue.

— Mets la bière dans la glacière, dit Maman, ignorant son commentaire. Tu es passé juste à côté dans l'entrée.

Quelques heures plus tard, la maison retentit de musique et de rires gras. Au cœur de l'animation, le père de Maggie, cigare au bec, joue de la cuiller[7] sur l'air de « Les Filles du Canada* ». Il semble avoir complètement oublié l'événement humiliant de l'après-midi. M. Dion l'accompagne au violon, tandis que les femmes frappent des mains et chantent en chœur. Maman ouvre une fenêtre pour aérer.

« Hahaha ! rugissent-ils. Les filles du Canada* ! »

Le père de Maggie se donne du courage en sifflant une longue rasade de Crown Royal. Ses joues sont piquées de rougeurs, ses yeux sont vitreux. Habituellement, Maggie aime que ses parents soient de bonne humeur en même temps, ce qui arrive rarement. Si, par pure coïncidence, son père se détend et se transforme en une version plus vulgaire et désinhibée de lui-même, pendant que Maman relaxe et oublie de se sentir misérable, elle a l'impression que sa famille va bien et est aussi heureuse que toutes les autres familles. Mais ce soir, le fardeau qu'elle porte tempère sa joie. Elle ne peut effacer de son esprit l'image de Clémentine Phénix se cachant derrière le bureau de

---

7 Forme de percussion traditionnelle au Québec. La personne qui « joue de la cuiller » tient deux cuillers dos contre dos d'une main, et les frappe rythmiquement avec l'autre main contre son genou.

son père et l'impact important de cette image sur leurs vies à tous.

Soudain, son père laisse tomber les cuillers sur la table, se lève d'un coup et entraîne Maman au milieu de la salle de séjour. Il la tient serrée par la taille et la fait habilement tournoyer, comme s'il avait fait cela des milliers de fois. Puis, il la renverse tandis qu'à la surprise générale, elle lève une jambe en riant à gorge déployée.

Tout le monde applaudit, y compris Maggie, en dépit de sa perplexité. Peut-être qu'il vaut mieux ne pas chercher à comprendre quelque chose comme le mariage, se dit-elle. Ce n'est pas encore le moment. De toute façon, elle a d'autres chats à fouetter.

CHAPITRE 6

— Passe-la-moi, ordonne Audrey en tendant la main vers la cigarette qu'elle et Maggie partagent. Elle souffle dans les airs trois ronds de fumée d'une forme parfaite.

C'est le début du printemps et tout Dunham fond. Maggie et Audrey sont assises sur le perron de la fabrique Small Bros., une petite usine où l'on fait du matériel servant à la production du sirop d'érable. Maggie s'est épanouie durant l'hiver. L'adolescence l'a prise d'assaut. Ses jambes sont plus longues – dorénavant, elle est plus grande que Nan et Audrey – et bien qu'elle soit toujours aussi mince, ses seins ont pris du volume – l'équivalent d'une taille de bonnet de plus. Abandonnant la petite coupe au carré et les boucles près des oreilles, elle a laissé pousser ses cheveux noirs jusqu'aux épaules, convaincue que cela lui donne une allure plus raffinée. Elle a commencé à porter du rouge à lèvres, qu'elle applique en sortant de l'école et enlève avant de rentrer à la maison.

Audrey rend la cigarette à Maggie qui en tire une longue bouffée.

— Je suis censée rencontrer Gabriel Phénix ici, confesse Audrey.

— Gabriel ? Pourquoi ?

Maggie ne l'a pas revu depuis l'automne sauf brièvement, lorsqu'il est rentré pour planter son maïs.

— Il m'a invitée à aller au lac Selby, répond Audrey en rougissant.

— C'est un rendez-vous galant ?

— Oui.

Maggie cligne des yeux.

— Tu as rendez-vous avec Gabriel Phénix ?

— Ne le dis à personne, s'il te plaît, Mags, prie Audrey en donnant une chiquenaude sur la cigarette pour en faire tomber la cendre dans la neige fondue à ses pieds.

— Il est tellement mignon, mais c'est un *frog*, ajoute-t-elle, en battant adorablement ses longs cils. C'est gênant.

Tout ce qui concerne Audrey McCauley, depuis ses boucles blondes jusqu'à ses chaussures bicolores en passant par sa parfaite famille WASP[8], fait que Maggie se sent médiocre à ses côtés. La dernière fois qu'elle est allée chez Audrey, la mère de celle-ci portait une robe de tweed rose et un collier de perles, tandis que son père, le Dr McCauley, lisait le journal dans une bergère près du feu, et que sa sœur cadette jouait du piano à côté de lui. Toute cette scène avait plongé Maggie dans un désespoir inexplicable. Comme ce doit être simple de faire partie de ce clan, s'était-elle dit ce jour-là. Depuis le temps qu'elle connaît les McCauley, Maggie n'a jamais vu le moindre signe d'antagonisme, d'opposition ou d'animosité chez eux. Ils forment simplement une famille qui poursuit un objectif commun : être les McCauley et, par conséquent, faire en sorte que les autres se sentent inférieurs. Perdre Gabriel aux mains d'Audrey est le comble de l'insulte.

— Il vient avec un ami, dit Audrey. Pour toi.

— Je ne veux pas y aller.

---

8 Acronyme de White Anglo-Saxon Protestant : anglophone blanc protestant.

Mais le rugissement des motocyclettes couvre la voix de Maggie. Audrey se lève aussitôt. Gabriel et son ami se garent au bord du trottoir. Gabriel regarde Maggie de la tête aux pieds comme s'il la voyait pour la première fois de sa vie, sans que son expression révèle quoi que ce soit.

— Salut Maggie, dit-il.

Pour toute réponse, elle lui jette un regard furieux.

— Voici mon ami, Jean-François.

— Tout le monde m'appelle JF, précise celui-ci, en dévorant Maggie des yeux.

Il n'est pas mal avec ses yeux foncés et ses cheveux gominés d'un noir à l'éclat bleuâtre. Mais quand il sourit, Maggie remarque qu'il lui manque une dent en bas. *Les pepsis et leurs dents gâtées*, dirait son père.

— Allons-y, dit Gabriel.

Audrey monte derrière lui sur la moto et lui enserre la taille de ses bras, en souriant stupidement. Maggie a envie de la faire descendre en la tirant par ses cheveux blonds ondulés.

— Tu viens ? lui demande Gabriel.

Audrey lance un regard suppliant à son amie. Au moins, si elle va avec eux, elle pourra avoir Gabriel à l'œil. Elle monte derrière JF en notant au passage que pas une mèche de sa banane bleue ne bouge au vent.

Le père de Maggie l'a prévenue des dangers apocalyptiques des motos roulant à toute allure sur les routes de campagne : elles peuvent foncer sur les tracteurs, basculer dans les fossés, heurter des poteaux de téléphone ou d'électricité. Justement, l'an dernier, une jeune fille qui fréquentait l'école St. Helens est morte sur la moto de son petit ami. Maggie ferme les yeux. Le vent froid lui fouette les joues au point de lui faire mal. Elle se sent étrangement euphorique, rêvant qu'elle est agrippée à Gabriel plutôt qu'à JF.

Le lac Selby s'étend au pied du mont Pinacle. Maggie y a passé de nombreux étés à se faire bronzer au bord de l'eau, à lire sur la véranda de la cantine, à bavarder avec les hôtes du Pinacle Lodge. Chaque samedi soir d'été, il y a une soirée dansante dans le hall de l'hôtel, et cette année, elle aura l'âge requis pour danser le swing jusqu'au petit matin.

Ils se garent devant la vieille grange abandonnée du lac Selby. Autour, les chalets sont déserts. Les seules personnes qui restent dans le coin après la fête du Travail[9] sont les fermiers qui ne sortent de chez eux que pour chercher de la glace ou pêcher sur le lac gelé. Le paysage est gris et mélancolique, et Maggie se rend compte qu'elle n'est jamais venue ici durant la saison morte.

Elle suit les autres à l'intérieur de la grange. Par la fenêtre, elle voit le soleil couchant embraser le ciel qui se décline alors dans des teintes de rose et d'orange, tel l'intérieur d'une citrouille.

— Qu'est-ce qu'il y a dans tes poches ? demande Gabriel à JF.

JF sort deux bouteilles de bière Labatt 50 et un long morceau de réglisse noire. Il lance une bouteille à Gabriel.

— J'ai froid, se plaint Audrey.

Gabriel enlève son manteau et le pose sur les épaules de la jeune fille.

Audrey lui prend la main et l'entraîne vers le grenier. L'endroit est réputé pour abriter les jeux amoureux, et Maggie, la mort dans l'âme, comprend qu'Audrey et Gabriel y sont déjà venus. Gabriel se laisse faire. Il jette un coup d'œil vers Maggie, mais elle détourne rapidement le regard. Il suit Audrey comme un chiot, gravissant l'échelle derrière elle.

JF se jette sur Maggie aussitôt qu'ils sont seuls. Il a un regard de loup, mais elle retient son souffle en se disant que c'est sa seule chance de rendre Gabriel jaloux. Elle réprime un haut-le-cœur lorsque, au moment où leurs

---

9 Premier lundi de septembre.

dents s'entrechoquent, elle se rappelle qu'il lui en manque une. Il l'attire vers le sol, s'arrange pour l'étendre sur le dos. *Mon premier baiser.*

JF défait les boutons du manteau de Maggie. Elle le laisse faire, car elle ne veut pas qu'il dise à Gabriel qu'elle est une sainte nitouche. De plus, elle suppose que plus loin ils iront, plus Gabriel se sentira mal. JF lui écrase un sein. Elle ferme les yeux, résignée à le laisser promener ses mains sales sur son torse.

— Aie, grimace-t-elle.

Il lui pétrit les seins. Ses doigts sont glacés contre sa peau. Elle se laisse tripoter un moment avant de le repousser.

— Hé ! fait-il, indigné.

— Arrête, s'il te plaît.

— Maudite Anglaise*, marmonne-t-il. Toutes des saintes nitouches.

Son haleine sent la réglisse et la cigarette. Ils se rassoient, maussades, sans rien dire.

Gabriel et Audrey finissent par descendre du grenier. Malgré la pénombre, Maggie voit qu'Audrey a les joues rouges. Elle est échevelée et a un air penaud. Gabriel, lui, reste impassible. JF se lève et se dirige vers la sortie, affichant son dégoût. Il n'aide pas Maggie à se lever. Gabriel ne semble pas du tout jaloux, ce qui signifie qu'elle a embrassé ce sale type pour rien. Elle sort à la suite de Gabriel et d'Audrey, complètement malheureuse.

Gabriel se tourne brusquement vers Maggie.

— Je vais te ramener chez toi.

Maggie fige sur place. Audrey a l'air perplexe.

— Elle habite à côté de chez moi, explique-t-il.

— Et alors, dit Audrey, les mains sur les hanches.

— C'est plus simple comme ça, réplique-t-il. Viens, Maggie.

Celle-ci est soudain de bien meilleure humeur.

— Maggie ! s'exclame Audrey avec colère.

— Nous allons dans la même direction, Aud, répond Maggie après un instant d'hésitation.

Elle grimpe sur la moto derrière Gabriel et s'appuie contre lui. Il fait vrombir le moteur, puis ils s'éloignent, abandonnant Audrey et JF devant la grange.

Elle ne sent même pas le froid. Les cheveux de Gabriel volent au vent, comme ils sont censés le faire. Elle resserre son étreinte autour de sa taille, hume l'odeur de sa nuque. Elle sent une chaleur en elle.

Son humeur s'assombrit lorsqu'ils atteignent la rue Bruce. Elle le suivrait n'importe où. Il ralentit, s'arrête et Maggie descend de la moto à contrecœur.

— Merci de m'avoir ramenée, dit-elle en essayant de prendre un ton léger.

— Est-ce que JF a essayé de faire quelque chose avec toi ? lui demande-t-il.

— Ce n'est pas de tes affaires.

Il se tourne pour la regarder en face.

— Tu me plais, Maggie, dit-il.

Elle reste bouche bée.

— Je voulais simplement que tu le saches, poursuit-il.

— Et Audrey ?

— C'est toujours toi que j'ai voulue.

Sa bouche devient sèche. A-t-elle bien entendu ?

— Ton père m'a dit de ne pas m'approcher de toi, dit-il, en l'attirant vers lui.

— Il a fait ça ? Quand ?

— Le jour où je suis allé te parler dans le grenier. Juste avant que je parte pour Montréal.

— Je ne savais pas.

— Est-ce que je devrais ?

— Quoi ?

— Ne pas m'approcher de toi.

— Non... je veux dire, tu n'es pas obligé.

Il la fixe du regard, imperturbable. Son visage est tout près du sien. Elle se rapproche imperceptiblement, leurs nez se touchent presque. Elle ferme les yeux et sent les lèvres de Gabriel sur les siennes. Le baiser, d'abord léger, est de plus en plus appuyé. Il lui tient la nuque d'une main, le menton de l'autre. Il embrasse merveilleusement bien. Ce sera mon premier baiser, décide-t-elle, effaçant de sa mémoire son expérience grossière avec JF.

« *Maaaaaggie !* »

C'est sa mère. Elle s'écarte rapidement de Gabriel et jette un coup d'œil vers la maison. La fenêtre de la cuisine est ouverte, laissant passer la voix de sa mère qui l'appelle en cette fin d'après-midi.

— Je dois y aller, dit-elle.

— Viens me retrouver devant Small Bros. demain, après l'école, lui dit-il.

Maggie hoche la tête. Il l'embrasse à nouveau. Il a la langue sucrée. Elle se précipite vers la maison, ne sachant pas trop à quoi s'attendre et n'y attachant guère d'importance.

CHAPITRE 7

Maggie adore regarder Gabriel avancer dans le champ, s'occuper de son maïs, ouvrir les enveloppes, retirer les soies. S'il fait trop chaud, il enlève son t-shirt et le fourre dans la poche arrière de son jean. Elle le suit en souriant, sachant qu'il lui appartient maintenant, au même titre que cette terre qu'elle aime tant.

— Ça augure bien, dit Gabriel, soulagé. La vague de froid n'a pas détruit trop de semis.

Il n'a pas besoin de lui expliquer pourquoi il s'en fait. Elle sait que les jeunes plants de maïs peuvent tolérer un peu de givre, mais qu'ils sont beaucoup plus vulnérables si la température du sol descend sous le point de congélation. Cette année, le froid a duré jusque tard en mars, causant bien du souci aux agriculteurs qui s'inquiétaient pour leur récolte.

Gabriel s'agenouille et examine les touffes de soie qui pendent en dehors de leurs enveloppes. Une brise légère souffle sur le champ, le recouvrant de pollen. Le maïs pousse.

— Viens, l'invite-t-il.

— Où ?

Il la tire par la main et ils s'enfoncent dans le champ jusqu'à ce que les hautes tiges de maïs les cachent complètement.

— Perdons-nous ici, dit-elle.

Avec la fin des classes et l'arrivée du beau temps, ils passent de plus en plus de temps ensemble. Le père de Maggie est toujours au travail et sa mère préfère ne pas voir les enfants dans la maison. Une fois que ses filles ont fini leurs tâches, Maman ne cherche pas à savoir ce qu'elles font ni où elles vont, pourvu qu'elles accourent aussitôt que sa voix retentit dans le champ.

Maggie et Gabriel sont allongés sur le dos, côte à côte. Il étend un bras et elle dépose sa tête sur ses biceps. Elle sent une feuille de maïs lui chatouiller la cuisse et se rapproche de lui. Il joue avec une mèche de ses cheveux, et elle frémit lorsqu'il lui frôle accidentellement la joue.

— J'aime être ici, dans le champ, avoue-t-elle.

— Moi aussi.

Elle se soulève sur un coude et plonge son regard dans celui de Gabriel. Ses yeux sont gris argent au soleil.

— Pourquoi dois-tu aller à Montréal, tout l'hiver? lui demande-t-elle.

— Pour l'argent, répond-il après lui avoir lancé un regard étrange. Quelle question !

Depuis qu'il a 15 ans, il travaille à l'usine de construction d'avions Canadair durant la saison morte. Maggie est troublée à la pensée qu'il retournera à Montréal tout l'hiver. Cette échéance l'empêche de profiter pleinement du temps qu'elle passe avec lui maintenant, et jette une ombre sur ces précieuses journées.

— Il n'y a pas un autre endroit dans les environs où tu pourrais travailler?

— Ça ne me dérange pas de travailler à Canadair. Ce n'est pas la pire des usines.

— Qu'est-ce qui va nous arriver cet automne?

— On est seulement en juin, Maggie. Beaucoup de choses peuvent se passer jusque-là.

Il repousse une mèche de ses cheveux.

— Tu es tellement jolie, dit-il.

— Je suis jolie ?

— Tu n'as pas idée, renchérit-il en riant. C'est pour ça que je t'aime.

Elle ne bouge pas, laissant les mots l'atteindre.

— Moi aussi, je t'aime, murmure-t-elle.

Sans dire un mot, il roule sur elle. Ils s'embrassent longuement. Elle le sent devenir dur contre sa cuisse. Son chemisier se déboutonne, son soutien-gorge se dégrafe. C'est elle qui a pris les devants.

Ils ne sont jamais allés aussi loin jusqu'à maintenant. Elle a le cœur qui bat la chamade. Il relève sa jupe, hésite. Elle guide sa main plus haut sur sa cuisse.

— Tu es sûre ? demande-t-il dans un souffle.

— Oui.

Elle n'a pas du tout peur, ne souffre d'aucune inquiétude pendant leurs ébats. Elle a atrocement mal, mais sous la douleur, intrinsèquement mêlée à elle, il y a un plaisir d'une telle intensité qu'elle crie à chaque coup de reins de Gabriel.

À la fin, il s'effondre sur elle, son jean et son caleçon aux chevilles. Son dos est moite, ses cheveux trempés de sueur. Elle le tient enlacé. Soudainement, il lui paraît tellement vulnérable.

Il reste en elle un long moment. Puis sans crier gare, elle se met à pleurer. Il relève la tête, alarmé.

— Pourquoi pleures-tu ? lui demande-t-il. Je suis désolé. Je n'aurais pas dû.

— Non, dit-elle, je voulais.

— Mais alors, pourquoi pleures-tu ?

— Ce sont des larmes de bonheur.

— Je crois vraiment que je t'aime, dit-il.

Elle sait que les garçons mentent, surtout quand ils veulent coucher avec les filles. Mais elle le croit. Ses yeux à lui ne mentent pas. Son cœur qui bat ne ment pas. Il appuie sa tête sur son épaule. Elle ferme les yeux. L'après-midi s'écoule lentement.

Puis, comme d'habitude, la voix de sa mère brise le silence, résonne dans tout le champ. « *Maaaaaagggggggie !* »

Gabriel se relève d'un coup, remonte son pantalon.

— Tu ferais mieux d'y aller, dit-il, l'air effrayé. Elle va nous tuer avec sa maudite cuillère de bois.

Maggie rit, rattache son soutien-gorge, reboutonne son chemisier, retrousse sa culotte et rajuste sa jupe sur ses cuisses tachées de sang.

Il tend la main pour l'aider à se relever. Ils marchent solennellement. Le poids du monde pèse sur les épaules de Maggie. Elle a fait cette chose contre laquelle on la prévient depuis qu'elle a atteint l'âge de la puberté. Non seulement elle a couché avec un garçon, mais elle a couché avec un Canadien français. Elle s'est donnée à lui, elle ne peut plus revenir en arrière maintenant.

Elle voit sa mère agiter rageusement sa louche dans l'embrasure de la porte. Elle a l'air ridicule.

— Qu'est-ce que tu fais avec *lui*? s'écrie Maman, même si Maggie est à mi-chemin sur la colline. Va-t'en !* dit-elle à Gabriel.

— Viens me rejoindre dans le champ, demain, à trois heures, murmure-t-il.

Le cœur de Maggie palpite. La moto de Gabriel est garée dans une clairière près de la route. Il l'enfourche, fait vrombir le moteur et s'éloigne. Ils n'ont même pas le temps de s'embrasser.

— Je lisais dans le champ, dit Maggie en approchant de sa mère. Gabriel était là par hasard. Tu te rappelles qu'il est agriculteur, non ?

Elle se faufile dans la cuisine. De la soupe bouillonne sur le poêle. La radio joue doucement. Elle reconnaît la voix de Tino Rossi, ce chanteur que sa mère adore. C'est samedi, jour de pâtisserie. Il y a du beurre, de la farine et du sucre sur le comptoir, un pot de café sur la table en pin.

— Violet dit qu'elle t'a vue sur sa moto l'autre jour, dit Maman.

— Et alors ?

Thwack ! La louche s'abat sur le postérieur de Maggie.

— Arrête ! s'écrie Maggie, consciente qu'elle est trop vieille pour recevoir ce genre de correction.

— On t'a interdit de faire de la motocyclette, tu te souviens ? dit Maman, le bras en l'air, prête à lui assener un autre coup.

— J'ai bientôt 16 ans, lui rappelle Maggie. Gabriel est mon petit ami, que tu le veuilles ou non.

Sa mère bat en retraite, une étrange expression sur le visage.

— Tu es pareille comme lui, dit-elle en hochant la tête.

— Qui ?

— Ton père. Vous êtes deux Anglais snobs qui aiment profiter des Canadiens français.

Maggie est à la fois piquée et enhardie par cette remarque.

— Je l'aime, lance-t-elle, d'un air de défi.

— Tu l'aimes, répète Maman. Pour qui te prends-tu ? Une de ces idiotes de tes magazines de romance ?

Maggie a le visage en feu. Elle jette un coup d'œil alentour, à la recherche de quelque objet à lancer. Maman l'observe, sachant exactement ce qui pourrait arriver ensuite. Peut-être qu'elles ont le même tempérament après tout : elles s'emportent facilement. Les yeux de Maggie s'allument quand ils tombent sur le pot de café.

Sa mère sourit. *Chiche,* disent ses yeux noirs. Mais Maggie a suffisamment de retenue pour ne pas faire ce que sa mère ferait. À la place, elle monte l'escalier quatre à quatre, claque la porte de sa chambre derrière elle, en se demandant comment sa mère va se venger.

CHAPITRE 8

La moto de Gabriel roule le long de la Yamaska à une vitesse parfaitement synchrone avec le débit de la rivière. Ils passent devant des kilomètres et des kilomètres de ces quenouilles jaunes qui poussent naturellement sur le bord de la route. C'est le début de l'été, et Maggie voit d'un nouvel œil tout ce qu'elle tient parfois pour acquis – les fermes et leur toit de métal ondulé parsemé de rouille, les silos et les vaches, les champs de maïs aux reflets dorés qui s'étendent à perte de vue. Avec Gabriel, tout lui semble plus brillant, plus intéressant. Chaque odeur est plus parfumée, chaque couleur, plus intense. Elle aime ce garçon et son torse musclé auquel elle s'agrippe pour ne pas tomber ; elle aime cette route qui n'en finit plus et le vent qui fouette ses cheveux. L'avenir est rempli de kilomètres et de kilomètres de promesses.

Gabriel est beaucoup plus complexe que la caricature simpliste que son père fait des Canadiens français. Ce dernier ne pourra jamais comprendre à quel point Gabriel est sensible, généreux et loyal. Il aime passionnément Maggie, ses sœurs, sa nièce. Il ferait n'importe quoi pour elles. L'autre jour, il a donné une raclée à un type qui avait dit qu'Angèle ressemblait à une guenon. Et ses yeux s'emplissent de larmes lorsqu'il évoque la façon dont Clémentine l'a élevé, leur pauvreté et la façon dont les Québécois sont maltraités dans leur propre province.

Ce n'est pas facile pour eux d'être en couple. Les amis de Gabriel n'aiment pas Maggie. Avec ses kilts à carreaux, ses mocassins et son Anglo-protestant de père, elle symbolise toutes les injustices et les humiliations qu'ils subissent. Leur monde est scindé en deux: Canadiens français et Canadiens anglais, catholiques et protestants. Il n'y a pas d'entre-deux ni de transfert entre les deux groupes. Avec son sang mêlé et ses religions incompatibles, Maggie ne sera jamais une des leurs.

Gabriel lui montre du doigt la pancarte annonçant le village de Sainte-Angèle-de-Monnoir et coupe le moteur. Il freine complètement le long de la rivière, se tourne vers Maggie.

— Ma mère est née ici, lui dit-il.

— Tes parents doivent te manquer.

— J'imagine, répond-il, tendu.

Il parle rarement de ses parents. Il mentionne parfois que son père est mort très jeune, mais c'est habituellement pour évoquer sa propre mortalité, sans plus. Tout ce que Maggie sait du père de Gabriel provient de ragots.

Il descend de la moto et aide Maggie à faire de même. Elle lui tend son sac à dos, et il en sort un plaid et une bouteille de vin emballée dans un sac de papier kraft. Ils s'assoient en tailleur sur la couverture, et il leur sert à boire.

— Qu'est-ce que tu veux faire plus tard? lui demande-t-elle, réalisant qu'ils n'en ont jamais parlé. Qu'est-ce que tu voudrais être?

— Être? fait-il, le regard vide. Je ne sais pas. Je m'occuperais de la ferme si Clémentine n'était pas si pénible. Probablement que je vais finir contremaître à Canadair.

Maggie sourit pour cacher sa déception.

— Je sais que je ne veux pas mourir sans rien posséder, ajoute-t-il. Mon père n'avait rien quand il est mort et il ne nous a rien laissé.

— Tu pourrais faire n'importe quoi, lui dit-elle, encourageante. Tu es assez intelligent pour cela.

Gabriel hausse les épaules.

— J'aime travailler dans le champ, admet-il. Mais c'est Clémentine qui dirige les choses, et elle n'arrête pas de me dire quoi faire. Elle me traite comme un enfant.

— Peut-être que tu pourrais posséder ta propre ferme, suggère Maggie.

Il ne répond pas.

— Peu importe ce que tu décideras, tu réussiras, dit-elle, en se pendant à son cou.

Ils font l'amour. Puis, ils restent longtemps étendus au soleil, à paresser, ignorant les fourmis qui rampent sur leurs jambes.

— Je me suis retiré à temps, dit-il. Tu n'as pas à t'inquiéter.

Elle lui sourit, soulagée.

— Je suis tellement bien ici, avec toi.

— Mm. Moi aussi.

Lorsque le soleil commence à se coucher et que le ciel devient rose, ils reprennent la route vers Dunham, silencieux, satisfaits. Gabriel s'arrête à la station d'essence à l'entrée de la ville.

— Il y a un bruit de ferraille, constate-t-il. Je vais laisser ma moto ici pour la faire vérifier.

Main dans la main, ils marchent sur la rue Principale en direction de la rue Bruce. Maggie remarque alors une bande de jeunes garçons de l'école secondaire anglaise de Cowansville devant la fabrique Small Bros. Ils ont l'habitude de traîner dans la rue pendant la plus grande partie des vacances scolaires, en attendant que quelque chose se passe.

Lorsque Maggie repère Audrey au milieu du groupe, son cœur sombre. Elles ne se sont pratiquement pas reparlé depuis qu'elle a commencé à fréquenter Gabriel. Audrey a de tout nouveaux amis et sort avec un garçon de l'école de Cowansville, mais elle continue de se comporter comme si tout lui était dû. Justement, au moment où Maggie et Gabriel passent devant eux, le petit ami d'Audrey, un rouquin trapu, dit assez fort pour que Gabriel l'entende :

— Tiens, si ce n'est pas Maggie Hughes qui s'encanaille avec son Pepsi.

— Oh, Barney, tais-toi, le réprimande Audrey, feignant la colère. Ignore-le, Mags.

Nerveuse, Maggie jette un coup d'œil à Gabriel.

— Comment m'as-tu appelé ? demande Gabriel en s'approchant de Barney.

— Désolé, je ne parle pas Pepsi, répond Barney, en bombant le torse.

Ses amis en remettent en traitant Gabriel de Pepsi et de *peasoup*[10].

Gabriel serre les poings, le regard menaçant et dur comme de l'acier. Maggie recule. Avant même que Barney ne pense à se défendre, il reçoit un coup sur la mâchoire. Il trébuche, abasourdi. Les autres garçons encerclent alors Gabriel et commencent à le rouer de coups. Audrey et Maggie crient désespérément. Seul contre toute la bande, Gabriel se fait tabasser. Il s'accroupit pour se protéger.

— *Peasoup* a un couteau ! s'exclame soudain un des garçons.

Ils battent en retraite et se dispersent. Gabriel se relève, brandissant le canif de feu son père.

— Qu'est-ce qui se passe ici ?

Maggie se tourne pour voir son père descendre de voiture. Il s'avance vers eux, en colère.

— Qu'est-ce qui se passe ?

— Ce dégénéré a un couteau ! s'écrie Barney.

Le père de Maggie regarde Barney, puis Maggie, sans comprendre.

---

10 À cette époque, les Canadiens anglais avaient l'habitude de surnommer les Canadiens français *peasoup* (soupe aux pois secs jaunes), car, apparemment, ceux-ci étaient friands de ce mets peu coûteux et nutritif.

— Ils se sont ligués contre lui, explique Maggie.

— Il m'a frappé au visage, gémit Barney en se frottant le menton. Tout ce que mes amis ont fait, ç'a été de m'aider. Puis, il a sorti son couteau.

Le père de Maggie se tourne vers Gabriel, qui ne trouve rien à dire pour sa défense et ne semble pas avoir envie de se justifier. D'ailleurs, il ne fait rien pour cacher son canif.

— Monte dans la voiture, Maggie, dit son père.

Elle jette un coup d'œil à Gabriel, qui ne lui rend pas son regard.

— Allez, lui ordonne son père, avant de se tourner vers Barney pour ajouter calmement: Mon garçon, je suis avec toi, mais tu devrais savoir qu'il vaut mieux ne pas se moquer de quelqu'un comme lui.

Sur ces mots, il tire Maggie par le bras et la pousse sur le siège avant de la Packard. Elle a tellement honte – de la bigoterie de son père, du couteau de Gabriel, de sa propre inaction – qu'elle garde la tête baissée.

Mais elle regarde Gabriel lorsque la voiture s'éloigne. Il est toujours au milieu de la rue, sans expression, le couteau à la main. Son nez saigne, ses lèvres sont boursouflées, son t-shirt est déchiré. Il n'a toujours pas bougé quand elle cesse de le voir par le rétroviseur.

Plus tard ce soir-là, après que tout le monde est allé se coucher, Maggie se retrouve à rôder près de l'antre de son père. De la fumée de cigare monte en volutes de sous la porte. Elle cogne timidement.

— Entre, dit-il.

Elle a toujours aimé cette pièce. C'est un univers tellement masculin, l'essence même de son père. Des composants de radio sont épars sur la table, tandis que des radios rassemblées ou à moitié démontées traînent un peu partout sur le plancher. À côté d'une pile de boîtes vides de House of Lords, il y a tous ses livres: *Le guide du jardinier*, *Exploiter une jardinerie*, *Arbres indigènes du Canada*, *Triomphez de vos soucis: vivez que diable!* de Dale Carnegie.

— Que penses-tu des pétunias multicolores pour la couverture du catalogue de la prochaine saison ? lui demande-t-il.

— J'aime bien.

— Tu te souviens de la couverture de l'an passé ? fait-il en lui tendant le catalogue de 1948.

Elle l'ouvre et le feuillette.

COSMOS DE COULEUR MANDARINE

Premiers plants doubles. Donne de grosses fleurs de couleur orange vif qui contiennent de 40 à 50 pétales, soit le double de leur production habituelle. Le feuillage est encore plus impressionnant.

Soixante-quatre pages de texte à simple interligne. Elle le tient avec la vénération que l'on porte à une véritable œuvre d'art, admirant les dessins de Peter : étiquettes de jardinières en bois, tuteurs en bois de bambou, attaches pour plantes et embouts de tuyaux d'arrosage.

— L'an prochain, dit son père, je pense utiliser de vraies photos. Ce serait classe, non ?

— Très, répond Maggie.

Elle tire un livre très abîmé de l'étagère.

— *Semez généreusement*, lit-elle tout haut. *Des semences se feront manger par les oiseaux, d'autres ne produiront rien et d'autres pousseront.* Je me rappelle que tu me lisais ça.

Elle passe un doigt sur le dos du *Guide des fleurs sauvages.*

— Tu peux trouver mieux qu'un Canadien français, lui dit-il.

— Mais toi, tu ne l'as pas fait.

— C'est différent, dit-il, remettant le catalogue sur l'étagère. Ce n'est pas ta mère qui gagne notre vie.

La fumée de son cigare emplit la pièce.

— D'ailleurs, je reconnais mon erreur. Tu peux en tirer une leçon.

On ne peut pas les changer, lui a-t-il déjà dit.

— Pourquoi t'es-tu marié avec elle ? lui demande-t-elle.

Il la regarde avec lassitude, soupire et, pour toute explication, prononce un seul mot: « Désir ».

— Elle a toujours eu un étrange pouvoir sur moi, ajoute-t-il. Encore aujourd'hui, d'ailleurs.

Maggie comprend aussitôt que c'est ce que Gabriel provoque chez elle. C'est la raison pour laquelle ses parents peuvent parfois se détester, tout en ayant quand même envie de danser ensemble et de faire l'amour. Maintenant, tout cela a un nom. *Désir.*

— Je t'interdis de le voir, Maggie. Tu m'entends ?

— Ce sont ces Anglos qui ont commencé, aujourd'hui.

— C'est un voyou. Il n'est pas de notre monde et tu mérites mieux. Ce n'est pas ainsi que je t'ai élevée.

Elle n'en revient pas de son hypocrisie. Elle a les oreilles qui bourdonnent. *Et Clémentine ?* a-t-elle envie de crier. Mais elle se retient, trop terrifiée à l'idée de fissurer le fragile mur de silence et de déni qu'ils ont tacitement érigé ce jour-là. C'est à cette unique condition que leur relation peut durer.

— Je ne suis pas du bétail, s'insurge-t-elle. Pourquoi ne me laisses-tu pas être heureuse ?

— S'il y en a un qui sait que tu ne peux pas être heureuse avec lui, c'est bien moi.

— Il n'est pas Maman.

— En es-tu sûre ?

Elle ne répond pas.

— Je t'en prie, Marguerет, ne me contrarie pas.

— Tu ne peux pas me dire qui aimer, poursuit-elle, osant le défier pour la première fois de sa vie. Je peux aimer qui je veux.

Les lèvres de son père s'étirent en un mince sourire. Elle a le sentiment que les deux choses qu'elle souhaite le plus au monde – l'amour de Gabriel et l'approbation de son père – sont incompatibles, et que tôt ou tard, elle devra sacrifier l'une pour obtenir l'autre.

CHAPITRE 9

Lorsque Maggie descend au rez-de-chaussée, le lendemain matin, elle remarque une valise près de la porte arrière. Sa mère est en train de pétrir le pain.

— Quelqu'un s'en va ? se renseigne-t-elle.

— Oui, toi, répond Maman en donnant un solide coup de poing à la pâte.

Le cœur de Maggie sombre lorsqu'elle découvre ses vêtements bien repassés et pliés en ouvrant la valise. Sa mère a dû la préparer pendant qu'elle dormait.

— Où ? demande-t-elle, en proie à la panique. Où est-ce que je m'en vais ?

— Tu as un emploi pour l'été à la ferme de ton oncle Yvon, répond sa mère.

Son oncle et sa tante vivent dans une ferme laitière à Frelighsburg, à quelque dix kilomètres de Dunham. Ils ne viennent pas souvent voir la famille de Maggie, car Alfreda – surnommée Deda – a de la difficulté à se mouvoir à cause de son poids, lequel doit avoisiner les 140 kilos. Dans tous les souvenirs qu'elle a de sa tante, Maggie voit une femme éléphantesque rivée à une chaise ridiculement petite au dossier à barreaux. Le moindre mouvement l'essouffle et l'épuise. Maman rend rarement visite à Yvon et à Deda, car elle trouve leur maison trop sale, sa belle-sœur étant trop grosse pour faire le ménage. Pourtant, Maggie aime bien sa tante, qui est affectueuse et chaleureuse, et dont le rire tonitruant part des profondeurs de son énorme poitrine.

Le père de Maggie entre dans la pièce.

— C'est ton idée? lui demande-t-elle.

— Calme-toi, Maggie, tempère-t-il.

— Je ne veux pas travailler à la ferme d'Yvon, dit-elle. Je veux continuer de travailler au magasin, avec toi.

— Yvon va te donner un bien meilleur salaire.

— Je me fiche du salaire! Je veux rester ici!

— C'est juste un été.

Maggie a la tête qui tourne. Et Gabriel? Que se passera-t-il s'il part à Montréal avant qu'elle ne revienne?

— S'il te plaît, ne me force pas à y aller, dit-elle à son père.

Ils ne comprennent pas. Elle ne peut pas s'éloigner de Gabriel ou du magasin.

— Yvon a obtenu un contrat pour vendre son lait à Guaranteed[11], lui apprend son père. C'est très important pour eux. Ce n'est pas de toi qu'il s'agit, Maggie. Il a besoin de quelqu'un pour l'aider à la ferme et, franchement, ça ne nous fera pas de mal d'avoir ce surplus d'argent.

— J'avais 11 ans quand j'ai commencé à soutenir financièrement ma famille, intervient Maman, en s'essuyant les mains sur son tablier couvert de farine.

— Ne t'inquiète pas, lui promet son père en mettant son panama, tu pourras garder une partie de ton salaire. Maintenant, va dire au revoir à tes sœurs.

— Je n'irai pas, dit Maggie. Vous ne pouvez pas me forcer.

Mais au moment où elle profère ces paroles, elle sait qu'elle a déjà perdu la bataille. Elle a 15 ans. Que peut-elle faire? S'enfuir avec Gabriel et se marier avec lui? Vivre

---

11 Usine de transformation laitière.

misérablement avec lui dans sa bicoque ou l'appartement de son oncle à Montréal ? Elle a sous-estimé ses parents.

— Allez.

Maggie ne bouge pas. Elle les regarde tour à tour avec désespoir, en les suppliant silencieusement de changer d'avis.

— *J'ai dit : Allez !* répète son père, en haussant le ton.

— Je vous déteste ! s'écrie Maggie, en sortant de la pièce.

Elle gravit lentement l'escalier, encore sous le choc. Elle se sent trahie par son père. Comment peut-il lui faire cela ?

Elle étreint ses sœurs en pleurant et en s'accrochant à elles.

— Vas-tu revenir un jour ? lui demande Géri, en ouvrant de grands yeux.

— Cet automne, dit Maggie. S'ils le veulent.

Elle embrasse la joue dodue de Nicole une dernière fois, prend quelques affaires que sa mère a négligé de mettre dans sa valise – du papier, son étui à crayons, du maquillage, une pile de magazines *True Romance* – et retourne à la cuisine, abattue.

— Je sais que vous faites cela pour m'éloigner de Gabriel, dit-elle.

Son père finit son café sans répondre. Maman se tourne vers elle, une expression indéchiffrable sur le visage. Puis, elle s'approche et l'embrasse rapidement sur la tête.

— Tu ne seras pas partie pour toujours, dit-elle.

L'exil de Maggie est probablement la première chose sur laquelle s'entendent ses parents depuis des années.

Son père porte sa valise jusqu'à la voiture. Elle ne peut même pas appeler Gabriel pour lui dire au revoir, car il n'a pas le téléphone. Elle se précipite dehors, regarde en direction de la bicoque, dans l'espoir de l'apercevoir.

— Est-ce que je peux au moins aller lui dire au revoir ? demande-t-elle à son père.

— Nous n'avons pas le temps, Maggie, refuse-t-il. Je dois t'amener à Frelighsburg et revenir pour ouvrir le magasin à l'heure habituelle.

— Je t'en prie !

— Il est trop tôt ce matin pour tout ce mélodrame, dit-il. Arrête de te prendre pour Juliette et monte dans la voiture.

Ils n'échangent pas une parole pendant les 15 minutes que dure le trajet jusqu'à Frelighsburg. L'air sombre, Maggie regarde par la fenêtre.

— Belle journée, lance gaiement son père.

Furieuse, elle lui jette un regard en coin. Il se met à siffler et ne s'arrête que lorsqu'ils sont rendus à la ferme. Pendant tout ce temps, elle a mentalement composé une lettre enflammée qu'elle prévoit d'envoyer à Gabriel.

Frelighsburg est une petite ville située au pied d'une colline pentue, coincée entre l'église catholique Saint-François-d'Assise et l'église anglicane Holy Trinity. Les Canadiens français et les Canadiens anglais vivent de part et d'autre de la rivière Pike qui traverse la ville en plein milieu et délimite clairement les deux territoires. Dans le cimetière jouxtant l'église Saint-François-d'Assise, on retrouve des noms comme TOUCHETTE, PIETTE, GOYETTE sur les pierres tombales, tandis que ce sont des WHITCOMB, des BYRON, des SPENCER qui gisent dans celui de l'église anglicane. Même morts, les Canadiens français et les Canadiens anglais sont séparés.

Deda attend Maggie et son père dans une chaise berçante à l'extérieur de la maison. Elle porte une ample robe tachée et des pantoufles. Elle s'extirpe avec difficulté de son siège pour aller à leur rencontre, déjà toute rouge et à bout de souffle. Le père de Maggie ne daigne même pas entrer dans la maison. Il dépose la valise de sa fille sur le bord de la route, l'embrasse sur la joue et remonte dans sa Packard.

— Je ne veux pas être en retard au travail, s'excuse-t-il, en baissant sa fenêtre. Prends soin de toi, ma belle.

Il démarre dans un nuage de graviers. Maggie le regarde disparaître, se sentant abandonnée, perdue. Elle hait son père autant qu'elle voudrait le voir rebrousser chemin.

— Viens, ma cocotte*, l'invite sa tante, qui est arrivée à sa hauteur. Allons retrouver ton oncle.

Elle passe un bras dodu autour de ses épaules.

Au moins, Deda et Yvon sont faciles à vivre et drôles, surtout Yvon. Même Maman se déride en sa présence. Elle rit de ses blagues et passe son temps à l'encenser parce qu'il a été à la guerre. Il porte encore son calot vert forêt et son uniforme de soldat à la moindre fête de famille même s'il est revenu du front depuis presque cinq ans. Il chante des chants de guerre et sent la laine mouillée, le whisky et le Brylcreem[12].

— Tu es de plus en plus belle, dit-il à Maggie en la serrant dans ses bras. Quel âge as-tu maintenant? Seize ans?

— Quinze, répond-elle en ayant peine à le reconnaître sans son uniforme.

Il secoue la tête, incrédule. Ses magnifiques cheveux noirs ondulés, naturellement séparés par une raie au milieu, lui retombent au-dessus des yeux en formant un cœur. C'est un très bel homme en dépit de son gros ventre qui déborde de son pantalon.

Maggie jette un œil aux alentours, en se rappelant pourquoi sa mère ne vient jamais ici. La maison est sombre et lugubre. L'ennuyeux mobilier de style victorien se décline dans les tons de bordeaux et de marron, et tout est sale. Il y a des *minous**[13] sur le parquet, des toiles d'araignée dans les coins, des bottes et des chaussures boueuses entassées à côté de la porte, et des piles de journaux de l'Union des producteurs agricoles* abandonnés par terre devant le foyer.

---

12 Pommade pour les cheveux.

13 Mot québécois équivalent de *mouton* ou *chaton*.

— Ça va être bien d'avoir quelqu'un pour m'aider, dit Deda, en remarquant le regard de Maggie. C'est difficile pour moi de tout faire.

Maggie a effectivement hâte de nettoyer la maison. Deda lui sert du pain frais et un verre de lait non pasteurisé qui lui rappelle les régurgitations de Nicole.

— Tu vas t'habituer, la rassure joyeusement Deda.

Elles montent dans la chambre de Maggie, qui est aussi sombre que le reste de la maison. La faible lueur produite par la petite lampe sur la table de chevet n'arrange guère les choses.

— Je suis fatiguée, dit Maggie. Ça te dérange si je m'étends un moment?

— Pas du tout, ma cocotte*.

Une fois seule, Maggie s'allonge sur le lit de fer et ramène la courtepointe jusqu'à ses yeux. Elle est rugueuse et lourde. Elle pèse presque autant que Maggie et sent le bois de cèdre. Comme toutes les courtepointes de la famille de sa mère, celle-là est confectionnée à partir de morceaux de laine peignée découpés dans des habits d'hommes aux motifs divers: chevrons, pied-de-poule, rayures, tweed. Maggie pleure doucement. Tout lui semble étrange dans ce lieu. L'obscurité est plus profonde, l'air est plus pesant. Son joli papier peint, ses draps frais qui embaument le savon, le corps chaud de ses sœurs dans le lit lui manquent.

Elle n'arrête pas de penser à Gabriel. Au bout d'un moment, elle prend du papier et un crayon, et écrit la lettre qu'elle a composée mentalement dans la voiture.

28 juin 1949
Cher Gabriel,
Je suis désolée de ne pas avoir pu te dire au revoir. Je n'en ai pas eu le temps. On m'a envoyée à Frelighsburg pour travailler à la ferme laitière de mon oncle, sous prétexte que mes parents ont besoin d'argent. Mais nous savons tous qu'on m'a exilée pour m'éloigner de toi. Je t'écrirai aussi souvent que possible.

Attends-moi, mon amour! Ils ne peuvent pas nous séparer!
À toi pour toujours.
Maggie

Les jours s'écoulent dans le calme chez Deda et Yvon, sans les flambées de tension auxquelles Maggie est habituée à la maison. Elle aide son oncle à faire le train*, le mot que les agriculteurs utilisent pour désigner l'ensemble de leurs tâches matinales à la ferme. Elle nettoie les stalles des vaches, ramasse les œufs dans le poulailler, plume et lave les poulets. Elle aide aussi Deda à cuisiner et à faire le ménage, ce qui n'est pas si mal, car ses efforts sont toujours récompensés par des félicitations et des louanges. Et si elle oublie une tache de graisse sur la cuisinière, Deda ne le remarque pas. Celle-ci se contente d'un verre et d'une fourchette propres aux repas. Lorsque vient le temps d'aller au lit, Maggie n'a plus d'énergie pour s'apitoyer sur son sort ou déplorer l'absence de Gabriel. Elle s'endort aussitôt.

— Arrache les plumes d'un coup, dit Deda, en montrant à Maggie comment plumer un poulet. Comme ça. N'aie pas peur de lui faire mal, il est déjà mort.

Elles sont assises côte à côte sur la véranda, chacune un poulet au tendre ventre rose dans son giron. Deda a le visage en sueur pendant qu'elle travaille.

— C'est bien, Maggie, dit-elle, encourageante. Mets les plumes dans ce seau. Je les garde pour faire des oreillers.

Maggie en jette une poignée dans le seau. Une brise souffle sur la véranda et soulève quelques plumes qui finissent par se retrouver dans les cheveux de Deda. Celle-ci rit en secouant la tête. Malgré tout, il y a encore des moments de plaisir.

— Tu dois avoir un petit ami à Dunham, lance Deda en saisissant un autre poulet. Une jolie fille comme toi. Comment s'appelle-t-il? Je ne dirai rien.

— Gabriel, dit Maggie.

Elle meurt d'envie d'en parler. Elle lui a posté la lettre qu'elle lui a écrite le jour de son arrivée à la ferme et depuis, elle attend sa réponse.

— Gabriel est l'ange qui a dit à Marie qu'elle aurait un fils qui sauverait le monde. Je suppose que c'est sa lettre que tu attends ?

Maggie regarde au loin.

— Je t'envie, reprend Deda. Tu as la vie devant toi. Tu as encore le temps de choisir le bon garçon, celui qui te rendra heureuse.

— J'ai tellement hâte de rentrer à la maison, avoue Maggie. Mes parents ne peuvent pas nous empêcher de nous voir à tout jamais. Tôt ou tard, ils vont accepter que nous soyons ensemble.

— Et il va t'attendre ?

— Oui, je le pense, dit Maggie, paraissant plus confiante qu'elle ne l'est en réalité.

Elle pose son poulet et se tourne vers sa tante.

— Crois-tu que mes parents sont heureux ensemble ?

— Tu vis avec eux, répond Deda en lui jetant un regard perplexe. Tu devrais le savoir mieux que moi.

— Je sais, mais ils se disputent beaucoup. Puis, ils dansent ensemble…

— C'est bien vrai, ça, reconnaît Deda en riant.

Maggie attend en vain que sa tante lui en dise davantage.

Le lendemain matin, il y a une lettre pour Maggie dans la boîte aux lettres.

« J'écris très mal, lit-elle. Je vais venir te voir. Samedi à midi devant l'église.

GP »

Le samedi, Maggie se lave les cheveux et enfile une robe du dimanche que sa mère a mise dans sa valise. Elle annonce à Deda qu'elle va en ville acheter des timbres et prendre une boisson gazeuse chez Freshy's. Deda sourit.

Gabriel est déjà devant l'église Saint-François-d'Assise lorsqu'elle arrive. Il descend de sa moto, elle court vers lui. Il la prend dans ses bras et hume l'odeur de ses cheveux. Ils restent ainsi enlacés un long moment avant qu'elle lève la tête. C'est à peine si elle peut le regarder – comme s'il était un soleil aveuglant.

— Tu me manques, dit-elle en éclatant en sanglots.

— Ça fait seulement une semaine, dit-il en caressant ses cheveux. Il l'attire dans le cimetière derrière l'église.

— Il n'y a pas de maïs, mais ça fera l'affaire.

— Je n'ai pas beaucoup de temps, prévient-elle. Une heure peut-être.

Ils s'assoient sur la pelouse. Elle pose la tête sur les genoux de Gabriel.

— C'est difficile d'être ici toute seule. Quand je vais revenir à Dunham à la fin de l'été, tu vas partir pour Montréal.

— Je peux venir te voir les fins de semaine. Ou peut-être que tu viendras avec moi.

— Je dois aller à l'école, lui rappelle-t-elle. Je dois terminer mes études.

— Pourquoi ?

La question l'étonne. La réponse devrait être évidente. Elle repousse aussitôt la déception qu'elle sent poindre. Elle veut que leurs retrouvailles soient parfaites. Il s'étend à côté d'elle, et pendant un moment, ils s'embrassent et se câlinent sur fond de pierres tombales.

— C'est comment ici ? lui demande-t-il.

— Isolé, dit-elle. Mais ma tante et mon oncle sont gentils.

— C'est certain que tes parents veulent t'éloigner de moi.

— Après ce qui est arrivé avec Barney…

— Tu crois que c'est de ma faute ?

— Tu n'étais pas obligé de sortir ton couteau.

— Tu n'étais pas obligée de monter dans la voiture de ton père en me laissant tout seul dans la rue.

Elle regarde au loin.

— Tu ressembles beaucoup à ton père, lui lance Gabriel sur un ton insultant, tout comme l'a fait sa mère.

— Eh bien, d'après ce qu'on dit, tu ressembles beaucoup au tien, rétorque-t-elle.

— Je ne suis pas mon père.

Elle hausse les épaules. Elle veut le blesser.

— En tout cas, reprend-elle. Je suis contente de ressembler à mon père.

Gabriel reste silencieux pendant quelques minutes. Et juste au moment où elle pense qu'il a passé l'éponge et qu'ils vont pouvoir s'étendre de nouveau pour s'embrasser et se peloter, il lui dit :

— Tu crois que tu es mieux que moi.

— Ce n'est pas vrai.

— Je déteste la façon dont tu m'as regardé ce jour-là.

— Quelle façon ?

— La façon dont ton père me regarde.

— Ce n'est pas vrai ! Tu cherches une raison pour te disputer avec moi !

— Tu as honte de moi.

— Tu n'aurais pas dû sortir ce couteau.

Gabriel se rallonge sur le dos en attirant Maggie vers lui.

— Ton père pense qu'il peut nous empêcher d'être ensemble, murmure-t-il, en faisant remonter sa main le long de son mollet jusqu'à l'intérieur de sa cuisse.

— C'est donc de ça qu'il s'agit ? fait-elle en sentant la main de Gabriel s'approcher de sa culotte. Vaincre mon père ?

Il ne répond pas. Puis la sensation de son doigt en elle lui arrache un cri. Elle tourne la tête et fixe une pierre tombale. Elle ferme les yeux.

Les voisins et les ouvriers agricoles arrivent à la ferme au crépuscule. Deda et Yvon organisent une fête chaque samedi soir, a appris Maggie. Ils aiment beaucoup s'amuser.

Peut-être qu'ils cherchent à meubler le silence de cette maison sans enfants par la musique et les éclats de voix incessants.

À la tombée de la nuit, on sort le violon et le gin, on joue aux cartes, et la maison résonne au rythme des quadrilles. Yvon tend la bouteille de Crown Royal à Maggie qui en boit une lampée au goulot. Ça la réchauffe et ça lui brûle la poitrine. Yvon l'entraîne dans le salon pour danser.

Installée dans sa chaise, Deda frappe des mains. Yvon tient Maggie par la taille, en la regardant tendrement.

— J'ai toujours voulu une fille, lui crie-t-il à l'oreille.

Il la serre de près, en suivant le rythme du violon. Maggie a chaud et se sent étourdie.

Elle commence à avoir mal au cœur à cause du whisky et de l'étreinte d'Yvon. Elle a remarqué la façon dont il la fixe du regard pendant qu'elle exécute les tâches les plus banales : suspendre les draps, presser des citrons, courir après les poulets. Jusque-là, elle croyait que c'était la manifestation d'un amour purement paternel. Mais quelque chose dans sa façon de la serrer contre lui lui donne envie de fuir.

À la fin de la chanson, elle s'éclipse pour monter dans sa chambre. Elle s'allonge sur son lit en se tenant au matelas et en faisant des efforts pour ne pas vomir. Elle tire la courtepointe d'un coup sec et s'en recouvre le visage en espérant que son poids et sa fraîcheur l'aideront à tenir l'alcool. Elle prie pour que le matin arrive, pour cesser d'avoir mal au cœur et pour se sentir elle-même à nouveau.

Quelques minutes – ou quelques heures – plus tard, elle entend le parquet craquer dans le corridor devant sa chambre. La porte s'ouvre. Elle veut s'asseoir dans son lit, mais son corps ne collabore pas. Elle reste étendue, paralysée, en se demandant qui est là.

— Est-ce qu'il est temps de faire le train*?, marmonne-t-elle.

Un homme rit. Yvon.

— Non, Maggie, dit-il. Il est deux heures du matin.

Elle pousse un grognement. Lorsqu'il s'allonge près d'elle, elle le regarde sans comprendre. Elle est tellement ivre qu'elle peut à peine bouger. Il se met à lui murmurer des choses à l'oreille: «Tellement belle. N'arrête pas de penser à toi. Ne peux plus me contrôler. Te veux.» Elle est assez éveillée pour savoir que ce qu'il dit est mal. Son corps se tend. Elle voudrait crier à l'aide, mais aucun son ne sort de sa bouche. Elle essaie de s'éloigner, mais la lourde jambe de son oncle à travers son corps la retient. Elle a un haut-le-cœur.

L'a-t-elle allumé? Il est son oncle. Elle a toujours été en adoration devant lui. Est-ce qu'elle l'a induit en erreur?

L'haleine d'Yvon sent le whisky et les cigarettes. Maggie se souvient de l'après-midi qu'elle a passé avec Jean-François au lac Selby. Sensation répugnante, odeur d'anis. Elle se tortille pendant qu'Yvon lui balbutie des mots à l'oreille. Des mots sales, indécents qui la font se recroqueviller sur elle-même. Il est à moitié allongé sur elle maintenant, et ses jambes l'immobilisent. Il lui entoure le corps de son bras, et lui tient le côté du visage de sa main.

— Arrête, supplie-t-elle. Mon'onc*, s'il te plaît!

Lorsque les mains de son oncle commencent à défaire sa robe, elle sent la bile lui monter dans la gorge. Il explore des parties de son corps que Gabriel devait être le seul à jamais connaître. Il s'appuie de tout son poids sur elle, et elle ne peut même pas lui donner un coup de genou dans l'entrejambe. Il lui enlève sa culotte. Elle a beau se tortiller, elle ne peut pas lui échapper. Elle s'entend crier et supplier, mais Yvon, lui, n'entend rien. Ou alors il s'en fiche. Peut-être d'ailleurs que les mots ne franchissent même pas sa bouche. Elle ne sait plus.

Il la contraint à le toucher, mais elle résiste de toutes ses forces. Frustré, Yvon défait sa ceinture et baisse son pantalon. Il souffle fort et la pénètre de force. À peine quelques heures plus tôt, elle faisait l'amour avec Gabriel. Elle se souvient à quel point c'était agréable et doux. Maintenant, le seul fait de penser à Gabriel est insoutenable.

Elle s'oblige à se concentrer sur les bruits environnants qui la rassurent: les grillons, les tuyaux, la musique de moins en moins forte en bas. Alors qu'habituellement leur rythme apaisant l'aide à s'endormir, ce soir ils sont assourdissants.

Yvon s'effondre sur le dos à côté d'elle, haletant comme un chien de ferme qui a couru après les vaches.

— Tu n'es pas vierge, lui dit-il le regard tourné vers le plafond, mis-surpris, mi-déçu. Le garçon à la motocyclette ne connaît pas sa chance, ajoute-t-il en allumant une cigarette.

Maggie observe l'extrémité orange brûlante, qui crépite.

Elle lui tourne le dos et s'éloigne de lui en s'agrippant aux barreaux du lit pour empêcher la chambre de tourner. Elle serre les jambes pour atténuer la douleur.

CHAPITRE 10

C'est la fin août. Les parents de Maggie viennent à la ferme pour la première fois de l'été – non pas pour la voir, mais pour célébrer l'anniversaire d'Yvon. Elle ne les a pas revus depuis qu'ils l'ont envoyée à Frelighsburg, bien qu'elle leur ait parlé tous les dimanches soir au téléphone. Or, ces conversations sont toujours tendues. Elle les supplie à voix basse de lui permettre de rentrer à la maison, et ils lui répondent toujours la même chose. *Après la fête du Travail.*

Elle sait qu'ils attendent que Gabriel retourne à Montréal pour la laisser revenir à Dunham. La colère qu'elle éprouve à leur endroit s'est atténuée au fil du temps et a cédé la place au désespoir. Elle n'a pas assez d'énergie pour la colère. Lorsqu'elle parle à ses parents au téléphone – à sa mère, puis à son père – et qu'ils lui demandent comment elle va, elle voudrait leur dire ce qui lui est arrivé. Elle voudrait qu'ils sachent ce qu'Yvon a fait. Elle les blâme. Selon elle, ils devraient porter ce fardeau avec elle, mais elle ne dit rien. Et s'ils ne la croyaient pas? Et si son père ne revenait pas la chercher?

Yvon n'est réapparu qu'une seule autre nuit dans la chambre de Maggie pour tenter de se glisser dans son lit.

Il était ivre et marmonnait qu'il ne pouvait pas se passer d'elle, mais ce qu'elle lui a dit l'a arrêté net :

— Ne t'approche pas de moi, sinon je vais tout raconter à mon père.

Sobre, elle était capable de lui opposer une résistance beaucoup plus ferme.

Il faisait trop sombre pour qu'elle voie son visage, mais elle a deviné par son silence qu'il était surpris. Il l'avait sous-estimée. Il est sorti de sa chambre, en lui intimant de ne rien faire de stupide. Il n'est plus revenu.

Gabriel n'est repassé voir Maggie à Frelighsburg qu'une seule fois depuis l'horrible nuit avec Yvon. Il a senti que quelque chose ne tournait pas rond dès qu'il l'a vue dans le cimetière. C'est à peine si elle pouvait le regarder ou le toucher. Elle était silencieuse et distante. Elle a refusé de faire l'amour avec lui sous prétexte que ce n'était pas bien de le faire dans un tel endroit.

— Quelque chose ne va pas ? a-t-il fini par lui demander.

— Non, a-t-elle répondu. J'ai simplement mal à l'estomac.

La seule pensée qu'un homme la touche ou l'embrasse lui soulevait le cœur.

— Tu sais ce qu'on dit, a-t-il dit. Loin des yeux, loin du cœur.

— Ce n'est pas ça, a-t-elle rétorqué.

Elle n'avait pas les mots pour lui expliquer comment elle se sentait. Tout se passait comme si elle était emprisonnée ou que ses émotions étaient tombées en panne.

Maggie avait prévu de demander à Gabriel de l'emmener à Montréal avec lui, mais quand elle l'a vu et l'a regardé dans les yeux, elle a su qu'elle en serait incapable. Il voudrait savoir pourquoi elle avait soudain changé d'avis et voulait s'enfuir avec lui, et elle ne pouvait pas même s'imaginer en train de lui dire la vérité.

— Tu es certaine que tout va bien, lui a-t-il demandé encore une fois. Est-ce que c'est à cause de ce dont nous avons parlé la dernière fois ? Parce que j'ai sorti mon couteau ?

Bien qu'elle ait tenté de le rassurer à plusieurs reprises cet après-midi-là, elle a bien vu qu'il ne la croyait pas. Il était assez sensible pour comprendre qu'il y avait quelque chose de différent entre eux. L'atmosphère était tendue lorsqu'ils se sont quittés. Il avait l'air troublé, mais il n'a rien fait pour la presser. Il était trop fier pour ramper devant elle ou prendre un air désespéré. Il est donc parti, l'air stoïque, ne sachant pas trop ce qui s'était passé entre eux. Et elle n'a rien fait pour le retenir. Lorsqu'il a voulu revenir lui rendre visite une autre fois, elle lui a dit qu'elle avait trop à faire à la ferme. Il ne s'est plus manifesté.

La Packard s'arrête devant la maison, et Maggie regarde ses parents s'approcher avec détachement. Elle est assise dans la chaise berçante en osier sur la véranda, là où elle plume les poulets avec Deda. Elle se rend compte à quel point ses sœurs – Violet, Géri et Nicole – lui manquent lorsqu'elle les voit accourir vers elle. Mais elle sait que ses parents ne sont pas là pour la sauver. Ils vont manger du rôti de porc, parler de choses et d'autres, boire du whisky en l'honneur d'Yvon, puis ils rentreront sans elle.

Maggie accueille Vi en l'étreignant, puis elles s'éloignent l'une de l'autre pour se regarder. Elles n'ont jamais été séparées aussi longtemps.

— J'ai vu Gabriel l'autre jour, dit Vi.

Maggie veut en savoir davantage, mais ses parents arrivent à leur hauteur.

— Comment vas-tu ? lui demande son père.

— Bien.

— Tu as l'air fatiguée, dit Maman en la dévisageant.

Hortense est bien habillée aujourd'hui, et elle porte du rouge à lèvres. Elle a ondulé ses cheveux. Elle est jolie et a l'air plus jeune. Les effluves de son parfum persistent sur la véranda après que la porte moustiquaire se referme derrière elle dans un claquement.

Maggie se tourne vers Violet.

— Où ? Où as-tu vu Gabriel ?

— Dans le champ.

— Lui as-tu parlé ?

— Je lui ai dit qu'on venait te voir aujourd'hui.

— Qu'est-ce qu'il a dit ?

— Il a seulement dit de te passer le bonjour.

— C'est tout ?

Violet opine.

Elles entrent dans la maison. Le dîner est déjà servi. Maggie ne s'est pas sentie dans son assiette de toute la journée, et l'odeur du porc lui donne la nausée. Elle met sa main devant sa bouche et réprime un haut-le-cœur.

— Qu'est-ce que tu as ? lui demande sa mère sur un ton plus accusateur qu'inquiet.

— Je ne me sens pas bien, répond Maggie en s'affalant sur une chaise.

Elle a de plus en plus mal au cœur.

— Éloigne le porc, dit-elle avant de se lever et de se précipiter vers la salle de bain.

Mais il est trop tard, à mi-chemin, elle vomit sur le mur.

Maman accourt. Deda arrive derrière elle en se dandinant. Elle jette un œil au dégât et réprime un haut-le-cœur, elle aussi. Maman fonce sur Maggie, la prend par les épaules et la dévisage, comme si elle cherchait quelque chose. Maggie vomit encore, cette fois sur les richelieus marron de sa mère. Celle-ci la lâche et retourne vers la cuisine. Elle revient quelques instants plus tard avec des chiffons mouillés.

— Va à la salle de bain, dit-elle à Maggie. Mets-toi à genoux devant la cuvette et reste là.

Maggie s'exécute. Une fois qu'elle a rendu tripes et boyaux et qu'elle n'a plus mal au cœur, elle s'étend sur le plancher froid en regardant fixement le plafond.

— As-tu fini ? demande Maman à travers la porte.

— Je crois que oui.

Sa mère entre et ferme la porte derrière elle.

— Je dois faire une gastroentérite, dit Maggie.

— Gastroentérite, répète Maman avec mépris. As-tu beaucoup vomi ?

— C'est la première fois ce soir. C'était à cause de l'odeur du porc.

Maman se frotte le front, l'air agité.

— As-tu couché avec Gabriel ?

La question frappe Maggie comme un poing au ventre. *Comment sait-elle ?*

— Oui ou non ? demande sévèrement Maman.

Maggie ne répond pas.

— Mon Dieu, dit Maman dans un souffle. Tu as couché avec lui, c'est ça ?

Maggie se sent soudain prise au piège.

— Mon Dieu*, marmonne Maman, en fermant les yeux et en passant une main dans ses cheveux. Elle se met à aller et venir comme un animal en cage.

— À quand remontent tes dernières règles ?

Maggie se rend compte qu'elle n'a pas eu de règles depuis qu'elle est à Frelighsburg, ce qu'elle dit à sa mère, tout en sentant la panique monter en elle.

— *As-tu couché avec Gabriel ?*

— Oui, s'écrie Maggie. Mais je l'aime, nous allons…

Maman gifle Maggie.

— Tu es enceinte ! hurle-t-elle.

Maggie secoue la tête. *Ce n'est pas possible.* Gabriel s'est retiré.

— Je l'ai su dès que je t'ai vue aujourd'hui, dit sa mère. Tu es pâle et tu as des cernes sous les yeux. Tu as l'air de ce dont j'avais l'air chaque fois que j'ai été enceinte.

— C'est juste une gastro, se défend faiblement Maggie.

— Tu n'as pas eu tes règles, idiote. Et l'odeur de la viande… C'est exactement comment je me sentais. Tu ne te souviens pas ? Quand j'étais enceinte de Géri et Nicole ? Je n'ai pas pu cuisiner de viande les quatre premiers mois de toutes mes grossesses.

Maggie a la bouche sèche, une boule dans la gorge. Puis, soudain, horrifiée, elle se demande si ce ne serait pas Yvon le responsable.

— Ça se pourrait que ce ne soit pas à cause de Gabriel, commence-t-elle.

— Il y en a eu d'autres? s'écrie Maman, le regard noir. Tabarnac* !

— Pas des garçons, précise Maggie, la voix tremblante.

Elle ne sait pas si elle doit révéler ce que lui a fait son oncle. Elle se demande ce que sa mère fera à Yvon et ce que *lui* il fera à Maggie. Mais elle doit protéger Gabriel.

— Qui, alors? demande Maman d'une voix blanche.

Maggie se cache le visage dans les mains.

— Qui?

— Mon'onc* Yvon!

Sa mère ne cille pas. Elle reste là, à fixer sa fille du regard. Maggie attend qu'elle réagisse, mais rien ne vient.

— Maman?

— Il serait incapable de faire une telle chose, finit par dire sa mère.

— Mais c'est la vérité. La première semaine où j'ai été ici.

— Alors, ça doit être parce que tu as fait quelque chose.

— Que veux-tu dire?

— Tu as flirté avec lui ou tu l'as séduit.

— Non!

— Tu ne dois pas dire un mot de tout cela à personne, dit Maman. Pas à Deda, ni à ton père, ni à tes sœurs.

— Je ne dirai rien.

— Ça détruirait Deda, dit-elle. Si c'est vrai.

— *C'est* vrai.

Maman ouvre la porte de la salle de bain pour sortir.

— Qu'est-ce que nous allons faire? demande Maggie.

— Nous allons faire ce que toutes les familles font dans ce genre de situation, dit-elle sans se retourner vers Maggie avant de fermer la porte.

Plus tard, les adultes se réunissent autour de la table de la cuisine pour parler en chuchotant. Les enfants sont obligées de rester dehors jusqu'à ce que leur mère apparaisse, impassible. Elle prend Maggie à part.

— Tu resteras à Frelighsburg avec Deda et Yvon jusqu'à la naissance du bébé, dit-elle. Et si tu revois ce garçon – même *une seule fois* – ou si j'entends dire que tu l'as vu en ville ou qu'il est venu ici, tu seras chassée de cette maison et jetée à la rue.

— Tu m'obliges à rester ici, avec Yvon, s'écrie Maggie.

— Il s'est occupé de toi.

Maggie secoue la tête, désorientée.

— Nous n'avons pas le choix, Maggie, dit-elle. Nous sommes au Québec.

— Qu'est-ce qu'Yvon a dit ? Lui as-tu dit que ça pourrait être le sien ?

— Bien sûr que non, chuchote-t-elle en prenant sa fille par le menton. Ton père et Deda ne se doutent de rien, et nous n'en parlerons jamais, tu entends ? Yvon te laisse rester ici jusqu'à ce que tu aies ton bébé. Nous devrions lui être reconnaissants.

— Je ne resterai pas ici avec lui, refuse Maggie en se dégageant. Je vais retourner à Dunham et avoir mon bébé avec Gabriel.

— Et où habiteras-tu ? Dans la bicoque des Phénix ? À cinq dans une chambre ? Et comment va-t-il te faire vivre avec un bébé ? En vendant du maïs ? Vous allez vous séparer durant l'hiver quand il va aller à Montréal pour travailler dans une usine ? C'est une vie difficile pour un couple d'adolescents, tout ça. Surtout que tu ne pourras pas finir tes études. C'est ce qui m'est arrivé.

Maggie reste bouche bée.

— Tu ne connais pas la pauvreté comme je l'ai connue, dit Maman. Pense à tout cela, car tu devras te débrouiller toute seule si tu gardes ce bébé.

— Que dit papa ? demande Maggie en essuyant ses larmes.

— La même chose que *moi.* Il est dévasté. Nous ne pouvons pas laisser un enfant illégitime ruiner notre réputation. Décide-toi, Maggie. Nous rentrons à Dunham maintenant.

— Qu'est-ce qui va arriver au bébé ?

— Il ira dans un orphelinat. Là où tous les bébés illégitimes vont. Personne ne saura ce qui s'est passé, sauf ceux qui sont dans cette maison.

— Pourquoi Deda ne peut-elle pas le garder ? Elle a toujours voulu des enfants.

— Nous ne garderons *pas* cet enfant.

Nous, comme si le bébé de Maggie leur appartenait déjà.

Maggie reste sur la véranda, à examiner ses options. Elle aime encore Gabriel. Elle pourrait trouver un moyen de rentrer à Dunham, et lui annoncer qu'elle est enceinte dans l'espoir qu'il la marie. Mais il faudrait alors qu'elle abandonne ses études et son rêve de diriger le magasin de son père.

C'est alors qu'elle prend sa décision. L'idée de renoncer à l'avenir qu'elle s'est toujours imaginé lui est insupportable. Elle a axé toute sa vie sur ce but – il l'anime même dans le malheur. Elle se sent vide et inutile du simple fait d'envisager de s'écarter de ce chemin.

Son exil lui semble soudain moins intolérable. Rester à la ferme est peut-être le choix le plus noble : se cacher, protéger la réputation de tous, puis réintégrer sa vie d'avant. Tout n'était pas rose, tout n'était pas facile, mais c'était quand même une bonne vie.

— Maggie ?

Elle se tourne et aperçoit son père. Elle ne l'a pas entendu sortir de la maison.

— Je suis désolée, papa…

— Nous allons arranger cela, promet-il. Nous allons te ramener dans le droit chemin.

Elle le regarde, surprise par son ton gentil.

— Comment ? lui demande-t-elle.

Il la prend dans ses bras. Maggie respire l'odeur des cigares Panatella qui imprègne sa chemise. Elle se met à sangloter pendant qu'il lui caresse les cheveux. Elle ne mérite pas tant de bonté de sa part. Elle l'a déçu de toutes les façons possibles et imaginables, et pourtant, il la console.

— Pour commencer, lui dit doucement son père, tu ne dois pas revoir Gabriel Phénix. Tu vas rester ici jusqu'à ce que tout cela soit terminé et tu n'auras aucun contact avec lui. Si tu choisis de le revoir, nous te bannirons de nos vies. Compris, Maggie ?

Maggie se dégage et le regarde, les lèvres tremblantes.

— Si tu le revois, nous ne te reverrons plus et nous ne t'adresserons plus jamais la parole. Tu ne remettras plus les pieds à la maison, insiste-t-il. Quant à lui, il peut s'estimer heureux que je ne le tue pas avec mon fusil.

Plus tard, lorsque ses parents et ses sœurs s'apprêtent à partir, Maggie prend Vi à part et lui dit :

— Il faut que tu dises quelque chose à Gabriel de ma part.

— Quoi ?

— Dis-lui que c'est terminé entre nous. Je ne répondrai à aucune de ses lettres et je ne le reverrai plus.

Après leur dernière rencontre, elle se doute qu'il ne sera pas surpris.

— Mais pourquoi ? demande Violet, en ouvrant de grands yeux. Quand je suis arrivée, tu voulais absolument savoir ce qu'il avait dit.

— Dis-lui que c'est terminé, répond Maggie. Dis-lui que je ne reviendrai pas avec lui.

— Pourquoi ? veut savoir Violet, savourant le drame.

— Tu le sauras bien assez tôt, lui dit Maggie. Contente-toi de dire à Gabriel que c'est fini entre nous, d'accord ?

Violet opine docilement, puis court vers la Packard. Maggie reste là à les regarder s'éloigner avant de rentrer dans la maison.

CHAPITRE 11

Dîner dominical. Ses parents sont là. Son oncle aiguise le couteau. Maggie est enceinte de huit mois. Son exil dure depuis plus longtemps. Et elle estime qu'elle devra rester à la ferme deux mois de plus. Après l'accouchement, elle devra perdre du poids avant de rentrer à Dunham, de reprendre le travail, de retrouver sa vie d'antan.

Elle essaie de ne pas trop penser au choix qu'elle n'a pas fait – Gabriel et la maternité. Elle a eu amplement le temps de se réconcilier avec sa propre décision. Une décision pratique, non romantique. Elle a entrevu son avenir en tant qu'épouse d'un pauvre fermier ; une mère de 16 ans enfermée dans une bicoque, qui serait devenue grosse et amère en vieillissant, comme sa mère. Elle a entrevu une existence sans son cher magasin de semences ni son père. Une existence réduite à rien.

Maman a raison ; la vie n'est pas comme dans les magazines sentimentaux

— Tabarnac*, j'ai oublié le raifort, s'exclame Maman au moment même où Maggie sent un flot de liquide chaud s'écouler entre ses jambes.

— Qu'est-ce qui se passe ? demande-t-elle.

— Tout va bien, ma cocotte*. Le bébé arrive plus tôt que prévu. C'est tout.

Deda et Maman soutiennent Maggie pour l'aider à monter dans sa chambre. Cette chambre qu'elle occupe depuis qu'elle vit chez son oncle et sa tante. Maman jette rapidement quelques affaires dans une petite valise.

— Va me chercher des serviettes, dit-elle à Deda.

Deda sort de la chambre en se dandinant. Maggie entend la porte de l'armoire à lingerie s'ouvrir et se refermer, l'eau couler dans la salle de bain, les pas lourds de sa tante qui font craquer le parquet du corridor. Elle s'efforce de se concentrer sur ces menus détails pour ne pas s'évanouir. C'est alors que la première douleur lui déchire le ventre, tellement aiguë, tellement soudaine qu'elle la fait tomber à la renverse.

Maman regarde l'horloge sur la commode.

— Dis-moi quand commencera la prochaine, dit-elle.

— La prochaine *quoi ?* demande Maggie.

— La prochaine contraction.

Maggie s'assoit sur le lit et attend. À côté d'elle, Deda la surveille, pendant que Maman finit de faire la valise. Elle éponge la robe de Maggie avec une serviette. La contraction se produit une dizaine de minutes plus tard. Maggie hurle et se cambre dans le lit.

— Neuf minutes, déclare Maman.

Incapable de rester assise, Maggie se lève pour marcher. Les contractions sont de plus en plus longues et intenses. « Aaaaaaaaïe ! » crie-t-elle chaque fois.

Deda essaie de lui prendre la main, mais Maggie la repousse avec brusquerie pour saisir son avant-bras dodu qu'elle serre sous l'effet de la douleur. Cette fois, c'est Deda qui hurle.

Le trajet jusqu'à l'hôpital se fait dans un brouillard de souffrance pour Maggie. Elle se tortille sur la banquette arrière de la Packard, serrée entre sa mère et sa tante. Son père fonce à toute vitesse vers l'hôpital Brome-Missisquoi-Perkins de Cowansville. On l'installe dans un fauteuil roulant pour l'amener dans une chambre individuelle. Dès qu'elle s'allonge, elle ressent au bas du dos une pression aussi soudaine qu'insupportable, une douleur qu'elle n'oubliera jamais. Elle sent le bébé dans son entrejambe.

Le docteur Cullen apparaît. Il l'examine à la façon dont son père étudie les semences et les insectes avec une loupe.

— Elle est déjà complètement dilatée, annonce-t-il. On voit la tête du bébé.

Il la prend par les chevilles et lui pose les pieds sur ses robustes hanches.

— Pousse fort, lui ordonne-t-il. Appuie-toi sur moi avec tes pieds, et pousse.

Maggie s'exécute. Elle pousse jusqu'à ce qu'elle ne puisse plus endurer la douleur. Puis, elle lâche un cri qui fait sursauter tout le monde.

— Pousse, Maggie.

— Je ne suis pas capable ! crie-t-elle, en s'effondrant. Je n'en peux plus !

— Tu t'en tires très bien, dit le docteur Cullen. Je vois la tête du bébé. Encore quelques poussées et ce sera tout. Il est *là*.

Elle pousse, grogne et enfonce ses pieds dans la forteresse inébranlable qu'est le corps du docteur Cullen. Elle serre la main de sa tante jusqu'à ce que celle-ci devienne toute molle. Elle le sent. *Lui*. Le bébé. Il s'en vient. Elle pousse, s'effondre, pousse, s'effondre.

— Une de plus, l'encourage le docteur Cullen. N'abandonne pas, Maggie. On y est presque.

Et juste au moment où elle pense qu'elle ne pourra pas endurer cette torture une seconde de plus, le bébé est là. Après tous ces efforts épuisants, il glisse hors d'elle en même temps qu'un torrent de soulagement. Elle ne peut pas le voir, mais elle le sent visqueux et gigotant, comme un reptile rampant hors d'un marécage. Puis, elle sombre dans le matelas, soudainement légère. Elle entend le bébé pleurer à l'autre bout de la pièce ; on dirait deux chats sauvages en train de se battre. Elle sent son corps étrangement vide.

Le docteur Cullen emporte le bébé vers une bassine, suivi de Maman et de Deda. Maggie se soulève sur les coudes pour mieux voir ce qui se passe. La petite créature que le docteur tient dans ses mains a le teint bleuâtre et est couverte de sang.

— Le cordon ombilical s'est déchiré, lui dit-il en le tenant de façon à ce qu'elle le voie.

On dirait le boudin* que Maman fait cuire pour le dîner du jeudi soir.

Il y a du sang partout. Sa mère fixe le bébé du regard.

— C'est une fille, dit-elle, impassible.

Le bébé – *elle* – pleure toujours quand le docteur Cullen la tend à l'infirmière. Maggie se demande si tout va bien. L'infirmière la lave méthodiquement, sans affection ni tendresse. Maggie n'aperçoit que de petits poings qui battent l'air. Elle se laisser aller contre l'oreiller. *Une fille.* Elle pense à Gabriel et pleure doucement. Elle n'a personne d'autre qu'elle-même à blâmer. Un nom lui vient alors à l'esprit. Élodie. C'est une espèce de lys dont le bouton s'ouvre pour révéler une superposition de pétales rose bonbon. Elle décide de donner à la fille qu'elle ne connaîtra jamais le nom d'une fleur qu'elle a toujours aimée.

— Elle a la jaunisse, dit le docteur Cullen à la mère de Maggie.

— C'est quoi la jaunisse ? s'écrie Maggie.

Le médecin et sa mère échangent des regards de conspirateurs, et le docteur Cullen s'approche de Maggie, une seringue à la main.

— Qu'est-ce que c'est ? demande-t-elle.

— Juste quelque chose pour t'aider à dormir.

— Elle s'appelle Élodie, dit Maggie au moment où l'aiguille pénètre sa peau. Dites-le à papa. Assurez-vous qu'il le sache.

Mais personne ne répond.

— Élodie, répète-t-elle en sombrant dans le sommeil. Dites-le à papa.

Maggie se réveille dans un silence total. L'hôpital est étrangement tranquille. Les pleurs du bébé dans sa tête sont le seul bruit qu'elle entend.

— Où est-elle ? demande-t-elle.

Deda se lève de sa chaise et s'approche en traînant les pieds. Il n'y a personne d'autre dans la chambre, mais soudain sa mère apparaît dans l'embrasure de la porte.

— Une de vous deux aurait pu la garder, sanglote Maggie, en regardant tour à tour sa mère et sa tante. Il n'est pas trop tard !

— Ça aurait ruiné le nom de ta famille, dit doucement Deda. Ta mère n'est peut-être plus catholique, mais elle se préoccupe encore de ce que les autres pensent d'elle. Et ton père doit préserver sa réputation à Dunham.

— Je veux la voir, alors.

— Bois ça, dit Deda en lui tendant un verre d'eau.

Maggie se rend compte qu'il contient du whisky, ce qui lui soulève le cœur.

— Ça va te soulager, reprend Deda.

Maggie boit tout le contenu du verre. Elle est épuisée et a mal partout.

Est-ce que je peux la voir avant qu'ils l'emmènent ? répète-t-elle.

— C'est trop tard, dit Maman, d'un ton plus gentil que d'habitude. Elle est déjà partie. Elle ne t'appartient pas, Maggie. Elle ne t'a jamais appartenu.

Puis, elle tourne le dos et quitte la pièce sans rien ajouter.

— Était-elle jolie ? demande Maggie à sa tante.

— Elle était très petite, née trop tôt. Tous les bébés prématurés sont laids.

— C'est quoi la jaunisse ?

— Ce n'est rien. Ne t'en fais pas.

— Où a-t-elle été emmenée ?

— À l'orphelinat de Cowansville.

— Pourquoi est-ce que je n'ai pas pu la tenir dans mes bras ?

Deda s'assoit au bord du lit, qui grince et ploie sous son poids.

— Ça rend les choses trop difficiles, lui explique-t-elle. C'est ce que font les gens dans ces situations, Maggie.

— Je voulais lui dire au revoir.

— Ton oncle aimerait te voir, lui dit Deda, sa main dodue lui effleurant le front à la naissance des cheveux.

— Je ne me sens pas bien, marmonne Maggie en détournant le visage, frémissante de colère.

Deda pose ses lèvres sur la tête de Maggie, lisse ses cheveux humides et quitte la chambre en refermant la porte derrière elle. Une fois seule, Maggie se sent complètement vide, comme si on lui avait retiré les entrailles pour les déposer dans cette bassine d'émail.

Les sentiments viennent par vagues. Peine, soulagement, honte, culpabilité. Elle aurait pu garder le bébé. Elle n'est pas irréprochable. Sa fille est sur le point d'être projetée dans le monde, toute seule. Elle va grandir sans attache, incomplète. Comme elle.

Maggie commence à s'assoupir, bercée par le bruit de la pluie contre la fenêtre. Et là, entre le sommeil et l'éveil, le nom lui revient. Elle le murmure dans la nuit. *Élodie.*

Je te trouverai, pense-t-elle, en s'endormant. C'est une promesse qu'elle se fait autant à elle qu'à sa fille. *Je te retrouverai et je corrigerai la situation.*

PARTIE II

1954-1961

La transplantation hors saison

« Si, pour une raison quelconque, on doit transplanter une plante à un moment de l'année où il fait vraiment trop froid, on imbibe la terre avec de l'eau chaude plutôt que froide. Étonnamment, cela n'endommage pas les racines. »

Old Wives' Lore for Gardeners

CHAPITRE 12
Élodie

Les bras tendus de Tata sont ce qu'elle voit en ouvrant les yeux.

Instinctivement, elle tend aussi les bras, et d'une seule volée, Sœur Tata la sort de son petit lit et la dépose par terre.

— Froid ! s'écrie Élodie en exécutant une petite danse pour éloigner ses pieds du parquet glacial. Tata rit, un son que la petite adore.

Tata reprend Élodie dans ses bras et l'assoit sur un lit vide. Elle attrape une paire de chaussettes de laine dans le tiroir de la commode et les enfile sur les minuscules pieds de l'enfant.

— Bientôt, dit-elle à Élodie, tu dormiras dans un lit de grande fille.

Tata remet Élodie par terre et la prend par la main pour l'amener en bas prendre son petit-déjeuner. Élodie arrive presque à descendre l'escalier toute seule, mais n'y parvient pas encore tout à fait.

Élodie a quatre ans. Elle le sait, car elle entend les religieuses le dire aux visiteurs à longueur de journée.

— Elle est très intelligente, disent-elles aussi. Elle parle déjà. Elle sera très jolie lorsqu'elle prendra un peu de poids.

Les gens viennent voir les petites filles pour décider s'ils en ramèneront une chez eux. Ces jours-là, Élodie porte sa jolie robe. Elle préfère porter sa robe laide, pour pouvoir jouer et se salir, mais il est très important qu'elle fasse bonne impression auprès des visiteurs si elle veut être adoptée un jour. Tata dit que la raison d'être de l'orphelinat est de veiller à ce que toutes les petites filles soient « placées » dans de bonnes familles.

Élodie est orpheline, ce qui veut dire, lui a expliqué Tata, qu'elle n'a ni mère ni père. Lorsqu'elle a demandé un jour à la sœur pourquoi il en était ainsi, celle-ci lui a simplement répondu : « Tu vis dans une maison de petites filles non désirées parce que tu es le fruit du péché et que ta mère ne pouvait pas te garder. »

Autrement dit, Élodie *a déjà eu* une mère, mais n'en a pas actuellement. Elle se pose parfois des questions sur cette personne, cette mère qui l'a abandonnée. Où est-elle maintenant ? Pourquoi est-elle partie ? Qu'est-ce que ça veut dire « être le fruit du péché » ? Et pourquoi appelle-t-on cette maison, la maison des petites filles non désirées ? Si elles vivent toutes ici, c'est forcément parce que les religieuses le désirent.

Mais les religieuses ne répondent pas à ce genre de questions. Elles lui ordonnent simplement de bien se comporter et de faire bonne impression auprès des visiteurs, lui rappelant sans cesse qu'il n'y a rien de plus important pour elle que d'être choisie par un gentil couple afin de grandir dans une vraie famille plutôt qu'à l'orphelinat.

Il arrive que les visiteurs soient accompagnés d'enfants. Élodie observe avec curiosité la façon dont ils tiennent la main de leurs parents et s'accrochent à eux, ainsi que la pitié dans leurs yeux lorsqu'ils la regardent.

— C'est vrai qu'elle est petite et mince, disent les religieuses à propos d'Élodie. Mais elle est parfaitement normale.

Or, les visiteurs semblent préférer les enfants potelés, aux joues roses et aux jambes dodues.

— Mange, Élo, mange, lui dit constamment Sœur Tata, pour qu'une gentille famille te prenne.

« Tu es trop petite, lui répètent les religieuses. Tu es trop pâle. Les gens veulent des enfants en santé. »

Mais Élodie est heureuse à l'orphelinat. Elle n'a jamais connu d'autre vie. Il y a des jouets pour jouer et du gazon frais pour courir. Et il y a Tata, avec qui elle se sent en sécurité.

CHAPITRE 13
Maggie

— Ce ne serait pas Angèle Phénix, par hasard ? dit Peter, au moment où Maggie et lui s'engagent dans la rue Ontario, chargés de fruits et légumes frais qu'ils ont achetés au marché.

Maggie vit à Montréal avec son frère depuis quelques mois. La transition entre la campagne et la ville a été difficile pour elle. Elle a dû s'adapter rapidement. Contrairement à ce qui se passe à Dunham, où l'hostilité entre les francophones et les anglophones est assez palpable, à Montréal, elle est latente, volatile. Rien n'indique clairement la langue que l'on doit parler selon les circonstances ; il faut lire entre les lignes et écouter attentivement. Pour ne blesser personne, il faut *savoir.*

— Angèle ! s'écrie Maggie, sincèrement heureuse de la voir.

Elle dépose ses sacs sur le trottoir et serre sa vieille amie dans ses bras.

— Que fais-tu à Montréal ? lui demande Angèle.

— Je travaille chez Simpson. J'habite avec Peter (qui fait un signe de la main, manifestement peu concerné). Nous vivons tout près, sur la rue de la Fontaine. Comment vont tes études d'infirmière ?

— Oh, j'aime beaucoup ça, répond Angèle. C'était le bon choix pour moi. Je n'aurais pas fait une très bonne sœur. Tu es superbe, Maggie.

— Merci.

— J'adore ta jupe, poursuit Angèle.

Elle pose son sac de courses par terre et se penche pour admirer de plus près les fleurs de feutre que Maggie a collées sur le tissu. Celle-ci aperçoit alors la une du journal *La Presse* dans le sac de son amie. Le mot « orphelinat » a attiré son attention.

Les orphelinats du Québec seront convertis en instituts psychiatriques, lit-elle.

Maggie est venue à Montréal pour échapper à son passé, et le voici qui revient la hanter. Elle est étonnée de voir à quelle vitesse et avec quelle violence elle peut être ramenée à cet endroit honteux pour faire face aux secrets et aux scandales qu'elle a tenté si fort d'oublier.

— C'est horrible, n'est-ce pas ? dit Angèle, remarquant que Maggie fixe le journal du regard. Je lisais cet article dans le tramway en rentrant du travail.

Maggie se penche pour prendre le journal et parcourt rapidement l'article.

— *Chaque* orphelinat de la province va être transformé en institut psychiatrique ? demande-t-elle.

— Cela va prendre du temps, mais c'est ce qui est prévu.

— De cette façon, ils n'ont pas à éduquer les enfants, ajoute Peter.

— Tu es au courant ?

— On en parle partout.

— Ils commenceront l'an prochain, par les Sœurs de la Providence, précise Angèle.

— Mais où iront tous les orphelins ?

— Duplessis s'en fout, répond Peter.

— Pourquoi font-ils cela ?

— Parce que Duplessis est un monstre, répond Peter. Manifestement, le gouvernement fédéral donne plus d'argent aux religieuses pour qu'elles s'occupent des malades qu'il ne leur en donne pour qu'elles s'occupent des orphelins.

— C'est barbare, dit Angèle en claquant de la langue.

Oppressée par l'angoisse, Maggie se souvient de ce bébé sans défense dans la paume du docteur Cullen. Sa fille pourrait-elle se retrouver dans un asile ? Chaque fois qu'elle se permet d'y penser depuis qu'elle l'a abandonnée, elle l'imagine avec une mère aimante et un papa gâteau, présent et attentif. Mais pour la première fois, elle envisage qu'Élodie n'a peut-être pas été adoptée.

Elle sent le regard de Peter sur elle. Elle sait *qu'il* sait à quoi elle pense. Comme tous les membres de sa famille, il a contribué à dissimuler sa grossesse.

— Comment va Gabriel? demande-t-il à Angèle pour changer de sujet.

Maggie sent le rouge lui monter aux joues, tandis qu'elle essaie de garder une expression neutre.

— Il a emménagé à Montréal il y a quelques années, dit Angèle. Il s'est disputé avec Clémentine à propos de la gestion de la ferme, et il n'y est pas retourné depuis. Il est contremaître à Canadair.

Il est ici, pense Maggie. Elle le savait, mais le fait de se le faire confirmer lui produit le même effet qu'une décharge électrique.

— Il est marié, poursuit Angèle, sans regarder Maggie.

Soudain, le silence s'abat sur la ville. Tout se tait – les bruits de la rue, les cris des enfants dans la ruelle, sa propre respiration. Il faut un moment à Maggie pour se remettre de cette nouvelle.

— C'est arrivé vite…, réussit-elle à dire.

— Il est heureux, dit Angèle.

— Comment s'appelle sa femme ?

— Annie.

Annie. Un coup dans l'estomac. Elle est la seule à blâmer.

— Il faut qu'on y aille, lance-t-elle.

Elle étreint Angèle d'un air hébété, attrape ses sacs de courses et s'en va rapidement.

— Oublie tout ça, lui dit Peter, une fois qu'il l'a rejointe.

— Oublier quoi ? répète Maggie, surprise, en regardant son frère.

— Gabriel, la grossesse. Maman et papa ont bien réussi à tout cacher. Tu es ici pour prendre un nouveau départ.

Ils continuent à marcher en silence et tournent dans la rue de la Fontaine, une charmante artère de l'est de la ville, bordée d'arbres et d'escaliers en fer forgé. Maggie est au bord des larmes lorsqu'ils montent l'escalier de leur immeuble.

Ils habitent au deuxième étage d'un triplex. À toute heure du jour, Maggie entend les bruits des locataires en dessous et au-dessus d'eux, et elle sent les odeurs qui émanent de leurs logements dès qu'elle se réveille. Mais elle s'y est habituée ; elle a appris à enlever ses chaussures aussitôt qu'elle entre chez eux et à se déplacer en chaussettes ou en pantoufles, afin que Mme Choquette du rez-de-chaussée ne frappe pas le plafond de son balai. Au moins, avec ses parquets de bois et ses nombreuses fenêtres, leur appartement est lumineux. Le lino de la cuisine est usé à certains endroits, mais les appareils ménagers sont presque neufs. La chambre de Maggie ne contient que deux lits de sœurs en fonte et une commode de l'Armée du Salut. Lorsqu'elle a fait remarquer à Peter qu'il n'y avait pas de rideaux aux fenêtres, il lui a rétorqué qu'elle s'y ferait.

Elle a laissé ses pots Mason de semences et de pousses de citronniers à Dunham, tout en sachant que sa mère s'en débarrasserait.

Elle dépose ses sacs par terre et se dirige tout droit vers le balcon. Elle allume une cigarette et souffle la fumée vers l'immuable paysage urbain. Des cordes à linge remplies de sous-vêtements et de vêtements de travail zigzaguent entre les balcons et les poteaux téléphoniques, réunissant ainsi tous les immeubles du pâté de maisons.

Peter a raison. Elle est venue ici pour recommencer sa vie à neuf, pour se réinventer – non pas comme une femme qui a tragiquement raté sa vie et déçu sa famille, mais bien comme une travailleuse indépendante – et peut-être même pour regagner l'affection de son père.

La façon dont ils se sont quittés lui a brisé le cœur. Lorsque Maggie est rentrée à Dunham après avoir eu son bébé, elle a constaté que Vi l'avait déjà remplacée au magasin. Elle a compris que son père la punissait de l'avoir déçu. Elle savait qu'il valait mieux qu'elle ne demande pas à reprendre ses tâches au magasin, sans parler d'aspirer à y travailler comme vendeuse. Dorénavant, il y avait au-dessus de sa tête un nuage qui ne se dissiperait pas tant qu'elle resterait à Dunham, surtout dans la maison de ses parents. Même le tiroir verrouillé du meuble de rangement, qui se trouvait dans le bureau de son père et qui contenait tous les renseignements concernant la naissance de sa fille et l'endroit où elle était, la tourmentait. Elle a fini par comprendre qu'elle n'avait d'autre choix que de partir.

Le jour de son départ, les yeux rivés sur la façade de Semences Supérieures, elle était en proie à un mélange de nostalgie et de désespoir. Elle avait 19 ans. Elle était une femme. Pourtant, elle se sentait comme la petite fille qui comptait les semences dans le grenier. C'était la responsabilité de Violet maintenant, et un jour, Géri prendrait la relève, suivie de Nicole. Comme sa vie avait été simple les samedis dans ce magasin ; elle y avait été parfaitement heureuse et savait exactement comment se déroulerait son existence. Mais dorénavant, c'était un héritage dont elle était exclue.

Son père se tenait derrière la caisse enregistreuse, servant l'un de ses éternels sermons à un jeune agriculteur.

— Quand tes plants commenceront à pousser, tu vas avoir intérêt à saupoudrer les verticilles avec de la roténone, disait-il avec autorité. Et essaie d'attacher les extrémités des feuilles ensemble pour éviter que les chrysomèles les envahissent.

— Que pensez-vous du DDT ? s'est enquis l'agriculteur.

— Le débat fait toujours rage, mais en ce qui me concerne, c'est un remarquable insecticide.

— Mais est-ce efficace pour tout ? Quel effet cela a-t-il sur les oiseaux, les poissons… et *les humains* ?

— Seuls les pesticides peuvent venir à bout des insectes, a répondu son père. Ils préservent les semences.

Maggie ne savait pas s'il était triste ou soulagé de la voir partir. Mais dans un cas comme dans l'autre, il ne l'a pas retenue. Elle lui a tendu un bouquet de silphies jaune vif.

— Je les ai cueillies pour toi en venant ici.

— Aimerais-tu avoir des semences de tomates Bountiful pour démarrer un jardin en ville ? a-t-il dit, en déposant les fleurs sur le comptoir. Tu as toujours aimé avoir ton propre jardin.

— Bien sûr, a-t-elle fait, tout en sachant qu'il n'y aurait pas de jardin.

— Je savais que ce jour viendrait, a-t-il rétorqué, en lui tendant un sac de papier kraft. Tu as toujours été ma fleur sauvage.

CHAPITRE 14

C'est l'automne. Les feuilles quittent délibérément leurs branches et migrent vers la terre, faisant des Cantons-de-l'Est un véritable kaléidoscope d'orange, de rouge et de jaune. Maggie, Roland, Peter et sa petite amie, Fiona, sont en route vers Dunham. Ce sera la première fois que Roland rencontrera toute la famille Hugues. Pour l'heure, il ne connaît que le père de Maggie.

Roland Larsson était directeur de la succursale de Cowansville de la Banque de développement où Wellington effectue toutes ses opérations bancaires. Lorsqu'il a été muté à Montréal, le père de Maggie a eu l'idée d'arranger un rendez-vous entre les deux jeunes gens.

D'emblée, Maggie a trouvé que Roland était extrêmement intelligent et raffiné. Grand et soigné de sa personne, il a de parfaites dents blanches et un menton volontaire. Il est à moitié écossais, à moitié suédois, un point qu'ils ont en commun – tous les deux sont « à moitié quelque chose ». Ses cheveux blonds déjà clairsemés et ses lunettes à double foyer le font paraître plus vieux que son âge. Maggie lui aurait donné la quarantaine, alors qu'il n'a que 29 ans. Or, c'est son intellect qui l'a attirée. Il a voyagé, il lit des essais pour se détendre et il connaît toutes sortes de choses intéressantes.

Lors de leur premier rendez-vous, il portait un complet et des chaussures noires cirées qui crissaient quand il a traversé la pièce pour l'accueillir. Son eau de Cologne dégageait une odeur adulte et paternelle. Il avait l'air cultivé et connaisseur. Si leur premier baiser a semblé un peu maladroit à Maggie, elle s'en est tenue responsable. Elle l'avait comparé aux baisers que Gabriel et elle s'échangeaient quand ils étaient des adolescents bouillonnant d'hormones et d'émotions. Bien que quelques années seulement se soient écoulées depuis ce temps, elle a beaucoup mûri. Du reste, il vaut sans doute mieux que Roland soit complètement différent de Gabriel.

Après ce premier rendez-vous, Maggie s'est surprise à espérer revoir Roland. Elle avait l'impression qu'il y avait matière à explorer chez lui: un caractère intéressant ou une blessure encore fragile qui pourrait le rendre un peu plus complexe et intrigant. Elle a donc été ravie lorsqu'il l'a rappelée pour l'inviter à assister à un spectacle au Palace. Ils se fréquentent depuis ce temps.

— Est-ce que je t'ai dit qu'il y avait un poste disponible au *pool* de secrétaires à la banque? demande Roland en quittant la route des yeux pour se tourner vers Maggie assise à côté de lui sur la banquette avant.

— J'aime mon emploi, répond elle.

Elle travaille au rayon des sous-vêtements du magasin Simpson, et comme prévu, elle est bonne vendeuse.

— Mais tu pourrais préférer le travail de secrétaire. Et plus tard, tu pourrais être promue au poste d'agent de crédit.

— Je détesterais prendre de la dictée et être assise derrière un bureau toute la journée, dit Maggie. J'aime la vente.

— Nous aidons les gens à démarrer leur entreprise. C'est très valorisant.

— Une femme a-t-elle déjà démarré sa propre entreprise? lui demande Maggie.

— Pas à ma connaissance. Pas à Cowansville en tout cas. Malheureusement, aucune banque ne consentirait un prêt à une jeune femme, sans garantie, références ou cosignataire.

— Mais nous sommes dans les années 1950, maintenant, dit Fiona depuis la banquette arrière. Les choses se sont améliorées depuis la guerre.

— Dans les Cantons-de-l'Est, c'est plutôt les années 1850, la reprend Peter.

— J'imagine qu'il est possible qu'une femme obtienne un prêt, réfléchit Roland à haute voix.

— Avoir sa propre entreprise est synonyme de vie misérable, dit Peter. Notre père n'a jamais une minute à lui. Il est constamment inquiet et stressé. C'est un fardeau, voilà ce que c'est.

— Papa est heureux au travail, proteste Maggie. C'est important d'aimer ce que l'on fait.

— Qu'est-ce que je vais faire de cette jeune fille et de toutes ses ambitions ? s'amuse Roland en étreignant le genou de Maggie.

Il sourit. Il a de longues dents et les yeux les plus bleus qu'elle ait jamais vus.

— Je trouve ça charmant, poursuit-il.

— Tout ce que je veux, précise Maggie, c'est faire autre chose que cuisiner, nettoyer la maison et changer des couches. Je veux contribuer à la société.

Elle a récemment appris qu'Audrey s'était fiancée. Celle-ci sera bientôt l'une de ces femmes au foyer grincheuses et irritables, l'épouse d'un homme – Barney en l'occurrence – qui se terrera dans son bureau pour assembler des choses et fumer des cigares afin de l'éviter. Maggie ne dirait jamais à aucune de ses compagnes de travail – qui ne parlent que de bébés et de maris – qu'elle veut un jour être promue au rayon des vêtements pour dames, puis devenir gérante. Elle s'est juré qu'aucun homme ne s'enfermerait dans une pièce pour la fuir.

— La maternité est la plus magnifique contribution qu'une femme puisse faire à la société, affirme Roland. Tu ne crois pas ?

Maggie se tait. Elle évite de regarder Peter.

— Une femme peut-elle vouloir les deux ? demande Fiona. Un emploi et une famille ?

— L'un ou l'autre devrait suffire, déclare Roland avec certitude.

— Pas si on est mariée à un homme qui sait donner un coup de main, dit Maggie.

— La plupart des hommes veulent que leur femme reste à la maison pour s'occuper des enfants, rétorque Roland en lui jetant un coup d'œil sévère. Et à mon avis, c'est ce que veulent la plupart des femmes.

— Ma mère a cinq enfants, souffle Maggie, perplexe. Et elle est la femme la plus malheureuse que je connaisse.

— Ça ne veut pas dire que *tu* le seras.

Maggie se détourne pour regarder par la fenêtre.

Ils arrivent chez les parents de Maggie. Roland fait le tour de la voiture pour lui ouvrir la portière et l'aider à descendre. Les quatre jeunes gens se dirigent vers la maison, et Maggie s'appuie sur Roland, car ses talons s'enfoncent dans le gravier.

Dès l'entrée, Maggie hume l'odeur des épices et de la viande qui mijote. Sa mère est devant la cuisinière Commodore, en train de sortir du four une tourte au lapin, un plat dont elle tient la recette de sa propre mère, qui vivait à Rivière-aux-Rats. La plupart des mets de Maman sont des spécialités de la Mauricie : cretons*, rôti de porc, perchaude, chevreuil, ragoût de lièvre. Même le père de Maggie est obligé d'admettre qu'elle est un vrai cordon-bleu.

— Si ce n'était pas de sa cuisine..., l'a-t-elle souvent entendu marmonner.

Maman se tourne, puis se précipite vers Peter.

— J'avais oublié à quel point tu es beau ! dit-elle avec effusion, en lui ébouriffant les cheveux. Elle se vante toujours du prix du bébé le plus mignon de la région qu'il a remporté au concours Goutte de Lait* il y a plus de 22 ans. Elle garde encore dans son sac à main la coupure toute jaunie du journal *Missisquoi Herald* qui en parlait.

Elle ignore complètement Fiona, qu'elle déteste, et se tourne vers Maggie.

— Quelle jolie robe tu as, admire-t-elle.

— J'aime le turquoise, répond Maggie, ébranlée par le compliment. Maman embaume toujours le savon Yardley, ce qui a quelque chose de réconfortant.

— Mais du lin après septembre ? Vraiment ?

Maggie ignore la remarque de sa mère et lui tend une liasse de billets de banque froissés.

— Voici pour toi, dit-elle.

— Ton père est dans son antre. Rien n'a changé, raconte Maman en glissant l'argent dans la poche de son tablier comme si de rien n'était.

— Je te présente Roland, dit Maggie, se souvenant soudain de la présence du jeune homme derrière elle, à mi-chemin entre l'entrée et la cuisine.

Il porte une veste sport à motifs écossais marron. De sa poche dépasse un mouchoir blanc parfaitement plié et orné d'un monogramme, cible tout indiquée des sarcasmes d'Hortense – soit dès maintenant devant lui, soit plus tard derrière son dos.

Roland lui tend un bouquet de roses pâles et une bouteille de Pouilly-Fuissé.

— *Por twa**, prononce-t-il dans un français épouvantablement mauvais.

La mère de Maggie s'empare des fleurs et de la bouteille sans même le remercier. Elle le détaille du regard, notant probablement avec dédain les chaussures ornées de pampilles, la montre en or coûteuse, l'impeccable maintien et l'eau de Cologne de bon goût.

Les sœurs de Maggie arrivent en trombe. Elle les étreint et les embrasse. Elle n'a quitté la maison que depuis six mois, mais elles lui semblent si vieilles soudain. À bientôt huit ans, Nicole a les cheveux ondulés tout comme Maggie au même âge. Géri est toujours aussi adorable, même au cœur de l'impitoyable tourbillon de la puberté, avec ses jambes maigrichonnes et une coupe au bol maladroite exécutée par Maman. Violet n'a pas changé si ce n'est qu'elle est un peu plus morose. Maggie tend à chacune d'elles un sac de papier kraft rempli de noix de cajou et de chocolats belges du magasin Simpson.

Son père émerge enfin de son bureau dans un nuage de fumée.

— Tu te souviens de Roland, lui dit-elle, secrètement ravie de le lui présenter comme son compagnon.

Les deux hommes se serrent la main, tandis que Maman pousse brutalement tout le monde vers la table.

Assise entre Roland et son père, Maggie ne peut s'empêcher de sourire de tout le dîner.

Roland s'extasie sur le repas, en essuyant son assiette d'un bout de pain.

— Je n'ai jamais mangé rien de tel, dit-il. Le vin coule à flots et les adultes sont joyeux et ont les joues rouges. Maggie répète en français ce que vient de dire Roland.

— C'est juste une vieille recette de famille, déclare Maman, le visage rose de fierté.

— J'ai grandi en mangeant du haggis et du hareng, affirme Roland. C'est divin.

Il regarde Maggie en souriant. Il pense probablement qu'elle lui cuisinera de tels repas un jour. Elle sait qu'il est toujours en train de faire le compte de ses atouts, car il envisage de la demander en mariage. Il a presque 30 ans et il est prêt à se caser. C'est aussi évident que son odeur de savon et ses chaussures à pampilles.

Pendant que Maman et Vi débarrassent la table, le père de Maggie et Roland se lancent dans une discussion sur l'élection du gouvernement fédéral. Le Parti libéral l'a encore emporté, ce qui signifie que Saint-Laurent effectuera un autre mandat.

— Il a promis l'équité entre les provinces, se plaint son père. Où était-il durant le règne de terreur de Duplessis au Québec, hein ?

Maggie est dégoûtée chaque fois qu'elle entend le nom de Duplessis. Elle ne peut s'empêcher de penser au sort qu'il a réservé à tous ces orphelins – probablement à sa propre enfant. Encore une fois, cette vieille honte lui remonte à la gorge comme de la bile, sabotant ce qui pourrait être une soirée parfaite. Elle ferme les yeux pour tenter d'oublier toutes les suppositions qui lui viennent à l'esprit – *si seulement je l'avais gardée, si seulement je pouvais la retrouver* – et espère que les hommes changeront de sujet.

— On passe plus de temps à parler de Duplessis que de n'importe qui d'autre, se plaint Maman. De quoi parlerez-vous donc quand il sera mort ?

— De l'idiot qui le remplacera, répond le père de Maggie, les joues rougies à cause de l'alcool, les yeux bleus brillants et joyeux.

Il dit à Roland et à Peter d'aller l'attendre dans la salle de séjour, avant de se lever de table pour aller chercher sa bouteille de gin. Avec un sourire rusé, il s'approche de Maman par-derrière et lui saisit les fesses à pleines mains, faisant fi de la présence de Maggie, qui rougit. Maman le chasse, en riant malgré elle.

— Tu veux du café ? lui demande-t-elle, tout en connaissant la réponse.

— Ça va aller avec ceci, dit-il, en lui montrant la bouteille.

Maggie rejoint Roland, Peter et son père dans la salle de séjour, ne prêtant qu'une oreille distraite à leur radotage : les affaires, la mauvaise programmation de la télévision d'État, l'agriculture, l'architecture, les chemins de fer. Fiona lit un magazine de mode. Les paupières de Maggie sont de plus en plus lourdes à mesure qu'ils parlent et parlent, et que la nuit s'avance. Mais elle est heureuse de pouvoir se détendre pendant qu'ils se tiennent compagnie. Elle ne se sent pas obligée de défendre Roland ou de faire en sorte que tout le monde l'accepte. Bientôt, ils disparaissent dans l'antre de son père pour boire du Scotch et fumer des cigares, et Maggie retourne à la cuisine.

Sa mère est seule, elle balaie le plancher. Ses sœurs sont montées se coucher. Maggie s'assoit à la table en pin, bientôt imitée par sa mère. Elle se sent bien ici, entourée de toutes ses affaires. Maman aime que sa cuisine soit en ordre. Chaque ustensile, casserole, linge et décoration – qu'il s'agisse d'un pichet antique en émail ou d'une photo de Peter bébé – a sa place. Hortense est obsédée par le rangement. La pièce est remplie d'elle – son odeur, son style, sa propreté, son perfectionnisme. Le plancher brille. La cuisinière scintille. Les fenêtres sont impeccables. Les rideaux sont aussi immaculés et amidonnés que la première fois où elle les a suspendus à la fenêtre. Son monde est aussi ordonné que le sanctuaire de son père est chaotique.

— Félicitations, dit Maman, en leur versant à chacune une tasse de café. Tu sors avec ton père.

Maggie boit une gorgée de café en appréciant son amertume. Elle avait oublié à quel point le café de sa mère était savoureux.

— Est-ce que lui aussi assemble des radios? la taquine Maman.

— Des maquettes d'avions et de trains.

— Tu ne l'aimes pas comme tu aimais Gabriel Phénix.

— Gabriel ne me convenait pas.

— Tu veux dire qu'il ne lui convenait pas à *lui*, dit Maman en montrant du doigt le sanctuaire de son mari.

— C'est maintenant que tu prends la défense de l'amour? lui reproche Maggie en sentant la colère la gagner. C'est maintenant que tu te ranges du côté de Gabriel? C'est ironique quand on sait que tu m'as interdit de le voir.

— Je ne me range du côté de personne, répond Maman. Je ne fais qu'observer ce qui est évident.

— J'aime Roland, dit Maggie avec aigreur, comme si sa mère lui avait lancé un défi.

— Chose certaine, ton père l'aime, remarque Maman. Ce qui est peut-être suffisant.

CHAPITRE 15
Élodie

1955

En ce lumineux matin de septembre, les fenêtres sont ouvertes et le soleil entre à flots dans la salle de classe. Assise sur le tapis, Élodie fait du coloriage. Elle utilise les crayons de cire brisés que Sœur Tata conserve dans une vieille boîte de sirop d'érable pour ses plus jeunes élèves. La petite trouve les cahiers à coloriage ennuyeux. Elle préfère tracer ses propres dessins : des portraits de famille. Elle commence toujours par elle, souriante, aux côtés de sa mère dont elle tient la main. Elle ajoute ensuite autant de frères et de sœurs que la page ou le temps lui permet, avant que Sœur Tata ne sonne la cloche pour passer aux leçons.

La mère qu'elle dessine a toujours les cheveux blonds comme elle. Élodie ne sait pas exactement pourquoi celle-ci l'a confiée aux religieuses à sa naissance, mais elle est convaincue que ce devait être pour une bonne raison. Lorsqu'elle demande aux sœurs pourquoi elle vit à l'orphelinat, elles lui répondent que c'est parce qu'elle est le fruit du péché et que personne ne veut d'elle. Parfois aussi, elles lui disent que c'est parce qu'elle est née du scandale.

Élodie ne comprend rien à tout cela et ne sait pas ce qu'est le scandale, mais elle est certaine que sa mère reviendra la chercher un jour et qu'elle retrouvera ses frères et sœurs. Elle leur a d'ailleurs donné des noms – Claude, Lucien et Lucienne (les jumeaux), Linda, Lorraine, Jeanne. Sœur Tata – dont le véritable nom est Alberta – lui a montré comment écrire *MA FAMILLE**, et dorénavant ces lettres s'étalent en haut de chacun de ses dessins. Qu'Élodie puisse rester assise assez longtemps pour dessiner des familles tient du miracle, dit Sœur Tata. Un jour, elle a dessiné une famille de 17 enfants.

La meilleure amie d'Élodie, Claire, ne fait pas de coloriage et préfère regarder des livres d'images. Elle a six ans et sait presque lire. Elle et Élodie ont grandi ensemble à Saint-Sulpice. Quand la mère d'Élodie viendra la chercher, elle lui demandera si elles peuvent emmener Claire, si celle-ci est toujours là.

Pour l'heure, Élodie est assez heureuse dans cet endroit, même si les religieuses et les visiteurs l'appellent la maison des petites filles non désirées. Elle ne se sent pas particulièrement non désirée. On la surnomme Élo, et même Mère Blanche l'appelle ainsi. Elle partage une chambre avec une vingtaine d'autres petites filles, qui, comme elle, n'ont pas de mère. À une époque, elles n'étaient jamais plus de dix ou douze par pièce, mais récemment, on a commencé à y entasser plus de 20 enfants. Il y a beaucoup, beaucoup de règles à Saint-Sulpice, mais Élodie réussit à les contourner. Les religieuses la trouvent turbulente et elle a eu sa part de punitions pour avoir répliqué – elle a été privée de dîner, a perdu son droit d'aller jouer dehors ou s'est fait frapper les jointures avec une règle. Mais elle aime l'école et bientôt, elle apprendra à lire. Et pour son anniversaire, elle a eu une poupée, don d'une famille de Cowansville, qu'elle a baptisée Poupée*.

En ce jour de septembre, les habitudes des enfants sont dérangées. Quelqu'un cogne à la porte, et Sœur Tata frappe dans ses mains pour attirer leur attention.

— Allez à vos pupitres, dit-elle sévèrement.

— Mais je n'ai pas fini, proteste Élodie, sans bouger.

— À vos pupitres, *maintenant.*

Le ton de Tata suffit à faire lever Élodie, qui va s'asseoir à son pupitre. La sœur ouvre la porte et un homme entre dans la classe. C'est inhabituel, se dit Élodie en cherchant à croiser le regard de Claire. L'homme porte un complet gris et un chapeau qu'il enlève et pose sur le bureau de la sœur. Il a une moustache et une expression lugubre. Élodie décide qu'elle ne l'aime pas.

— Je vous présente le docteur Duceppe, annonce Sœur Tata. Il vous posera des questions à tour de rôle. Répondez du mieux que vous le pouvez. Vous sortirez de la classe quand ce sera votre tour. Entre-temps, restez à vos places, les yeux vers l'avant et le dos droit. Faites vos leçons. Tenez-vous tranquilles, s'il vous plaît.

Élodie lève la main et laisse échapper sa question avant qu'on le lui permette.

— Quelle sorte de questions ?

— Tu le sauras quand ce sera ton tour.

Puis, Sœur Tata appelle la première petite fille. Élodie la regarde se diriger vers l'avant et sortir de la classe à la suite de l'homme à la moustache. La porte se referme derrière eux. Élodie est folle d'impatience.

Elle a de la difficulté à se concentrer sur l'écriture des lettres. Elle est censée copier à la main la lettre *A* sur toute une page, mais elle trouve cette tâche ennuyeuse, en même temps que difficile, car elle ne doit pas dépasser les lignes. Elle a hâte d'aller voir le docteur.

Son tour arrive enfin. Elle se lève d'un bond et sort de la classe. Le docteur l'attend dans le couloir. Elle le suit jusqu'au bureau de Mère Blanche. Ni lui ni elle ne prononcent un mot.

— Assieds-toi, s'il te plaît, dit le docteur Duceppe en fermant la porte derrière lui.

Élodie prend place sur la chaise en face du bureau, tandis que le docteur s'installe de l'autre côté, sur la chaise de

Mère Blanche. De là où elle se trouve, elle peut voir *Élodie: 06-03-50* inscrit sur le porte-bloc. Il y a d'autres mots, mais elle ne sait pas les lire.

— Sais-tu ce que c'est? lui demande-t-il, en tenant un objet carré de couleur marron qui a une texture semblable à celle des ballons que les garçons utilisent pour jouer dehors.

Elle tend la main pour le toucher et découvre qu'il se déplie. À l'intérieur, des morceaux de papier sur lesquels il y a des chiffres. Elle hausse les épaules.

— Non, monsieur*.

Il reprend l'objet et gribouille quelques notes sur son bloc.

— C'est un portefeuille, marmonne-t-il.

— Ça sert à quoi?

Il lève les yeux sans lever la tête.

— À transporter de l'argent, dit-il.

Il lui présente ensuite une photo de choses argentées aux formes diverses, puis une autre d'une grosse machine qu'elle ne connaît pas.

— Et ça? Ça?

— Non, monsieur. Non, monsieur.

Il lui apprend que ce sont des clés et une cuisinière.

— Sais-tu ce que le mot « comparer » signifie? lui demande-t-il.

— Non, monsieur.

Gribouille, gribouille.

— C'est tout, termine-t-il, sans même la regarder.

Elle reste assise, déçue que ce soit fini.

— C'est tout? répète-t-elle. Je suis presque capable d'attacher mes lacets.

Il ne dit rien. Elle retourne en classe. Claire lui lance un regard interrogatif. Élodie hausse les épaules. On ne reparlera plus de l'homme à la moustache du reste de la journée.

Le lendemain matin, Sœur Tata dit aux enfants de s'asseoir à leurs pupitres dès qu'elles arrivent en classe après la prière.

— Mais c'est la période de dessin, lui rappelle Élodie.

— Il n'y a pas de période de dessin, aujourd'hui, répond Sœur Tata.

Élodie est déçue. Peu de temps après, deux autres religieuses arrivent dans la classe, suivies de Mère Blanche. Élodie jette un coup d'œil à Claire. Il y a anguille sous roche.

— Les enfants, dit Mère Blanche, debout au milieu de la pièce, les mains jointes, le dos droit comme un I. C'est aujourd'hui la Journée du changement de vocation.

Les enfants se mettent à gazouiller. Élodie est excitée. La Journée du changement de vocation !

— Est-ce que c'est congé ? crie-t-elle, sans prendre la peine de lever la main.

— Dès demain, continue Mère Blanche, il n'y aura plus d'école.

Plus d'école ? L'humeur d'Élodie s'assombrit.

— À partir de maintenant, l'orphelinat sera un hôpital, annonce Mère Blanche.

Élodie regarde Sœur Tata et voit les larmes couler sur ses joues. Elle garde la tête penchée, évitant de croiser les yeux d'Élodie ou des autres petites filles.

— Qu'est-ce que ça veut dire ? demande l'une des enfants.

— Exactement ce que je viens de dire, répond Mère Blanche sèchement. Nous sommes maintenant un hôpital psychiatrique. Il n'y a plus d'orphelinat ni d'orphelins. À partir d'aujourd'hui, vous êtes des malades mentales.

Élodie regarde autour d'elle. Un silence de mort s'est abattu dans la salle. Certaines des filles plus âgées se mettent à pleurer. Les épaules de Sœur Tata sont secouées de sanglots ; elle a toujours la tête baissée, la main devant les yeux.

— Qu'est-ce que ça veut dire « malade mentale » ? demande Élodie.

— Ça veut dire que vous êtes déficientes mentalement, explique Mère Blanche. Est-ce que vous comprenez ? Vous êtes maintenant des patientes dans un institut psychiatrique. C'est ainsi que se passeront les choses dorénavant.

Sur ces mots, elle tourne les talons et quitte une salle de classe silencieuse, en état de choc et le cœur brisé.

Le lendemain matin, trois événements importants se produisent qui incitent Élodie à appréhender un avenir terrible. Tout d'abord, le tapage la réveille beaucoup plus tôt que d'habitude. En regardant dehors, elle voit des ouvriers enlever les volets des fenêtres pour les remplacer par des barreaux de fer.

Lorsqu'elle descend prendre son petit-déjeuner, elle remarque ensuite que toutes les religieuses ont troqué leurs robes noires contre des costumes blancs.

— Pourquoi votre robe est-elle blanche ? demande-t-elle à Sœur Joséphine, en s'assoyant devant son bol de gruau d'avoine*.

— C'est l'uniforme des infirmières.

— Depuis quand êtes-vous infirmière ?

— Depuis aujourd'hui.

Les bruits de construction à l'extérieur sont assourdissants, et certains petits pleurent et se bouchent les oreilles.

— Pourquoi mettent-ils des barreaux aux fenêtres ? demande encore Élodie à Sœur Joséphine.

— C'est un hôpital psychiatrique, maintenant.

— Mais ce n'est pas une prison.

— D'une certaine façon, c'en est une.

— Nous serons enfermées ? fait Élodie, dont la lèvre inférieure se met à trembler.

— Oui, dit Sœur Joséphine, sans la regarder. C'est ainsi que les choses se passent maintenant. Tu dois arrêter de t'apitoyer sur ton sort.

— Pourquoi est-ce que ça se passe ainsi ?

— Parce que vous êtes les fruits du péché.

Élodie se mord les lèvres et ravale ses larmes. Elle fixe son regard sur le bol de gruau et se concentre pour ne pas pleurer.

— Avons-nous des leçons aujourd'hui ? demande Claire à Sœur Joséphine.

Élodie lève vivement la tête.

— Non, dit la sœur. Aujourd'hui, nous devons nous préparer pour recevoir les nouveaux patients. Demain, vous commencez à travailler.

— Pourquoi ?

— Il n'y a plus d'école.

— Quels nouveaux patients ? veut savoir Élodie.

— Arrête de poser autant de questions.

— Quel genre de travail devrons-nous faire ? demande Claire.

— Vous devrez nous aider à prendre soin des autres malades mentaux, répond Sœur Joséphine. Élodie remarque qu'elle a bien pris soin de parler des *autres* malades mentaux.

— *Nous* ne sommes pas des malades mentaux, précise Élodie.

Sœur Joséphine dépose sa cuillère et regarde Élodie depuis l'autre côté de la table.

— Oui, dit-elle de sa voix froide, le regard impassible. *Vous l'êtes.*

Une heure plus tard, tandis que les ouvriers continuent d'installer des barreaux aux fenêtres, un autobus scolaire jaune s'arrête devant l'immeuble en briques qu'Élodie a toujours considéré comme sa maison.

— Les fous sont là ! crie quelqu'un.

Pleines d'anticipation nerveuse, les orphelines accourent aux fenêtres de la salle avant pour voir leurs nouveaux colocataires descendre de l'autobus en file indienne. Les enfants et les sœurs laissent échapper un cri de surprise collectif devant le spectacle qui se déroule sous leurs yeux – des femmes et des hommes âgés, en pyjama, qui avancent en traînant lourdement des pieds, en bredouillant et en chantant, ou simplement l'air hagard.

— Comme ils sont vieux ! crie une enfant.

— Et effrayants !

C'est la troisième chose perturbante à se produire ce jour-là.

Élodie sent la panique lui serrer la poitrine. Elle est assez vieille et intelligente pour comprendre que la vie qu'elle a connue jusque-là est terminée.

CHAPITRE 16
Maggie

Maggie ne peut s'empêcher de jeter des coups d'œil à son nouveau soutien-gorge dans son sac à main, tandis qu'elle se dirige vers L'Auberge Saint-Gabriel dans le Vieux-Montréal où elle doit rejoindre Roland. Ce n'est pas tant le soutien-gorge qui l'emballe que l'exploit dont il témoigne. Chaque trimestre, la gérante du rayon des sous-vêtements du magasin Simpson remet un soutien-gorge à la meilleure vendeuse du service. Et cette fois, c'est Maggie qui l'a emporté. Elle a hâte d'annoncer la nouvelle à Roland.

Avec son emploi chez Simpson et Roland comme mari, sa vie à Montréal n'est pas une si mauvaise solution de rechange après tout. Ils mènent une existence stable et satisfaisante, et Maggie vit plus de moments de réel plaisir qu'elle ne l'aurait cru possible.

Déjà installé à leur table, Roland sirote un Scotch. À côté de lui, une bouteille de vin qu'ils partageront refroidit dans un seau à glace. Elle lui fait signe de la main en souriant.

— Comment s'est passée ta journée ? lui demande-t-elle, en dépliant sa serviette de table en lin sur elle.

— De façon beaucoup trop ennuyeuse pour que j'en parle, dit Roland. Je suis en train d'étudier une demande de prêt pour une petite société minière dirigée par deux frères très charmants et persuasifs. Ils ont réussi à mettre sur pied une entreprise viable, ce qui est admirable. Si notre banque ne les finance pas, Noranda Mines ne fera qu'une bouchée d'eux. Je ne voudrais pas que ça arrive.

Maggie opine aux bons moments. L'intelligence et le sens aigu des affaires de Roland continuent de l'impressionner grandement, sans l'intéresser pour autant. Elle décide de prendre les escargots et le suprême de volaille*.

— Il semble donc que je devrai aller à Rouyn plus tard ce mois-ci, conclut Roland au moment où le serveur vient prendre leurs commandes. Et toi, comment s'est passée ta journée ?

Elle prend son sac à main et en tire le soutien-gorge en dentelle blanche juste assez pour que Roland soit le seul à le voir.

— Tu t'es acheté un soutien-gorge ?

— Non, j'ai gagné un soutien-gorge, lui dit-elle. J'ai été la meilleure vendeuse, ce mois-ci !

Roland ne dit rien. Il termine son verre de scotch et tend la main vers le second qui est apparu à côté de la corbeille à pain.

— Félicitations, lâche-t-il d'un ton neutre, en regardant son verre sans sourire.

— N'es-tu pas fier de moi ?

— Pour avoir vendu le plus grand nombre de soutiens-gorge ? Je ne suis pas sûr que ce soit un exploit comparable à... disons, élever des enfants.

Maggie cligne des yeux pour empêcher les larmes de couler, tandis que le serveur dépose un ramequin d'escargots devant elle. L'arôme de l'ail et du beurre chaud monte jusqu'à ses narines, mais elle n'en a plus envie maintenant.

— Je sais comment m'y prendre avec les clientes, murmure-t-elle. J'ai le même instinct que mon père...

— Changeons de sujet.

— Je veux continuer à travailler.

Roland dépose sa fourchette et regarde Maggie.

— Tu veux dire que tu veux continuer à mesurer le buste des femmes toute la journée ? Où est-ce que ça va te mener, Maggie ?

— Au rayon des vêtements pour dames. À un poste de gérante. Peut-être même propriétaire de ma propre boutique un jour.

Roland a un petit rire amer.

— Descends de ton petit nuage, dit-il avec mépris. Tu ne manges pas tes escargots, ma chérie ? Ils sont délicieux. Il y a beaucoup de beurre. Tout juste comme tu les aimes.

— Je croyais que tu serais heureux pour moi.

— Comment puis-je être heureux, alors que je n'ai pas mon mot à dire dans notre couple ?

— Qu'est-ce que tu veux dire ?

— Un homme doit laisser quelque chose derrière lui, Maggie. Sinon, à quoi bon ?

Le serveur apporte un troisième scotch à Roland et demande à Maggie si quelque chose ne va pas avec les escargots. Elle hoche la tête en se forçant à lui sourire. Elle passe le reste du repas à picorer dans son assiette, ne goûte à rien. Ils finissent la bouteille de vin, puis Roland commande un café pour se requinquer avant de rentrer en voiture.

Dès qu'ils ont passé le pas de la porte, Roland se dirige tout droit vers le chariot à liqueurs pour se préparer un dernier verre avant d'aller au lit.

— Tu en veux un ? demande-t-il à Maggie.

Elle fait une moue de dégoût, tout en retirant ses escarpins d'un coup de pied. Elle remarque que le talon d'une de ses chaussures s'est éraflé sur le pavé du Vieux-Montréal. Elle s'agenouille dans le vestibule pour frotter la marque avec son pouce.

— Je veux que tu cesses toute méthode de contraception, lance Roland, en s'assoyant sur le canapé de brocart.

— Maintenant?

Il s'adosse dans les gros coussins, en croisant les jambes.

— Oui. Maintenant. *Quand* sinon, Maggie?

Elle aurait dû s'y attendre, mais en réalité, elle n'est pas encore prête. Elle pense toujours à Élodie. Sa blessure n'est pas suffisamment cicatrisée pour qu'elle envisage d'avoir un autre enfant.

— Tu n'en avais jamais parlé avant ce soir...

— Eh bien, j'en parle maintenant, dit-il, d'un ton cassant. Je pensais que tu aborderais le sujet un jour ou l'autre, mais apparemment, ce n'est pas une priorité pour toi.

— Tu me bouscules.

— Tu m'as dit que tu voulais des enfants.

— J'ai dit: « Pas tout de suite. »

— Ce *n'est pas* « tout de suite » ! crie-t-il. Je patiente depuis presque trois ans.

— Je ne me sens pas prête.

— Peut-être que tu ne te sentiras jamais prête, dit-il. Mais à un moment donné, il faut plonger. Il faut que ça se fasse.

— C'est facile pour toi, maugrée-t-elle, en se rappelant les maux de cœur, le gain de poids, les brûlures d'estomac, les contractions. La perte.

— Nous avons une belle vie, Rol, reprend-elle. Nous sommes heureux. Nous n'avons pas à nous dépêcher de fonder une famille. Pas tout de suite.

— Je ne vais pas attendre que tu sois gérante des soutiens-gorge chez Simpson, prévient-il. Ça pourrait prendre des dizaines d'années.

— Je ne t'aime pas quand tu es ivre.

Il se relève, se dirige vers le chariot à liqueurs à l'autre bout de la pièce pour se verser un autre verre de scotch.

— C'est drôle, dit-il, en laissant tomber des cubes de glace dans son verre. Mon père non plus ne m'aimait pas quand *il* était ivre. Il ne pouvait pas me sentir. Il faisait tout ce qu'il pouvait pour m'éviter. J'imagine que je ne savais pas comment m'y prendre avec lui. Particulièrement quand il était ivre.

Il s'assoit, fait tourner le scotch dans son verre et en prend une bonne lampée.

— Chaque fois que j'ouvrais la bouche, ça le hérissait. Je l'ai entendu dire cela à ma mère, un jour.

Maggie est troublée par cette confession inattendue. Il n'a pas l'habitude de lui raconter de tels détails intimes, même quand il a bu.

— Ce qui m'a le plus surpris, poursuit Roland, c'est de l'entendre admettre cela à voix haute, car, dans le fond, je savais qu'il ne m'aimait pas. Un enfant sent ces choses.

Maggie opine, pensant à sa propre mère.

— Je veux juste avoir la chance de faire mieux, bredouille Roland. Ne vois-tu pas que je voudrais essayer d'être un bon père, Maggie ?

Ses paupières sont lourdes, et Maggie a de la peine pour lui.

— Nous en reparlerons demain matin, dit-elle. Quand tu seras plus sobre.

Pour toute réponse, il fait entendre un ronflement sonore.

À l'étage, Maggie se brosse les cheveux devant sa coiffeuse.

Peut-être Roland a-t-il raison. Peut-être qu'en étant une meilleure mère qu'Hortense, elle panserait ses propres blessures. Et si elle comblait chaque caresse ou baiser refusé ? Et si elle élevait un enfant qui se sentirait chéri et aimé ?

Cette idée commence à germer dans son esprit au moment où elle se met au lit. Un bébé à aimer, une vie à façonner. Elle pourrait le faire avec bonté et affection plutôt qu'avec colère. Avec douceur, en lui offrant le réconfort qu'apporte le fait de se sentir accepté, et en lui prodiguant tous les soins qui permettent à un être vivant de s'épanouir. Avoir un enfant pourrait même devenir sa façon de se racheter pour la fille qu'elle a abandonnée.

CHAPITRE 17
Élodie

1957

— Reste tranquille ! s'impatiente Élodie.

La grosse Abéline aboie comme un chien et lui dévoile ses gencives comme si elle était sur le point de la mordre.

— Tu n'as même pas de dents, imbécile* ! dit Élodie.

La grosse Abéline aboie de plus belle.

— Arrête ou je vais aller chercher Sœur Louiselle, menace Élodie.

Sœur Louiselle est la religieuse la plus méchante de Saint-Sulpice. Elle est arrivée en même temps que les fous il y a deux ans pour s'occuper des malades mentaux et enseigner aux autres religieuses – qui jusque-là n'avaient pris soin que d'orphelins – à gérer l'endroit comme un hôpital.

La grosse Abéline grogne. Avec ses quelque 115 kilos, elle pourrait écraser Élodie comme un insecte. C'est pourtant cette petite fille de sept ans qui est chargée de faire sa toilette avant d'aller au lit. Élodie doit frotter le dos et les aisselles d'Abéline, et même lui laver les parties intimes, ce que la petite évite toujours de faire.

Certains des autres fous sont plus faciles à traiter. La P'tite Odette* est menue et douce, et elle coopère toujours. Elle a les yeux tombants et une élocution lente – à cause de tous les médicaments qu'on lui donne, selon Claire –, mais Élodie ne sait pas trop pourquoi elle est là. Mam'selle Philadora* en est une autre dont s'occupe Élodie sans rechigner. Elle est vraiment déficiente – pas juste folle comme les autres – et tout le monde l'aime. Elle est toujours en train de sourire ou de rire, heureuse. Elle ne semble pas savoir où elle est ni s'en inquiéter. Elle aime prendre les gens dans ses bras et les câliner, ce qu'Élodie apprécie.

La grosse Abéline est la pire. Élodie la déteste. Avec ses aboiements, ses grognements, ses cuisses moites toujours couvertes de rougeurs, son odeur insupportable.

— Pourquoi est-elle toujours ici ? demande Sœur Louiselle, en arrivant dans la salle de bain.

Abéline la reçoit en aboyant.

— Elle ne veut pas se laisser laver, se plaint Élodie.

— Va dans le dortoir, dit Sœur Louiselle. Fais ta prière et mets-toi au lit.

Soulagée, Élodie s'enfuit vers le dortoir. Elle s'agenouille, fait semblant de prier, se signe en pensant à autre chose, se glisse sous le drap blanc amidonné et tire la couverture de laine jusqu'à son cou. Les enfants les plus jeunes dorment déjà. Les aînées sont encore en train de travailler. Élodie laisse échapper un long soupir. Une autre journée ennuyeuse vient de se terminer.

La pièce est froide pour un mois d'octobre. Avant, Élodie aimait l'automne, mais c'était à une époque où elle pouvait encore s'emballer pour quelque chose. Dorénavant, il n'y a plus de jeux dehors, plus de chansons, plus de coloriage, plus de chaleur du soleil sur sa peau, plus de feuilles d'automne, plus de livres, plus de crayons de cire. Il n'y a plus d'espoir.

Elle serre Poupée contre sa joue et ferme les yeux. Ce qu'elle trouve bien dans le fait de travailler toute la journée

– qu'il s'agisse de donner leur bain aux fous, de faire leurs lits ou de laver leurs vêtements sales –, c'est que, lorsque vient le temps d'aller au lit, elle est trop fatiguée pour avoir des pensées tristes ou faire la liste de tout ce qui la met en colère. Mais ce soir, au moment où elle se sent plonger dans le sommeil, elle est soudainement réveillée par quelqu'un qui la secoue sans ménagement.

— Hé ! crie-t-elle, en se dégageant.

— C'est le temps de te lever.

Désorientée, Élodie cligne des yeux dans l'obscurité. Dehors, il fait nuit noire.

— Nous sommes au milieu de la nuit, dit-elle, plaintivement, reconnaissant Sœur Tata qui se tient au-dessus d'elle.

— Tu vas quelque part, Élo.

Élodie s'assoit, soudain excitée.

— Je m'en vais d'ici ? fait-elle.

— Oui, chuchote la sœur en l'aidant à descendre du lit.

Élodie grimace de douleur en posant le pied sur le parquet glacial.

— Est-ce que ma mère est venue me chercher ? demande-t-elle d'une voix pleine d'espoir.

— Mais non, voyons, répond la sœur. Habille-toi. Enfile cela.

— Ce n'est pas mon uniforme, remarque Élodie, en étudiant la robe que Sœur Tata a étalée sur son lit.

— Tu n'as pas besoin de ton uniforme. Contente-toi de mettre cette robe.

— Elle a une drôle d'odeur.

— Chut* ! fait Sœur Tata, exaspérée. Toi et ta manie de discuter.

— Où est-ce que je vais ?

— Dans un nouvel endroit.

— Pourquoi ?

— Parce qu'il y a trop de monde ici.

— Où est ce nouvel endroit ?

— Tu le sauras en temps et lieu.
— Quand?
— Je ne sais pas.
— Pourquoi devons-nous partir en pleine nuit? demande Élodie, plus angoissée qu'excitée maintenant.
— Ce n'est pas moi qui prends les décisions, répond Sœur Tata en se dirigeant vers un autre petit lit pour réveiller une autre petite fille, puis une autre.
— Maintenant, va te débarbouiller et habille-toi.
— Mais…
— Arrête avec tes questions stupides!
Un défilé de petites filles rejoint Élodie dans la salle de bain pour se laver et se changer. Lorsqu'elle revient au dortoir, elle compte six autres orphelines dans leurs robes usagées, aussi endormies et perplexes qu'elle. Elle constate alors que Claire n'est pas parmi elles.
— Claire ne vient pas? demande-t-elle à Sœur Tata, sentant la panique monter en elle.
— Non, répond la sœur, en ramassant les babioles que les enfants ont reçues le jour de leur Première communion et de leur Confirmation pour les entasser dans une petite valise.
Élodie regarde toutes les autres enfants qui dorment dans leur lit avec une pointe de jalousie – non pas qu'elle soit heureuse dans cet endroit, mais parce que c'est le seul qu'elle connaisse, et elle commence à comprendre qu'elle le quitte pour de bon.
— Allons, les enfants. Le train nous attend.
— Le train? s'écrie Élodie, toujours la première à dire ce qu'elle pense. Âgées d'au moins deux ans de plus qu'elle, les autres enfants savent qu'il vaut mieux se taire.
— Où allons-nous?
Sœur Tata ne répond pas.
— Je dois dire au revoir à Claire…
— Tu n'as pas le temps, chuchote la sœur. Et tu ne dois pas la réveiller.

Élodie regarde d'un air suppliant le petit monticule formé par le corps endormi de Claire. Comment peut-elle ne pas lui dire au revoir? Elles sont inséparables depuis cinq ans.

— Pourquoi est-ce que je ne peux pas dire au revoir à Claire? dit-elle d'un ton geignard, les yeux remplis de larmes. Elle ne saura pas où je suis!

— Cesse de te plaindre, Élodie. Tu vas réveiller les autres.

Élodie prend Poupée* et la serre contre sa poitrine.

— Tu ne peux pas l'emporter, l'informe la sœur en lui enlevant Poupée* des mains. Je suis désolée, mais tu n'as pas le droit d'avoir une poupée là où tu vas.

— Mais, ma sœur…

— Dépêche-toi, Élo.

Dès que Sœur Tata a le dos tourné pour consoler une autre petite fille qui se voit interdire d'emporter la chaîne en argent de sa mère, Élodie s'accroupit à côté de son lit pour prendre tous les dessins de sa famille imaginaire qu'elle a faits jusqu'à ce jour. Elle les cache sous son matelas depuis que l'orphelinat est devenu un hôpital. Elle les enfonce dans sa culotte longue. Elle ne partira pas sans eux.

Elle jette un regard à la pièce où, du plus loin qu'elle s'en souvienne, elle a toujours dormi. Les larmes coulent sur ses joues tandis qu'elle longe le couloir. *Au revoir, Claire. Au revoir, Poupée*.*

Une aura de mystère s'ajoute à l'impression de malheur imminent que ressent Élodie, tandis qu'elle descend l'escalier à la suite de Sœur Tata et des autres petites filles. Elle frissonne dans sa robe mince. Sur le palier, elle sent une main s'enrouler autour de la sienne. En levant la tête, elle rencontre le regard d'une des filles plus âgées – Emmeline, une ravissante rousse de dix ans. Celle-ci lui fait un clin d'œil en lui serrant la main.

Dehors, l'haleine d'Élodie forme un nuage. Une voiture familiale les attend pour les emmener à la gare. Les six petites filles s'installent à l'arrière, tandis que Sœur Tata s'assoit à l'avant, sa petite bible dans son giron. Élodie se retient de poser le million de questions qui lui viennent à l'esprit: *Où allons-nous ? Est-ce loin ? Pourquoi nous ? Est-ce un vrai orphelinat ou un couvent ?* Bien qu'une partie d'elle soit soulagée de quitter Saint-Sulpice – l'endroit n'a plus jamais été le même depuis qu'il a été transformé en hôpital –, c'est le cœur lourd qu'elle abandonne ceux qu'elle aime. Elle n'est pas folle, sa place n'est pas dans un hôpital. Probablement que les responsables ont enfin compris qu'ils avaient fait une erreur à son sujet. Élodie espère seulement que Claire viendra la rejoindre bientôt avec un autre groupe de petites filles.

Elles arrivent à la gare, un immeuble bas en briques rouges à côté d'un chemin de fer, au milieu de nulle part. Les petites filles sortent de la voiture et suivent Sœur Tata en file indienne le long du quai.

— Où sommes-nous? chuchote Élodie à Emmeline.

— Farnham, répond-elle. Sœur Tata tend des papiers à un homme qui porte un drôle de chapeau. Il les vérifie attentivement avant d'inviter le petit groupe à monter à bord du train.

— Bon voyage*, dit-il.

Élodie s'assoit dans le siège près de la fenêtre à côté d'Emmeline dont elle tient toujours la main. Elle presse son nez contre la vitre dès que le train s'ébranle avant d'accélérer dans une secousse pour s'éloigner de Farnham.

À mesure que le soleil se lève, Élodie découvre pour la toute première fois à quoi ressemble le monde à l'extérieur des murs de Saint-Sulpice. Le train longe des kilomètres d'arbres aux feuilles rouge et orange vif, de vastes champs, des fermes et des vaches. Fascinée et pensive, Élodie absorbe un paysage qui ne lui est pas familier et tente de l'imprimer dans son esprit. Tout son corps frissonne d'anticipation, de curiosité, d'émerveillement, jusqu'à ce que, dans un sursaut d'angoisse, quelque chose lui traverse l'esprit.

— Sœur Tata ! crie-t-elle.

— Baisse le ton, Élo, répond sèchement la sœur. Qu'y a-t-il ?

— Qu'arrivera-t-il si ma mère vient me chercher ? demande-t-elle, les yeux pleins de larmes. Je ne serai pas là !

Une des petites filles assises devant elle se met à ricaner. Élodie lui donne une claque derrière la tête.

— Élodie ! s'exclame Sœur Tata.

— Est-ce que ma mère saura où me trouver ? demande Élodie.

— Oui, Élodie. Il existe un dossier de transfert. Maintenant, calme-toi.

Soulagée, Élodie se laisse aller dans son siège. La tête appuyée contre la vitre, elle regarde le paysage défiler jusqu'à ce que sa vue s'embrouille et qu'elle s'assoupisse.

Puis, elle se fait réveiller par quelqu'un qui la tire par le bras pour qu'elle se lève.

— Nous sommes arrivées, dit Emmeline.

Élodie regarde autour d'elle les immeubles gris, le béton, les voitures, la poussière, les odeurs étranges.

— Où sommes-nous ? demande-t-elle d'un ton désapprobateur. C'est laid et ça sent mauvais.

— Chut*.

— C'est Montréal, lui dit Emmeline tout bas. Nous sommes en ville.

En ville. Le cœur d'Élodie se met à battre à tout rompre. Une autre voiture, rutilante et flambant neuve, les attend. Élodie distingue les lettres BUICK à l'arrière. Elle sait lire maintenant grâce à Claire qui lui a donné des leçons chaque fois qu'elles avaient un peu de temps libre.

Sœur Tata ordonne aux petites filles de monter dans la Buick. Lorsqu'elle tourne le visage vers elles, son expression troublée plombe aussitôt l'atmosphère à l'intérieur de la voiture.

— Allez-vous rester avec nous ? lui demande Élodie.

— Je ne peux pas, Élo, je dois rentrer à Saint-Sulpice.

Élodie retient ses larmes pour qu'on ne la traite pas de bébé, mais sa lèvre inférieure n'arrête pas de trembler. Personne ne dit un mot tandis que la voiture passe devant de hauts immeubles et des enseignes aux couleurs criardes qui se profilent à chaque coin de rue et bouchent l'horizon. BUVEZ DU PEPSI ! EXIGEZ LA LABATT ! DU MAURIER, LA CIGARETTE DISTINGUÉE.

Les lèvres de Sœur Tata remuent tandis qu'elle récite ses prières tout bas. Élodie est à la fois émerveillée et rebutée par tout ce qu'elle voit autour d'elle.

— Regardez, crie-t-elle en pointant la fenêtre du doigt, il y a un train dans la rue !

— C'est un tramway, explique Sœur Tata.

La voiture s'arrête enfin devant un édifice imposant en pierres grises, orné d'une croix au sommet de la colonne centrale. Élodie pense d'abord que c'est un couvent, puis elle remarque les mots gravés sur la façade de pierres. HÔPITAL SAINT-NAZARIUS.

— Un autre hôpital ? s'écrie-t-elle. Ma place n'est pas dans un hôpital !

Sœur Tata descend de la voiture, suivie par les petites filles, sauf Élodie, qui refuse de bouger.

— Descends, lui ordonne sévèrement la sœur. C'est ta nouvelle maison, que tu le veuilles ou non. Ça ne sera pas plus mal ici qu'à Saint-Sulpice.

Élodie obéit à contrecœur et, la mort dans l'âme, suit le défilé des orphelines plus dociles qui s'engagent dans l'escalier. Qu'est-ce qu'elle ne donnerait pas pour retourner à Saint-Sulpice.

Dans le hall, elles se retrouvent devant une lourde porte double qu'une autre sœur ouvre avant de la refermer derrière elles en tournant simplement un énorme verrou doré étincelant. Le bruit sec que cela produit fait sursauter Élodie qui bat en retraite derrière Emmeline.

Sœur Tata tend la valise et des papiers à cette sœur, une femme trapue au teint blême, aux lèvres minces et aux petits yeux noirs écartés de chauve-souris.

— La plus jeune a sept ans, dit Sœur Tata, en poussant Élodie devant elle.

La sœur l'examine de ses yeux de chauve-souris et fronce les sourcils.

— Elle ira dans l'Aile B avec les autres plus âgées, décide-t-elle d'une voix tellement froide qu'Élodie a envie de se cacher sous la jupe de Sœur Tata.

— Très bien, dit Sœur Tata en se tournant vers les petites filles. Je dois m'en retourner maintenant.

— Ne nous quittez pas ! s'écrie Élodie en éclatant en sanglots et en jetant ses bras autour de la taille de la sœur. Ma place n'est pas dans un hôpital !

Sœur Tata s'agenouille devant Élodie et lui entoure le visage de ses mains.

— Tu seras avec d'autres orphelines, lui chuchote-t-elle. Ne réplique pas et tout ira bien pour toi.

Elle se redresse, remet de l'ordre dans sa tenue et pose la main sur l'épaule d'Élodie.

— Bonne chance, les enfants, dit-elle, tandis qu'Élodie voit qu'elle a les larmes aux yeux. Sœur Ignatia va s'occuper de vous maintenant.

Elles se tournent toutes vers la sœur dont la morosité, le froncement de sourcils caricatural et la voix sèche leur ont déjà insufflé la peur de Dieu.

— Bonne chance, répète Sœur Tata, en déverrouillant la porte, avant de disparaître dans la nuit.

Sœur Ignatia se dépêche de remettre le verrou. *Clic.*

— Suivez-moi, dit-elle. Les fillettes s'exécutent. Elles montent six étages derrière elle, avant de s'engager en file indienne dans un long couloir silencieux et sinistre.

Où est tout le monde ? se demande Élodie, sans toutefois oser poser la question à voix haute.

À l'extrémité de l'interminable couloir, Sœur Ignatia déverrouille une autre porte sur laquelle un panneau indique AILES A à D.

L'endroit s'anime dès qu'elles passent la porte. Elles sont assaillies par des odeurs d'eau de Javel, le va-et-vient affairé des religieuses dans leurs habits blancs et une cacophonie de gémissements et de cris lointains. Elles continuent de suivre Sœur Ignatia jusqu'à une autre porte mystérieuse.

— Voici le dortoir de l'Aile B, dit-elle en ouvrant la porte pour révéler une énorme pièce pourvue de six rangées de dix lits de fer blanc, alignés tête contre pied, ayant à peine suffisamment d'espace entre eux pour y loger un meuble à tiroirs bas, pas plus volumineux qu'un caisson de rangement. Une simple croix est suspendue au mur vis-à-vis de chaque rangée de lits. Dix croix, compte Élodie. Soixante lits, soixante couvertures de laine grises. Six fenêtres à barreaux donnant sur un terrain vague et un ciel sombre qui s'étendent à perte de vue. Dans le coin de la pièce, une terrifiante statue de Jésus sur la croix les surplombe ; il les surveillera en l'absence des sœurs.

Sœur Ignatia ne leur donne pas beaucoup de temps pour absorber leur nouvel environnement avant de les entraîner vers la salle de bain le long du mur arrière.

— Vous devez passer par la salle de bain pour aller dans la salle commune, explique-t-elle, avançant rapidement sur ses jambes courtes, mais efficaces.

Élodie étouffe un cri lorsque s'ouvre la porte de la salle commune.

— Qu'y a-t-il ? demande Sœur Ignatia, en se tournant vers elle, les yeux noirs et les narines dilatées. Tu n'as jamais vu un mongolien ?

Une boule dans la gorge, Élodie fait signe que oui. Il y avait bien Philadora, mais somme toute, elle était différente ; douce et inoffensive, pas effrayante comme ces enfants.

— Tu ferais mieux de t'habituer, aboie Sœur Ignatia.

La salle commune est organisée comme le dortoir, sauf qu'il y a des fauteuils berçants à la place des lits. La plupart sont occupés par des fillettes guère plus vieilles qu'Élodie qui parlent toutes seules ou grognent comme des animaux ou fixent le mur d'un regard vide. Elles ont toutes la même coupe de cheveux. Il est difficile de distinguer les arriérées des malades mentales, massées comme elles le sont. Mais d'une certaine façon, leur aspect est moins terrifiant que celui des vieux malades mentaux de Saint-Sulpice.

— Pourquoi il y en a qui portent cette enveloppe? demande Élodie en pointant du doigt une étrange blouse blanche munie d'attaches.

— C'est une camisole de force, répond Sœur Ignatia. Et si tu ne te conduis pas bien, on t'en mettra une.

En reculant d'un pas, toujours cachée derrière Emmeline, Élodie remarque une jeune fille nue qui gémit dans un coin. Couchée en chien de fusil, les vertèbres saillantes, elle tremble violemment.

Élodie n'en croit pas ses yeux. Un des poignets de la jeune fille est attaché à un tuyau par une chaîne.

Sœur Ignatia ignore la jeune fille, et n'essaie même pas d'expliquer la situation aux enfants. Tout cela semble normal à Saint-Nazarius.

Après la visite, une résidente au visage lunaire entreprend de couper les cheveux des nouvelles arrivantes: au-dessus des oreilles en leur laissant une poignée d'épaisses mèches de longueurs inégales. Élodie se regarde dans le miroir de la salle de bain et fronce les sourcils. Maintenant, elle ressemble aux petites folles qui se bercent dans la salle commune.

— Est-ce qu'elles sont toutes aussi terribles que Sœur Ignatia? demande Emmeline à la jeune fille au visage lunaire.

— Ils se sont débarrassés de la religieuse qui supervisait l'Aile B parce qu'elle n'était pas assez dure. Au cas où vous ne l'auriez pas remarqué, vous venez d'arriver en enfer.

Puis, les fillettes se mettent en rang afin de faire inspecter leurs coupes de cheveux. Sœur Ignatia les rejoint et se contente de leur jeter un coup d'œil dédaigneux.

— Ma sœur?

Tout le monde se tourne vers celle qui, d'une voix tremblante, a osé adresser la parole à Sœur Ignatia. C'est Emmeline.

Sœur Ignatia s'approche d'elle avec une expression curieuse.

— Qu'y a-t-il ? demande-t-elle.

— Je crois qu'il y a une erreur, dit Emmeline en croisant le regard glacial de la sœur. Nous sommes des orphelines. Notre place n'est pas dans un endroit comme celui-ci.

Élodie voudrait applaudir. Enfin, quelqu'un ose dire ce qu'elle meurt d'envie de crier depuis qu'elles sont arrivées ici. C'est un asile de fous. Un endroit pour les déments et les arriérés gravement atteints, des gens en bien plus mauvais état que les vieux de l'orphelinat.

— Alors, comme ça, ce n'est pas votre place ? répète Sœur Ignatia, les lèvres retroussées sur un sourire menaçant. Et, elle est où *votre* place ?

— Dans un orphelinat, répond doucement Emmeline en regardant le sol. Il y aurait peut-être une chance que des familles nous adoptent. Personne ne nous trouvera jamais ici…

Sans crier gare, Sœur Ignatia lève le bras et frappe violemment Emmeline à la tempe. Si fort que la petite fille trébuche et tombe par terre, sonnée.

— C'est exactement votre place, dit Sœur Ignatia, en se tenant au-dessus d'elle. Tu es le fruit du péché, n'est-ce pas ?

Elle se met à arpenter la pièce devant les enfants effrayées.

— Vous ne devez jamais remettre en question le fait que votre place est ici. Vous êtes chanceuses d'être nourries et logées par nous. C'est plus que vous ne méritez. Vos vies n'ont aucune valeur et vous serez traitées en conséquence.

Elle se tourne vers Emmeline, toujours par terre.

— Quant à toi, annonce-t-elle en la tirant par le bras sans ménagement pour qu'elle se remette debout, tu vas rester dans l'Aile D, avec les épileptiques.

— Non, je vous en prie, supplie Emmeline. Je ne dirai plus un mot.

Sœur Ignatia saisit une poignée des cheveux fraîchement coupés d'Emmeline et la tire dans le corridor. Élodie se bouche les oreilles pour ne pas entendre les cris d'Emmeline et se mord les lèvres pour ne pas parler. Elle sent les petites filles à côté d'elles trembler. En les regardant à la dérobée, elle constate que les larmes coulent sur leurs joues.

Le reste de la journée se déroule comme dans un brouillard. Les repas sont immangeables: viande brune, légumes trop cuits et coulée de mélasse comme dessert. Les fillettes sont laissées à elles-mêmes dans la salle commune à se bercer avec les zombies. Comme on ne leur a pas encore attribué leurs tâches, elles n'ont rien d'autre à faire que de fixer les murs en évitant de se faire remarquer par les religieuses.

La nuit venue, Élodie est reconnaissante de pouvoir se glisser dans son petit lit, sous la couverture grise rugueuse. Elle ferme les yeux. Elle sait déjà que le sommeil sera son seul répit ici. Elle sera libre dès qu'elle perdra conscience.

— Assieds-toi.

Élodie ouvre les yeux, étonnée de voir une religieuse à côté de son lit.

— Ouvre la bouche.

— Pourquoi? demande Élodie en le regrettant aussitôt.

La sœur la gifle.

— Ouvre la bouche, répète-t-elle.

Élodie s'exécute, et la sœur dépose un comprimé sur sa langue.

— Avale-le, dit-elle, en lui tendant un verre d'eau tiède. Ça t'aidera à dormir.

Élodie se recouche tandis que la sœur se dirige vers le lit suivant. Elle reste étendue un long moment à penser à Sœur Tata et à Claire, en se demandant ce qu'elles font. Est-ce qu'elle leur manque? Claire a-t-elle demandé où elle était? Les reverra-t-elle un jour? Elle pense à Emmeline et s'inquiète pour elle dans l'aile des épileptiques. Elle ne sait même pas ce qu'épileptique veut dire, mais cela semble terrifiant.

Puis soudain, dans le silence inquiétant, elle entend une voix s'élever à l'autre bout de la salle. Une petite fille s'est mise à chanter une berceuse.

« Fais dodo, bébé à Maman ; fais dodo…*. »

Élodie se demande si elle rêve.

Elle essaie de lever la tête pour voir d'où vient la voix, mais elle en est incapable, elle est comme paralysée. D'ailleurs, elle peut à peine tenir les yeux ouverts. Son corps flotte et elle se sent étrangement calme. La chanson est apaisante, gaie dans cet endroit lugubre.

— Chut, Agathe ! dit une autre petite fille. La sœur va t'entendre.

Mais Agathe continue de chanter. Élodie s'assoupit. Elle a la bouche sèche, la langue épaisse, et des fourmillements dans les mains et les pieds. « Fais dodo, bébé à Maman ; fais dodo…* ».

Puis, elle sombre.

CHAPITRE 18
Maggie

Maggie enfonce ses mains dans la terre, puis en hume l'odeur, une odeur qu'elle associe au magasin de son père. Elle l'entend presque aussi clairement que s'il était à côté d'elle. « Laisse tomber le transplantoir et enfouis tes bulbes – à au moins 22 à 25 cm de profondeur pour les tulipes et les jonquilles. »

Elle suit toujours ses instructions à la lettre. Résultat, son jardin fait l'envie de tout Knowlton. « En plantant en profondeur, les racines restent fraîches et humides durant les chaudes journées sèches du printemps. Maintenant, couvre les plants avec des cendres d'os et de l'engrais pour bulbes. »

Nous sommes en 1959, et Maggie est enceinte de bientôt neuf semaines. Comme elle a déjà fait deux fausses couches à environ huit semaines de grossesse, elle ne se fait pas d'illusion.

Elle prend ces fausses couches comme sa punition pour avoir abandonné son premier-né. Depuis qu'elle essaie de tomber enceinte, elle ne cesse de penser à Élodie.

Sa fille a maintenant neuf ans, elle n'est plus un bébé. C'est étrange d'imaginer cette parfaite inconnue en train de grandir quelque part, peut-être tout près. Quel genre de petite fille est-elle ? À qui ressemble-t-elle ? À Gabriel ? À Yvon ? Blonde ou brune ? Mince ou potelée ? Optimiste, charmante, maussade ou triste ?

Après sa deuxième fausse couche, Violet lui a dit : « Peut-être que ton premier accouchement a endommagé quelque chose en toi. »

Sa mère a dit : « Peut-être que Dieu te punit. »

Ces deux hypothèses sont plausibles. La maternité – un état qui s'avère désespérément hors d'atteinte pour elle – semble l'unique condition pour qu'une femme soit digne d'estime ou ait une quelconque valeur dans ce monde. Si elle n'y arrive pas, c'est sans espoir.

Ces jours-ci, Maggie passe son temps à faire des allers-retours entre ses deux magnifiques demeures – les deux superbement décorées, les deux, désolées. Après sa première fausse couche, Roland a acheté une maison de campagne à Knowlton en espérant que cela remonterait le moral de son épouse ou, à tout le moins, lui donnerait un projet auquel penser. Bien qu'elle continue à travailler chez Simpson, elle n'a toujours pas eu de promotion.

Roland travaille de longues heures à la banque, et Maggie est toute seule la plupart du temps. Il se rend en ville même le week-end, la laissant à elle-même errer sans but dans la maison. Elle essaie de passer outre la rancœur qui monte en elle – elle sait qu'il fuit sa tristesse –, mais c'est en vain. Bien que Roland lui ait promis de faire des concessions, il s'est montré sournoisement inflexible.

Toujours à genoux, Maggie attrape le tuyau d'arrosage et asperge tendrement ses fleurs. Jardiner l'absorbe comme la méditation. Cette année, elle a planté des pervenches grimpantes, qui se sont répandues à travers la rocaille comme de la moquette, des phlox aux couleurs vives, des gentianes et des géraniums, ainsi que de spectaculaires framboisiers qui longent les deux côtés du sentier de pierres. Elle n'a pas peur d'oser. Parfois, les résultats dépassent ses attentes, parfois ils sont lamentables. Quoi qu'il en soit, elle adore jardiner.

Certaines nuits, longtemps après que Roland s'est endormi à côté d'elle, elle sort de la maison en douce pour aller inspecter son travail. Elle reste là, pieds nus dans le gazon couvert de rosée, à admirer ses annuelles et ses vivaces adorées. C'est le jardin qu'aurait créé son père s'il en avait eu le temps. Il a des notes sur tous les magnifiques bulbes rares qu'il voulait planter ; des croquis détaillés de jardins avec des bancs qui lui auraient permis de se reposer en contemplant ses fleurs ; des plans élaborés de bassins pour oiseaux en pierre, de fontaines et d'étangs remplis de grenouilles. Il a toujours rêvé de passer des journées alanguies à ne faire rien d'autre que du jardinage. Son bureau est encore rempli de vieux plans, de listes de fleurs à planter – delphiniums « Blue Bird », campanules lavande, mélaleuques –, mais il n'y a jamais donné suite. Il a trop à faire avec le magasin, le catalogue et la vente par correspondance. Il est trop occupé par les jardins des autres pour faire le sien, se plaint-il constamment. Mais Maggie le soupçonne de tirer plus de plaisir à planifier et à rêvasser qu'il n'en aurait à s'échiner dans un réel jardin.

Maggie se relève au bout d'une heure de dur labeur. Les crampes débutent aussitôt. La font s'écrouler dans le gazon. Elle sent le sang chaud s'écouler entre ses jambes avant même de le voir sur son short blanc.

Elle reste étendue un long moment. Trop apathique pour pleurer, trop dévastée pour bouger. Roland finit par rentrer et la trouve ainsi qui fixe le ciel des yeux.

— Maggie ? Ma chérie ? demande-t-il en s'accroupissant près d'elle. Qu'est-il arrivé ? Qu'as-tu fait ?

— Je n'ai rien *fait !*

— Étais-tu en train de jardiner ? lui demande-t-il sur un ton accusateur. T'es-tu épuisée ? Tu étais censée te ménager…

— À t'entendre, on dirait que je l'ai fait exprès !

— C'est juste que tu étais censée..., commence Roland en pinçant les lèvres. Tu n'étais pas censée en faire trop...

— Ce n'est pas ma faute.

— Non, répond-il rapidement. Bien sûr que non. C'est simplement un autre revers.

— C'est le troisième.

— Nous allons consulter un médecin, dit-il. Nous allons te faire examiner. Nous n'abandonnerons pas.

Voilà des paroles rassurantes. Héroïques. *Nous n'abandonnerons pas !* Au moins, c'est quelque chose à quoi elle peut se raccrocher.

Quelques jours plus tard, Maggie se retrouve à regarder fixement le téléphone. C'est quelque chose qu'elle veut faire depuis des mois, voire des années. Prenant son courage à deux mains, elle saisit le combiné.

— Veuillez me mettre en communication avec l'hospice pour enfants trouvés de Cowansville, demande-t-elle à la téléphoniste.

— Un instant, dit celle-ci de sa voix précise et neutre. Maggie allume une cigarette, souffle la fumée dans son café.

— Les Sœurs du Bon-Pasteur, répond une voix agréable, quelques secondes plus tard. Sœur Maeve à l'appareil.

Incapable de proférer quelque son que ce soit, Maggie regarde le combiné comme si elle le voyait pour la première fois.

— Les Sœurs du Bon-Pasteur, répète la sœur. Allô ?

— Bonjour, ma sœur, finit par dire Maggie, avec tout le respect et l'humilité voulus.

— Comment puis-je vous aider, mon enfant ?

De la bonté. Maggie se détend.

— Je cherche à me renseigner sur une petite fille, dit-elle.

— Je suis désolée, répond la sœur en changeant de ton. Je ne peux pas vous aider.

— Mais c'est ma fille.

— Si vous avez eu un bébé et qu'elle est ici, alors elle n'est pas votre fille. Malheureusement, vous n'avez aucun droit dans cette province, mon enfant.

— Mais je suis sa mère.

— Il vaudrait mieux l'oublier. Vous comprenez que si c'est une enfant illégitime, vous n'avez aucun droit ? C'est ce que dit la loi.

— Je ne vous demande même pas de me dire où elle est, dit Maggie. Je veux juste m'assurer qu'elle a été adoptée…

— Les dossiers sont confidentiels, informe la sœur. Que ce soit ici ou dans n'importe quel orphelinat au Québec, personne ne vous donnera ce genre de renseignements. Priez pour vous faire pardonner, mon enfant…

— Je vous en prie. Je vous serais infiniment reconnaissante pour la moindre information que vous pourriez me donner, supplie Maggie, le combiné tremblant dans sa main. Je veux simplement savoir si elle a été adoptée. De cette façon, je cesserai de me demander si elle n'a pas abouti dans un asile…

Elle retient son souffle en attendant que Sœur Maeve lui dise d'oublier cela et de passer à autre chose. Mais la sœur soupire.

— Connaissez-vous sa date de naissance ?

La question surprend Maggie qui n'avait pas beaucoup d'espoir.

— Le 6 mars 1950, dit-elle d'une voix tremblante.

— Et la date à laquelle elle a été amenée ici ?

— La même.

— Gardez la ligne, s'il vous plaît.

Maggie essaie de rester calme. Elle se force à prendre plusieurs profondes inspirations. Son cœur bat la chamade. Sœur Maeve ne revient qu'au bout d'un long moment, au moins 10 ou 15 minutes.

— Aucun nourrisson de sexe féminin ne nous a été amené ce jour-là, dit-elle.

— Et le jour suivant ? demande Maggie, perplexe.

— Aucun bébé n'est arrivé ici en mars de l'année 1950, précise-t-elle. Je crains que vous n'ayez pas le bon hospice.

— Vous en êtes certaine ?

— Je suis désolée.

— Y a-t-il un autre hospice dans la région? Près de Frelighsburg ?

— Le plus proche que je connaisse est à Sherbrooke, dit la sœur. Et beaucoup de nouveau-nés non désirés vont à Montréal.

Nouveau-nés non désirés.

— Je m'excuse de ne pas pouvoir vous aider davantage, mon enfant. Que Dieu vous bénisse.

Elle raccroche.

Maggie reste sans bouger un long moment. Elle allume une cigarette en se servant du bout incandescent de la précédente. Deda lui avait dit que son père avait amené le bébé à l'hospice de Cowansville. Comment se fait-il qu'il n'y ait aucune trace de l'arrivée d'Élodie ?

Impulsivement, Maggie reprend le téléphone et appelle son père au travail.

— Où as-tu amené mon bébé ? lui demande-t-elle.

— Maggie ?

— J'ai parlé à quelqu'un de l'hospice des Sœurs du Bon-Pasteur, dit-elle, vibrante d'adrénaline. Deda m'avait dit que c'est là que tu l'avais amenée, mais il n'y a aucune trace de l'arrivée d'un bébé de sexe féminin le jour de sa naissance ni d'ailleurs aucun autre jour de mars.

— Cette personne t'a dit cela?

— Oui.

— C'est contraire à la loi.

— Où l'as-tu amenée, papa?

— Calme-toi, dit-il. Tu ne devrais pas déterrer cette histoire. Surtout maintenant que tu es enceinte.

Maggie retient ses larmes. Elle n'a pas encore informé ses parents de sa dernière fausse couche.

— Où l'as-tu amenée ? répète-t-elle.

— À l'hospice pour enfants trouvés de Cowansville, répond-il en montant le ton. Exactement comme ta tante te l'a dit. Ce qu'elle n'aurait pas dû faire, en passant.

— Et moi, je te dis qu'aucun bébé n'est arrivé ce jour-là.

— À quel autre endroit l'aurais-je laissée ? dit-il. Ça ne me servirait à rien de te mentir, Maggie. C'était là qu'on amenait tous les enfants illégitimes. On n'avait pas vraiment le choix.

— Tu ne l'as pas amenée à Sherbrooke ? Ou à Montréal ?

— Mais non.

— Cela n'a aucun sens.

— Peut-être qu'il y a eu une erreur, Maggie. Je doute que les dossiers de l'hospice soient sans failles. Mais quoi qu'il en soit, tu dois oublier le passé. Tu as la chance d'être dans une excellente situation maintenant.

Elle entend des voix d'hommes derrière.

— J'ai des clients, reprend-il. Il faut que j'y aille. Concentre-toi sur le bébé que tu portes maintenant. L'autre ne te mènera nulle part.

CHAPITRE 19
Élodie

1959

Élodie a la tête aussi lourde qu'un tas de briques et ne parvient pas à la soulever de l'oreiller. Le comprimé qu'on lui donne le soir la transforme en zombie le jour. Elle se sent rarement réveillée. Tout se déroule au ralenti, à travers un brouillard. Ce médicament qu'on administre à toutes les patientes est du Largactil, a-t-elle appris par les sœurs. Selon certaines fillettes plus âgées de l'Aile B, il a le même effet qu'une lobotomie. Même si Élodie n'a que neuf ans, elle sait ce qu'est une lobotomie grâce à Nora, qui a été transférée de l'aile des épileptiques le printemps précédent. À son arrivée, Élodie lui a aussitôt demandé des nouvelles d'Emmeline.

— Elle n'a pas parlé depuis qu'elle a subi sa lobotomie, a dit Nora de façon très détachée.

— Qu'est-ce que c'est, une lobotomie? a demandé Élodie.

— C'est quand on te plante un pic à glace dans le cerveau pour te rendre moins violent, a dit Nora. Ils le font tout le temps au bloc opératoire.

Élodie a étouffé un cri, elle n'arrivait pas à croire que ça pouvait être vrai. Elle s'est précipitée vers Sœur Alice, la seule religieuse à peu près humaine de toute l'aile, et a tiré sur sa robe.

— Est-ce vrai qu'on plante des pics à glace dans la tête des patientes pour les empêcher d'être violentes? lui a-t-elle demandé, à bout de souffle.

— Qu'est-ce que tu racontes, Élodie?

— Nora m'a dit qu'Emmeline n'avait pas parlé depuis qu'elle avait eu une lob... lob..., vous savez, quand ils vous font un trou dans la tête...

— La lobotomie est une opération tout à fait convenable, a dit Sœur Alice en soupirant. Elle est nécessaire pour les malades dangereux.

— Mais Emmeline n'était pas dangereuse...

— Si tu t'occupes de tes oignons et que tu te tiens tranquille, lui a dit la sœur d'un air menaçant, tu n'en auras pas besoin.

Cet après-midi-là, Nora a été enchaînée à un tuyau à cause de sa « grande gueule ». Elle en a tenu Élodie responsable et ne lui a plus adressé la parole tant qu'elle est restée dans la même aile.

Immobile dans son petit lit, Élodie se sent vaseuse et a la bouche sèche. D'une certaine façon, elle est reconnaissante au Largactil. Bien qu'elle déteste se sentir ralentie et abrutie durant la journée, elle doit admettre que le médicament atténue sa douleur juste au moment où elle s'endort et se réveille. Durant ces quelques minutes d'hébétude, ses pensées sont embrouillées et son esprit est à peine conscient, et elle réussit à oublier. Tout ce qui l'entoure lui fait l'effet d'une hallucination – les autres patientes, les religieuses, l'absurdité de son enfermement. Pendant un temps au moins, le Largactil neutralise son désespoir.

Je ne suis pas folle, se rappelle-t-elle. *Je ne suis pas folle.*

Quelqu'un allume, et les fillettes sortent de leurs lits. Elles se dirigent vers la salle de bain, brossent leurs dents et s'aspergent la figure d'eau froide, en tentant de se débarrasser des effets du médicament. Le mieux qu'Élodie puisse dire de Saint-Nazarius est que sa tâche actuelle, coudre des draps à la machine au sous-sol, ne la dérange pas. Avant, elle devait nettoyer les salles de bain de toutes les ailes des femmes. Plancher après plancher, cuvette après cuvette. Elle l'a fait pendant presque un an. Puis, elle a entendu dire par une fillette qu'il y avait de la couture à faire ; elle a menti et dit qu'elle savait coudre. Elle s'en est tirée tant bien que mal. Elle a observé les autres et a eu de l'aide d'une gentille patiente qui était là depuis longtemps, Marigot, une épileptique. Elle a pu apprendre assez rapidement pour conserver son travail. Apparemment, elle est douée.

Après le petit-déjeuner et les prières, Élodie se dirige vers le sous-sol – son refuge – et s'assoit devant sa Singer. Ça ne la dérange pas de rester assise de longues heures, sans pause. Son mal de dos n'est rien comparé aux douleurs qu'elle avait partout à force de frotter les planchers et les toilettes. Du reste, il y a des tâches bien plus pénibles, comme transporter les cadavres dans le cimetière qui se trouve derrière l'hôpital. Des patients meurent pratiquement tous les jours à Saint-Nazarius – et pas seulement des vieux, des enfants aussi. Les nouvelles vont vite dans les ailes, passant des plus âgées aux plus jeunes. On ne peut rien cacher dans cet endroit plein de secrets.

Élodie s'attelle à la tâche de la matinée – une douzaine d'ourlets de drap à l'heure, deux douzaines avant la pause du midi –, en laissant son esprit vagabonder au son de la machine. Elle perd le compte des draps tandis qu'elle les empile à côté d'elle, mais d'une manière ou d'une autre, elle atteint toujours son quota de production. La cloche de Sœur Calvert résonne près de son oreille et la sort brusquement de son état d'hébétude.

Ainsi va sa vie, monotone et routinière. Son déjeuner est composé d'une quelconque viande brune, noyée dans une sauce épaisse et grumeleuse, avec la sempiternelle coulée de mélasse pour dessert. De retour au sous-sol, elle fait tout pour atteindre son quota de l'après-midi, car la menace d'un transfert plane toujours. Puis, elle dîne d'une bouillie indéfinissable avant de rentrer dans son aile où elle se berce sans penser à rien dans une chaise grinçante, en compagnie des vraies folles.

Lorsque la sœur qui est de service le soir vient lui administrer sa dose de Largactil, Élodie ressent un mélange de soulagement et d'appréhension. Elle a fini par aimer ce moment où ses paupières s'alourdissent et où sa tête se met à flotter, cet instant précis où la réalité s'évanouit.

Oh, voilà la lune, pense-t-elle ce soir avant de sombrer dans un oubli apaisant.

Elle se réveille frissonnante et désorientée, son lit complètement trempé. Il fait encore noir et tout le monde dort. Une odeur âcre de vinaigre monte à ses narines. Elle met quelques minutes à comprendre qu'elle a mouillé son lit.

Pendant un long moment, elle reste étendue dans sa propre urine, à se demander comment elle va s'y prendre pour traverser le labyrinthe de lits afin de se rendre à la salle de bain. Elle dort dans la rangée la plus éloignée, et elle est encore à moitié droguée. Lorsqu'elle finit par élaborer un plan, elle se glisse hors de son lit, enlève les draps et les roule en boule.

Elle se faufile avec précaution le long de l'étroit couloir formé par la première rangée de lits et le mur, mais elle se sent encore très vaseuse. Ses membres ne répondent pas comme ils le devraient – elle a les jambes en coton et la tête qui tourne. Le puissant effet du Largactil la ralentit beaucoup, mais elle s'accroche au mur pour se stabiliser. Ce qu'elle n'avait pas prévu cependant, c'est qu'une bottine traînerait sur le plancher près d'un lit.

En principe, les bottines sont rangées dans un réduit à l'entrée du dortoir: chaque fillette y a sa case – une petite étagère au-dessus d'un crochet pour conserver ses quelques précieux effets personnels. C'est pourtant sur une de ces bottines que trébuche Élodie. Si elle avait été plus alerte, elle aurait pu amortir sa chute, mais elle cherche plutôt quelque chose à quoi se retenir et finit par renverser une table de chevet en métal et la lampe qui se trouvait dessus. L'ampoule de verre éclate en mille morceaux.

Elle se rend compte qu'elle a réveillé quelques fillettes. *Qu'est-ce qui se passe ? Qui est là ?* Quelqu'un allume, ce qui l'aveugle temporairement. Ses genoux lui font mal. Elle saigne à cause des fragments d'ampoule.

En levant la tête, elle aperçoit Sœur Ignatia qui se tient au-dessus d'elle, les sourcils froncés. Bien qu'elle soit trapue, la religieuse apparaît alors comme une géante à Élodie.

— Que s'est-il passé ? rugit la sœur.

— Il fallait que j'aille à la salle de bain, murmure Élodie. Je n'y voyais rien.

— D'après l'odeur, on dirait bien que tu es déjà allée à la salle de bain.

Élodie essaie de camoufler les draps derrière elle.

— Tu as réveillé tout le monde.

— C'était un accident, jure Élodie. J'ai trébuché sur une bottine.

— Essaies-tu d'impliquer quelqu'un d'autre ?

— Non, ma Sœur. C'était un accident.

— Tu aurais dû faire plus attention.

Élodie ne peut retenir un indésirable sanglot.

— Va m'attendre dans la salle de bain, lui intime Sœur Ignatia. Et enlève cette chemise de nuit souillée.

— Mais je n'ai pas vu la bottine, s'écrie Élodie, incapable de se maîtriser. Ce n'est pas juste !

— Juste ? fait Sœur Ignatia, ses lèvres s'étirant en un effrayant sourire. Puis-je te rappeler que tu es dans *mon* hôpital ? C'est moi ton juge, et pas seulement pour tes transgressions d'aujourd'hui, mais pour *tous* tes péchés, et ceux de tes parents. Maintenant, va m'attendre dans la salle de bain.

Élodie se remet debout en vitesse et se précipite vers la salle de bain. Elle retire sa chemise de nuit et la fourre dans le lavabo avec ses draps, puis elle fait couler de l'eau chaude sur cette pile de linge. Nue et frissonnante, elle se love par terre pour se réchauffer.

L'air calme, Sœur Ignatia entre dans la salle de bain en transportant un grand seau de glace. Elle verse la glace dans la baignoire et force Élodie à y entrer. Élodie essaie de rester impassible, mais elle est transie de froid et se met à gémir.

Sœur Ignatia prend une grosse brosse à récurer sous le lavabo – celle qui sert à nettoyer les planchers – et frotte les cuisses d'Élodie jusqu'à ce qu'elle ait la peau à vif.

— Ça devrait aller, marmonne-t-elle avec satisfaction, avant de maintenir la tête d'Élodie sous le robinet. La prochaine fois, fais plus attention.

Avant de partir, elle lance une chemise de nuit blanche propre à Élodie.

La porte claque derrière elle. Enfin seule, Élodie sort de la baignoire et enfile la chemise de nuit.

— Je ne suis pas folle, chuchote-t-elle à son reflet dans le miroir.

Elle craint de l'oublier si elle cesse de se le répéter.

CHAPITRE 20
Maggie

Maggie regarde sa mère balayer un petit tas de poussière dans la pelle, puis le jeter dehors par la porte arrière.

— Ces sauvages ramènent sans cesse de la saleté dans la maison, se plaint Hortense.

Ce sont ses enfants qu'elle évoque ainsi, les trois plus jeunes qui vivent encore dans la maison familiale. Maggie boit une gorgée de limonade bien fraîche et gémit de plaisir. Sa mère la prépare avec des citrons frais, des tonnes de sucre et une touche de miel pour en adoucir encore plus le goût. Le gâteau aux pommes fond dans la bouche. La sublime cuisine de Maman fait presque oublier à Maggie à quel point il était pénible de vivre à ses côtés. Il faut dire aussi que sa mère la traite bien mieux depuis qu'elle est mariée et qu'elle est devenue le problème de quelqu'un d'autre.

Maman se sert un verre de limonade et une part de gâteau, et s'assoit en face de Maggie. En ce dimanche après-midi, Roland et son père sont dans le jardin, en train de boire et de fumer des cigares au soleil.

— Comment te sens-tu ? demande Maman. As-tu encore des nausées le matin ? J'en ai eu pendant des mois. C'était terrible. Tu te souviens ?

Maggie redoutait ce moment. Elle regarde au loin.

— J'ai perdu le bébé.

— Encore ?

— Oui, admet Maggie. Mais j'ai vu un médecin.

Roland a pris rendez-vous avec un médecin spécialiste à Montréal, le docteur Surrey. Celui-ci a fait un curetage à Maggie pour nettoyer son utérus.

— Il y avait manifestement des résidus d'anciennes fausses couches, leur a-t-il appris. Ce qui expliquerait pourquoi vous avez eu de la difficulté avec votre dernière grossesse.

— Cela veut dire, est intervenu Roland, que les résidus de la première fausse couche pourraient avoir causé la deuxième et ainsi de suite ?

— Tout à fait.

— Je savais qu'il y avait une explication, a dit Roland, content de lui-même.

— Les fausses couches sont assez fréquentes, madame Larsson, a repris le médecin. Cela ne veut pas nécessairement dire qu'il y a quelque chose qui ne va pas. Toutefois, si une fausse couche n'est pas suivie d'un curetage qui permet d'enlever tous les tissus, il y a un plus grand risque que la prochaine grossesse ne se rende pas à terme.

L'utérus de Maggie est propre maintenant. La première fausse couche – un phénomène aléatoire et courant – a sans doute causé les autres. Maggie n'a pas à s'inquiéter, lui a assuré le docteur. Elle et son mari n'ont plus qu'à recommencer. Ils ont d'excellentes chances de réussite.

— Le curetage devrait avoir tout arrangé, dit Maggie à sa mère. Tu auras probablement un petit-fils ou une petite-fille l'été prochain, poursuit-elle, se montrant plus optimiste qu'elle ne l'est en réalité.

— Comment Roland prend-il cela ?

À sa façon: en montant des maquettes de train, en s'échinant de façon compulsive sur de minuscules pièces de puzzles et surtout en travaillant. Il a commencé à quitter la maison un peu plus tôt le matin et à rentrer un peu plus tard le soir, souvent même après l'heure du dîner. Maggie sait qu'il est mal à l'aise en sa présence lorsqu'elle est déprimée. Son humeur effraie l'âme de ce grand sensible. Elle a appris à le connaître au fil des ans: il faut que tout soit ordonné et agréable dans sa vie. Il veut une épouse joyeuse et conciliante. Elle essaie de l'être, mais elle se rend compte qu'elle n'a aucun talent pour jouer la comédie.

D'une certaine façon, il l'a dupée en prétendant aimer qu'elle soit ambitieuse. La seule chose qu'il a vraiment toujours voulue, c'est qu'elle ait des enfants. Il est passé maître dans l'art de faire semblant, un trait qu'elle a découvert graduellement depuis qu'ils sont mariés, grâce aux miettes d'information qu'il laisse échapper surtout lorsqu'il est ivre. Son père, un Suédois strict et froid, n'aimait pas son fils, le méprisait même. Sa mère a essayé de compenser et de le lui cacher, mais après sa mort, les deux hommes ont été laissés à eux-mêmes. Roland a très bien appris à revêtir les situations d'un vernis de gaieté et de normalité, surtout quand l'atmosphère est tendue.

Maggie aimerait que les choses redeviennent comme avant entre eux, quand ils n'étaient pas obsédés par la procréation. Roland est beaucoup plus déterminé qu'elle à avoir un enfant, et cela l'a changé. Leur amitié et leur vie commune – les aspects qu'elle chérissait le plus dans leur mariage – se sont détériorées.

— Il te fait payer, glisse Maman en picorant sa part de gâteau.

— Qui?

— Dieu.

— Peut-être que je ne suis pas censée avoir des enfants, dit Maggie. Je n'étais pas sûre d'en vouloir au départ.

— Personne n'en veut vraiment, admet Maman, mais est-ce qu'on a le choix ?

— Tu ne nous voulais pas ?

— Personne ne pensait à cela. Nous tombons enceintes, c'est tout.

— Pourquoi n'as-tu pas gardé mon bébé ? Tu aurais pu l'élever comme ton propre enfant. Tu aimes les bébés.

Maman fronce les sourcils, mais ne la contredit pas.

— Elle aurait pu rester dans notre famille, reprend Maggie.

— Imagine ce que les gens auraient dit, rétorque Maman. Tu disparais pendant neuf mois, et soudain *j'ai* un autre enfant. L'Immaculée Conception ! Tout le monde aurait deviné.

— Tout le monde a probablement deviné de toute façon.

— Pourquoi parles-tu de cela ?

— Peut-être qu'elle était ma seule chance d'avoir un enfant.

— Arrête de t'apitoyer sur ton sort.

— Je pensais que je pourrais l'oublier, dit Maggie. Je l'ai effectivement oubliée jusqu'à ce que je retombe enceinte. Et maintenant… Je ne sais pas. Je pense beaucoup à elle ces derniers temps. Si ce n'était pas arrivé…

— Arrête.

— Où papa l'a-t-il amenée ?

— Il y avait un hospice pour les enfants trouvés tout près. C'est le seul endroit que nous connaissions.

— Aucun nouveau-né n'y a été amené en mars.

— Comment sais-tu cela ? demande Maman, en plissant les yeux.

— J'ai parlé à une sœur là-bas.

— Tu ne la trouveras jamais, crois-moi. Ils ne veulent pas que tu la trouves.

— Qui ça ?

— L'Église, ton père, répond Maman en terminant sa part de gâteau. Contente-toi d'en avoir un autre. Tu as plus de chances.

Après le dîner, Maggie sort de la maison, toute seule. Elle se dirige tout droit vers le champ de maïs. Elle voudrait s'y perdre. Plus elle avance parmi les épis, mieux elle respire. L'air a une odeur musquée de maïs bien mûr, une odeur qui la transporte instantanément à l'époque de son idylle, où tout était possible, où son avenir semblait aussi illimité que la croissance des épis.

Une voix dans la nuit la ramène brusquement au présent.

« Est-ce bien toi ? »

Pendant une fraction de seconde, elle croit rêver. Elle entend ses bottes écraser le maïs, ses clés tinter dans sa poche. Elle se tient immobile, en attente. Puis elle se tourne lentement et le voit. Il remplit l'horizon comme une magnifique hallucination. Comme dans ses fantasmes.

— Bonjour, Maggie, dit-il.

— Gabriel ?

Il lui sourit comme s'ils étaient encore ces adolescents qui se donnaient des rendez-vous secrets dans le champ. Les dix années qui se sont écoulées depuis leur séparation s'effacent. Il ne reste plus qu'eux, l'odeur du maïs, l'air humide, le chatouillement des feuilles et des soies contre leurs chevilles.

CHAPITRE 21

Gabriel a 27 ans. Il ne reste pratiquement plus rien en lui du jeune campagnard qu'il était. Il a forci – sa mâchoire est plus carrée, ses épaules plus larges, ses muscles plus définis. Il a le teint plus pâle et a fait couper ses épais cheveux blonds en brosse, ce qui rend sa beauté plus austère, plus anguleuse. Sa poitrine et ses bras se sont développés, probablement à force de soulever de lourdes pièces d'avion depuis des années. Maggie a de la difficulté à voir dans cet homme le garçon qu'il était il y a dix ans, avec qui elle a fait l'amour pour la première fois à cet endroit même.

Elle se sent mal à l'aise, soucieuse de son apparence.

— Comment vas-tu ? lui demande-t-il d'un ton léger, sans aucune trace de rancune.

Elle cherche dans son visage les vestiges des sentiments qu'il a un jour éprouvés pour elle. Mais il la regarde comme n'importe quel homme le ferait. Sans plus.

— Qu'est-ce que tu fais ici ? lui demande-t-elle.

— Qu'est-ce que *tu* fais ici ? C'est mon champ.

Elle sourit. Il lui rend son sourire.

— Je suis venue voir mes parents, dit-elle. Je viens dans le champ chaque fois que je leur rends visite.

— Je sais.

L'a-t-il vue ? L'a-t-il regardée par une fenêtre ?

— Et toi ? s'enquit-elle. Angèle m'a dit que tu ne venais plus souvent à Dunham.

— C'était il y a longtemps. Clémentine avait besoin d'aide sur la ferme. C'est le temps des récoltes.

— Vous vous êtes donc réconciliés.

— Nous nous sommes mutuellement pardonné.

— Tu travailles toujours à Canadair ?

— Où sinon ? À la Bourse ?

Elle laisse échapper un rire qui sonne faux. Elle ne sait pas vraiment s'il faisait une plaisanterie.

— Le soir, je conduis aussi un taxi, ajoute-t-il. C'est de l'argent en plus.

Il ne lui pose aucune question sur elle. Ils restent là, à se faire face en silence, ce qui amplifie le chant des grillons.

— Tu es marié ? fait-elle d'un ton qu'elle veut léger.

— Ouaip.

— Tu as des enfants ?

— Non. Les enfants, ce n'est pas pour moi. Je n'en veux pas.

Les questions se bousculent dans la tête de Maggie. Aurait-il voulu élever son enfant avec elle – en supposant qu'il était bien de lui – ou aurait-il pris les jambes à son cou dès qu'il aurait appris qu'elle était enceinte ?

— As-tu envie d'aller prendre un verre ? fait-il.

Il ne lui a toujours pas demandé si elle était mariée ou si elle avait des enfants. Peut-être qu'il connaît sa situation par ses sœurs ou les ragots des gens de Dunham. Peut-être qu'il ne veut pas savoir.

Maggie jette un coup d'œil vers la maison de ses parents, en pensant à Roland terré avec son père dans les anciens quartiers de la domestique.

— Je ferais mieux de les avertir, dit-elle sans préciser de qui elle parle.

À l'intérieur, elle frappe à la porte du bureau de son père. La fumée l'enveloppe dès que son père entrouvre la porte, l'air irrité. Elle aperçoit Roland, affalé dans le fauteuil de cuir, ses jambes bien étendues devant lui, un cigare dans une main, un verre de Crown Royal dans l'autre. Mario Lanza chante à la radio.

— Je vais en ville prendre un verre avec Audrey, leur annonce-t-elle.

— Veux-tu que je t'y conduise ? marmonne Roland, prêt à sauter dans sa voiture et à l'amener là où elle le souhaite.

C'est une bonne personne, pense-t-elle en culpabilisant. Si seulement il n'avait pas changé. Si seulement elle l'avait rencontré en premier.

— Tu n'es pas en état de conduire sur des routes de campagne, lui dit-elle. Nous dormirons ici ce soir. Je vais dire à Maman de nous préparer l'ancienne chambre de Peter.

— Dur à croire que ça fait dix ans, hein ? dit Gabriel devant un pichet de bière tiède en fût. J'aime comment tes cheveux sont coiffés.

Il tend la main vers les boucles naturelles de Maggie. Elle ne bouge pas tandis qu'il lui caresse lentement les cheveux. Puis, il s'adosse et boit une longue gorgée de bière, comme si ce geste était parfaitement normal.

— Et alors, as-tu des enfants ? lui demande-t-il.

— Pas encore. Nous essayons. Nous avons eu des difficultés…

Il opine, mais contrairement à la plupart des gens, il ne manifeste aucun encouragement, aucune empathie. Elle remplit son verre.

— Que fait ton mari ?

— Il est banquier.

Gabriel allume une cigarette, souffle la fumée droit devant lui.

— L'Homme qui sème doit être fier, dit-il. C'est un Anglais, évidemment ?

— Es-tu toujours fâché contre moi ?

— Pourquoi le serais-je ? réfute-t-il en riant. Nous étions des adolescents.

Elle n'en croit pas un mot.

— As-tu une photo d'Annie ? lui demande-t-elle.

Elle est curieuse comme on l'est devant un accident.

— Tu connais son nom ?

— Angèle me l'a dit, avoue-t-elle en rougissant. Elle doit être jolie.

Il hausse les épaules. Ils finissent le pichet, et il en commande un autre. Elle prend une cigarette dans son paquet, et il l'allume avec son Zippo. Il referme le briquet d'un geste souple du poignet.

— Donc, nous voici, résume-t-il. Mariés avec d'autres.

Elle ouvre la bouche pour dire quelque chose, mais n'arrive pas à exprimer tous ses sentiments dans une phrase cohérente. Elle a une certitude tandis qu'elle le regarde dans les yeux : elle le veut toujours.

— Dès que je t'ai vue ce soir…, dit-il. Tu es toujours aussi belle.

— On dirait que ça te déçoit.

— Je pensais que tu aurais pris du poids.

— J'aurais souhaité que ça ne nous prenne pas dix ans avant de nous revoir, lance-t-elle, soudain submergée par l'urgent désir de tout lui raconter – sa grossesse, le bébé, l'hospice, même Yvon.

Elle est *presque* assez ivre pour le faire, mais dans un sursaut de lucidité, elle décide de se taire.

— Qu'est-ce qu'on fait maintenant ? dit-il.

Elle hoche la tête. Ils se regardent longuement dans les yeux, sans ciller. Maggie sent une étincelle d'espoir. Pendant un court moment, tout lui semble possible, mais une serveuse passe près d'eux et Gabriel lui fait signe d'apporter la note. L'humeur de Maggie sombre. Elle lui prend une autre cigarette et se penche vers lui, aguichante, pour qu'il la lui allume.

— Es-tu heureux ? demande-t-elle en lui posant la main sur le poignet pour stabiliser la flamme.

— C'est quoi, ce genre de question ? fait-il en laissant des billets sur la table. Sortons d'ici.

Dehors, ils se dirigent vers la rue Bruce. Sans dire un mot, il lui prend la main et la garde dans la sienne tandis qu'ils marchent. Ce geste ne semble pas du tout illicite, il est naturel et légitime.

— J'aimerais que nous puissions faire durer ce moment, dit-elle, lorsqu'ils arrivent devant la fabrique Small Bros.

— Pourquoi est-ce que nous ne pouvons pas le faire ? fait-il en l'attirant dans la ruelle.

— Qu'est-ce que tu fais ?

Il la pousse contre le mur de briques et, sans crier gare, l'embrasse. Ce n'est pas tant l'arrogance de Gabriel, ou même sa propre témérité qui la surprend, que son émoi. Bien qu'ils se soient embrassés très souvent, ce baiser est tout aussi enivrant que le premier.

Il s'appuie contre elle, la presse contre le mur latéral de l'immeuble. Maggie l'enlace instinctivement, en glissant une main sous sa chemise et en remontant le long de son dos à la peau douce. Mais quand elle sent la main de Gabriel remonter le long de sa cuisse sous sa jupe, elle le repousse.

— Arrête, dit-elle.

Il l'ignore.

— Arrête, répète-t-elle, la bouche contre son oreille.

Il la regarde, surpris.

— On ne peut pas faire ça, dit-elle. Roland va se demander où je suis.

— Roland, marmonne Gabriel, en glissant ses doigts entre les jambes de Maggie, en tirant sur sa petite culotte.

— S'il te plaît, insiste-t-elle faiblement. Arrête.

Il recule, la fixe du regard.

— Ce n'est pas comme ça que je veux que ça se passe, dit-elle.

— Et comment *veux-tu* que ça se passe ? lui demande-t-il, en colère, en rajustant son pantalon. Nous sommes mariés, mais pas ensemble.

— Pas en les trompant.

— Tu veux que je quitte Annie pour que tu puisses baiser avec moi sans trop de remords ?

— Gabriel, s'il te plaît.

— Ça n'arrivera pas, Maggie.

Il jure tout bas, puis soudain, frappe le mur de briques tout près de sa tête.

— Toujours la même, fait-il, en secouant sa main ensanglantée. Tu m'aguiches, tu flirtes, mais quand vient le moment de passer aux choses sérieuses, tu ne veux pas vraiment déranger ta petite vie privilégiée. Tu veux juste savoir si tu peux toujours m'avoir. Retourne avec ton foutu banquier.

— Je donnerais n'importe quoi pour que les choses se soient passées différemment ! crie-t-elle, sa voix résonnant dans la ruelle étroite.

Gabriel reste interdit en entendant la vérité ainsi hurlée dans la nuit – la stricte vérité, l'inexorable vérité. Ils restent là, ne sachant pas quoi faire.

— Je suis désolé, dit-il. Je suis soûl. C'était une erreur.

Les mots atteignent Maggie comme des couteaux. Gabriel la raccompagne jusqu'au bord du champ de maïs jouxtant la maison de ses parents – là où ils se sont cachés un jour, où ils ont fait l'amour et disparu ensemble, là où ils se sont trouvés et perdus, et retrouvés. Elle respire profondément. Elle n'a pas envie de rentrer. L'air est humide et sent l'été à son paroxysme : un mélange de rosée, de boutons de fleurs et de fumier. Le ciel est opaque. Maggie constate qu'elle pleure, mais Gabriel ne peut probablement pas voir ses larmes dans l'obscurité.

Peut-être que c'est pour le mieux, se raisonne-t-elle. Le désir exerce une emprise totale sur le cœur et l'esprit. Il a presque détruit ses parents. Il vaut mieux qu'elle soit avec Roland qui est – ou, du moins, était – son ami.

— Bonne nuit, dit Gabriel.

Sans ajouter un mot, Maggie tourne les talons et se met à gravir la colline.

— Hé ! lui crie-t-il de loin. Je travaille durant le quart de jour à Canadair. Je termine à 15 h 15.

Un défi.

CHAPITRE 22

Maggie éteint la télévision à la fin de *Police des plaines*[14]. Elle monte dans sa chambre, retire ses vêtements et enfile sa chemise de nuit blanche préférée, celle dont le plastron est orné d'une ruche d'œillets. Elle s'assoit au bord du lit pour se brosser les cheveux. Elle pose un regard absent sur le papier peint – une toile de Jouy rouge représentant des scènes champêtres françaises – et elle se rend compte qu'il ne lui plaît déjà plus. Mais elle aime encore cette pièce ; avec son foyer, son plafond à caissons et sa vue imprenable sur le jardin arrière, elle est l'une des principales raisons qui lui ont fait vouloir cette maison.

Elle entend Roland se brosser les dents dans la salle de bain, et elle sait ce qui l'attend ce soir. Il va apparaître, nu dans sa robe de chambre en velours, et replier proprement son coin du couvre-lit en un triangle bien net pour pouvoir se glisser dessous sans trop le défaire. Puis, il se penchera vers elle pour lui donner un utilitaire baiser mentholé. Elle peut quasiment goûter le dentifrice sur son haleine. Des années de rapports sexuels obligatoires et anxieux

---

14 *Le Justicier*, au Québec.

ayant pour seul but de procréer ont accéléré le déclin de leur libido.

— Duplessis est mort.

— Quoi ? s'exclame-t-elle d'une voix étouffée, en levant la tête vers Roland qui se tient dans l'embrasure de la porte de la salle de bain attenante à leur chambre.

— Je viens tout juste de l'entendre à la radio, confirme-t-il, fébrile.

La veille au soir, la télévision d'État a rapporté que Duplessis n'avait pas repris connaissance depuis qu'il avait subi une hémorragie cérébrale. Maggie est sous le choc, n'ayant jamais cru qu'un homme aussi puissant que Duplessis puisse être soumis aux mêmes désagréments que le commun des mortels – entre autres, la maladie et la mort.

— Mon Dieu, souffle-t-elle, submergée par un quelconque sentiment de légitimation.

Elle se précipite au rez-de-chaussée pour appeler son père.

— Le dictateur est mort ! clame-t-il gaiement.

— Tu ne trouves pas que cela a quelque chose d'étrange ? dit-elle. Il est en arrière-plan de ma vie depuis aussi longtemps que je m'en souvienne.

— Il a fallu une hémorragie cérébrale pour le sortir de ce bureau, mais, grâce à Dieu, le Québec en est finalement libéré.

— Que se passera-t-il si le prochain premier ministre abandonne l'agriculture ?

— Ma chérie, répond son père, Semences Supérieures va prendre son essor au même rythme que cette province.

Il est plein d'entrain. Maggie l'imagine à son magasin le lendemain, exultant et imbu de sa personne.

De retour dans la chambre à coucher, elle retrouve Roland sous le couvre-lit en chenille, sa radio transistor sur les genoux. Tel un animal de compagnie, celle-ci le suit partout dans la maison.

Maggie va se brosser les dents. Puis, elle contemple longuement son reflet dans la glace de la salle de bain, en essayant de se voir comme Gabriel l'a vue l'autre soir. Son visage est plus plein qu'avant – probablement enflé à cause de sa dernière grossesse. Ou peut-être que le cynisme et la déception ont déjà commencé à miner sourdement la beauté pour laquelle on la complimente si souvent. C'est peut-être ce qui est arrivé à sa mère. Maggie se souvient de la photo de Maman sur la tondeuse à gazon ; comme elle était belle dans la vingtaine. Comme elle est différente maintenant.

Maggie vient tout juste de passer le cap des 25 ans. Elle ferme les yeux pour chasser l'image de ce qu'elle craint de devenir – un clone de sa mère dont la jeunesse et la beauté ne seront plus qu'un souvenir immortalisé par une photo reposant dans son cadre sur un napperon dans sa chambre à coucher. Une photo que ses enfants à venir regarderont, songeurs et perplexes. Elle éteint la lumière et va retrouver Roland.

— Je n'arrive pas encore à y croire, dit-il.

— Cette date devrait être un jour férié à partir de maintenant.

— Il en a fallu du temps, dit Roland en déposant sa radio sur la table de chevet.

Maggie se blottit contre lui, en appuyant la tête sur sa poitrine.

— Que va-t-il se passer maintenant ? se demande-t-elle à voix haute.

— Que de bonnes choses, selon moi. Espérons que celui qui le remplacera nous fera entrer dans le vingtième siècle.

— C'est vraiment la fin d'une époque.

— Ton père doit être fou de joie.

— Il va probablement organiser une parade.

Ils rient, et Roland se penche vers elle pour l'embrasser avec toute la maladresse d'un adolescent qui en est à sa première tentative auprès d'une jeune fille. Elle le repousse doucement.

— Pas tout de suite, d'accord?

Il s'enfonce dans son oreiller et regarde au loin, blessé.

— Je croyais que nous allions essayer, dit-il. Le docteur a dit que nous pouvions commencer immédiatement après le curetage.

— C'est juste que je ne suis pas prête, Rol.

Il soupire.

— Je comprends, dit-il, radouci. Mais bientôt, d'accord?

Elle l'embrasse sur la poitrine et se détend.

— Merci, murmure-t-elle, soulagée.

Les vacances de fin d'année se déroulent sans tambour ni trompette. Elles sont suivies par une longue et profonde hibernation pour Maggie, qui passe pratiquement tout son temps libre enfermée, à penser à Gabriel et à leur rencontre surréelle dans le champ l'automne précédent. Jour après jour, roulée en boule près du feu, vêtue du même pull de laine et des mêmes épaisses chaussettes de ski, elle perd beaucoup de temps à laisser libre cours à des fantasmes élaborés.

Puis, un après-midi au tout début du printemps, Maggie se retrouve dans une partie de la ville qu'elle ne connaît guère. Tout s'est passé comme si elle avait retenu son souffle durant tous ces mois et que, soudain, elle ne pouvait plus attendre une minute de plus. C'est une nouvelle décennie – les années 1950 sont terminées – et elle se sent fébrile, comme enhardie par son enfermement. Elle a besoin de respirer.

Canadair se trouve près de l'Aéroport de Cartierville, dans Saint-Laurent. Un autobus, qui s'arrête à la rue Sherbrooke, l'amènera directement sur le boulevard Côte-Vertu. Elle marche avec détermination, appréciant la douce température de mars et les premiers rayons d'un soleil printanier sur son visage.

Lorsqu'elle était petite, Canadair était une usine réputée pour la fabrication d'avions militaires. À l'instar de Gabriel, beaucoup de jeunes fermiers venaient s'installer en ville pour y travailler durant l'hiver. Elle se souvient qu'à la fin des années 1940, il n'arrêtait pas de parler des Jets Sabre F-86 que Canadair avait commencé à construire, comme s'il les fabriquait à lui seul. Il disait que c'était un privilège de participer à la construction d'avions pour l'Aviation royale du Canada[15], et ce, même s'il ne gagnait que 43 cents de l'heure et faisait des quarts de travail de 17 heures.

Elle rumine tout cela tandis que l'autobus arrive à destination sur le boulevard Côte-Vertu, et que, tels les avions qui se posent sur la piste de Cartierville, toute la réalité de ce qu'elle est sur le point de faire atterrit sur elle.

15 On dit maintenant l'Aviation royale canadienne.

CHAPITRE 23

Maggie dessine du bout du doigt la fleur de lys bleue et blanche tatouée sur le biceps de Gabriel. Elle suppose que ce serait très différent de faire l'amour avec lui maintenant qu'elle est une femme. Leurs tendres ébats adolescents – tout comme les rapports sexuels sommaires qu'elle a avec Roland depuis quelques années – ne lui ont pas appris grand-chose sur la sexualité ni même sur son corps. Elle imagine que maintenant, ce serait plus mature, plus libre.

Mais il n'en est pas question. Pas encore. Cette fois, elle attend. Elle a dit à Gabriel que, par respect pour Roland et parce qu'elle ne voulait pas répéter les erreurs du passé, elle ne coucherait pas avec lui tant qu'ils ne seraient pas certains de vouloir s'engager l'un envers l'autre.

— Quand t'es-tu fait faire cela? lui demande-t-elle à propos du tatouage.

Ils se trouvent dans la garçonnière d'un ami de Gabriel, rue Papineau. Des bouteilles de bière et des cendriers jonchent le sol, des souris se promènent audacieusement sur le lino, et les fenêtres laissent passer les courants d'air en tremblant sous les violentes bourrasques. L'ami en question n'est jamais là. Maggie le soupçonne de louer cet appartement pour coucher avec d'autres femmes que la sienne. Gabriel dit qu'il n'en est rien, mais sans entrer dans les détails.

— Il y a quelques années, répond-il. Sais-tu ce que la fleur de lys représente ?

— Elle est sur le drapeau du Québec.

— C'est le premier drapeau provincial du Canada, dit-il. Une des rares bonnes choses que Duplessis a accomplies.

— C'est pour cela que tu as fait faire ce tatouage ?

— Cela a du sens pour moi, dit-il. La fleur de lys était sur l'oriflamme que transportaient les soldats canadiens-français qui ont remporté la victoire de Carillon sous Montcalm.

Il allume une cigarette et prend un cendrier qui traîne par terre.

— Tu ne peux probablement pas comprendre.

— Tu ne m'as jamais vraiment pardonné, n'est-ce pas ? fait-elle au bout d'un long silence.

— Te pardonner de quoi ?

— De t'avoir quitté comme je l'ai fait.

— Nous étions des adolescents.

— Que se serait-il passé si nous étions restés ensemble ?

— Ça n'aurait jamais marché à l'époque, répond-il avec mépris.

— Peut-être que ceci aurait été suffisant, murmure-t-elle en se blottissant contre lui.

— Se retrouver en secret dans ce taudis ?

— Être ensemble.

— Tu es trop romantique.

— Vraiment ? Alors, qu'est-ce que tu fais ici ?

— Je ne sais pas. J'essaie de coucher avec toi.

Elle lui donne un coup de poing malicieux sur l'épaule.

— Et toi ? lui demande-t-il.

— J'espère nous donner une deuxième chance, admet-elle.

Il lui passe la main dans les cheveux avant de la laisser tomber sur ses genoux.

— Nous sommes tous les deux mariés, Maggie. Avons-nous réellement encore un avenir ?

— Pourquoi serais-tu là, sinon ?

— Je te l'ai dit, pour coucher avec toi.

— Et si je ne veux pas ?

Gabriel soupire, puis expire.

— Honnêtement, je n'en sais rien, dit-il. Mais j'aime être avec toi. C'est facile. Tu me connais.

— Et pas ta femme ?

— C'est différent, fait-il en haussant les épaules. Elle connaît des parties de moi. L'homme que je suis devenu quand je me suis installé ici pour de bon.

— Et qui est le Gabriel que je connais ?

— Le garçon pas sûr de lui qui a brandi un couteau pour se défendre de quelques voyous, dit-il. Le fils du fermier. Celui qui est tombé amoureux d'une jeune Anglaise qui a fini par lui briser le cœur.

Elle lui pose la main sur le visage.

— Mais tu as fait ton choix, Maggie, reprend-il. Et ce n'est pas moi que tu as choisi.

Elle détourne la tête, incapable de le regarder en face. Elle meurt d'envie de lui dire que ce sont ses parents qui ont pris la décision pour elle – son père, en fait. Mais elle devra alors lui parler du bébé, ce qu'elle n'est pas encore prête à faire.

— De toute façon, reprend-il, c'est la meilleure existence que tu puisses avoir.

— Quelle existence ?

— *Son* existence, celle que tu mènes.

— De qui parles-tu ? De Roland ?

— De ton père.

— Ce n'est pas si simple.

— Il t'a lavé le cerveau, Maggie.

— C'est ce que ma mère disait.

— J'imagine que tu ne pouvais pas tout avoir, dit-il d'un ton plus léger. La grosse maison, le banquier, l'approbation de ton paternel *et* moi.

— C'est méchant, ce que tu dis, fait-elle en se levant pour partir.

Il lui attrape le bras, l'attire sur le canapé et se met à califourchon sur elle. Elle sent son érection contre elle, et se sent faiblir.

— Sommes-nous obligés de parler autant? fait-il, son haleine chaude contre son cou. Arrêtons de parler. Ça ne fait que causer des problèmes.

Tous les poils du corps de Maggie se hérissent lorsque Gabriel l'embrasse. Elle lui caresse le dos sous sa chemise de flanelle, en se remémorant leur première fois dans le champ de maïs lorsqu'il n'était qu'un jeune garçon. La sueur sur sa peau bronzée, ses côtes saillantes, la façon arrogante dont il se pavanait dans le champ. Et le voici maintenant, avec le même dos mince et solide et le même tempérament imprévisible. Il n'a jamais su cacher sa lutte intérieure entre fierté et vulnérabilité, entre la personne qu'il était et celle qu'il aspirait à être. C'est ce qu'il voulait dire lorsqu'il lui a confié qu'elle était la seule à le connaître vraiment.

— Contentons-nous de passer un bon moment ensemble, chuchote-t-il.

— En couchant ensemble.

— Bien entendu.

Comment peut-elle apprécier le temps qu'ils passent ensemble quand son esprit ne cesse de se projeter dans l'avenir, d'élaborer des stratégies, de fantasmer, de le vouloir avidement tout à elle ? Elle appréhende de rentrer chez elle pour retrouver Roland et sa croisade pour l'engrosser, les faux-semblants et la politesse, les sourires et l'imposture. Gabriel est réel ; elle veut que leur relation soit réelle. Elle ne voit pas l'intérêt d'avoir une aventure illicite, pleine de secrets, de culpabilité et d'incertitude. Elle ne peut pas tolérer l'idée qu'il ira retrouver Annie ce soir, qu'il dormira à ses côtés, qu'ils se parleront de ce ton intime que les couples empruntent. Lui fait-il souvent l'amour ? Est-ce que ça lui plaît ? Ça la démange de le lui demander.

Elle laisse échapper un petit sanglot, tandis qu'il lui embrasse le cou.

— Et maintenant, qu'est-ce qu'on fait ? murmure-t-elle, mais il ne répond pas.

CHAPITRE 24
Élodie

1960

Un jour durant le déjeuner, une fillette mentionne en passant qu'Emmeline de l'orphelinat Saint-Sulpice est morte.

— Tu étais avec elle là-bas, non ? demande-t-elle à Élodie en dévorant sa viande.

— Comment est-elle morte ? fait Élodie, qui soudain n'a plus faim.

— Surdose de Largactil, à ce qu'on m'a dit.

Élodie est révoltée. Elle a l'habitude de cacher sa colère, de désespérer en silence pour s'éviter des ennuis, mais cette fois, c'en est trop. Elle n'oubliera jamais qu'Emmeline lui a pris la main pour la rassurer le soir où elles sont arrivées à Saint-Nazarius et la façon dont elle a parlé en leur nom à toutes pour dire à Sœur Ignatia que leur place n'était pas dans cet hôpital.

Emmeline n'est pas la première à mourir ici, et certainement pas la dernière. Élodie s'est endurcie ou peut-être qu'elle a moins de cœur. À dix ans, elle accepte davantage les choses sans sourciller. La mort les attend à tous les tournants à Saint-Nazarius, aussi réelle et omniprésente que chez les religieuses. Mais jamais elle ne l'a vécue de si près.

Quelques jours plus tard, d'étranges rougeurs apparaissent partout sur le corps d'Élodie et la démangent, ce qui oblige Sœur Ignatia à l'envoyer dans l'aile des maladies infectieuses. C'est l'occasion que la petite fille saisit pour parler au nom d'Emmeline et de toutes les orphelines.

— Varicelle, confirme le médecin, en jetant un coup d'œil rapide sur les bras et le cou d'Élodie. Tu ne dois pas te gratter ainsi.

Élodie l'observe attentivement, en essayant de déterminer s'il est l'un d'*eux* ou s'il pourrait lui venir en aide. Il a l'air d'un homme bien. Il a les yeux bleu clair, et elle aime bien sa moustache et la poche carrée de sa blouse blanche.

— Je vais te donner de la lotion à la calamine, dit-il. Mais il faut que tu arrêtes de te gratter, jeune dame. Sinon tu vas avoir des cicatrices.

Il s'en faut de peu pour qu'elle éclate de rire. Des cicatrices ! S'il pouvait voir toutes les cicatrices qu'elle a déjà sur le corps à force de se faire frapper. Il croit qu'elle s'inquiète de celles qu'elle pourrait avoir à cause de la varicelle ? Il ne se doute de rien.

Il lui enduit la peau de la lotion rose, ce qui la rafraîchit et l'apaise immédiatement.

— Tu devrais aussi te couper les ongles.

— Docteur ?

— Mmm ?

— Une jeune fille du sixième étage est morte l'autre jour.

— Oui, cela arrive, dit-il. Nous sommes dans un hôpital.

— Mais elle n'était pas malade.

— Elle n'aurait pas été ici si cela avait été le cas.

— Je ne suis pas malade, moi non plus, poursuit Élodie. Et pourtant, je suis ici. La plupart des petites filles là-haut sont parfaitement normales. Nous sommes juste des orphelines, pas des folles.

— Ce n'est pas ce que disent vos dossiers.

— Quels dossiers ?

— Les dossiers concernant votre transfert ici.

— Que dit le mien ?

— Je ne suis pas au courant des dossiers de l'aile psychiatrique, dit-il. Mais je t'assure que si tu es ici, c'est qu'il y a une raison.

— Je suis normale, affirme catégoriquement Élodie.

— Arrête de te gratter.

— Puis-je voir mon dossier ?

— Mais non, voyons !

— Je ne veux pas mourir ici, dit-elle. Ils ont tué Emmeline à force de lui donner du Largactil. Elle a été transférée ici en même temps que moi de l'orphelinat Saint-Sulpice, et elle était en santé. Elle était intelligente et normale, puis elle a subi une lobotomie.

— Elle devait être très malade.

— Pas quand elle est arrivée ici, mais ils l'ont tuée.

— Tu exagères.

— Elle n'est pas la seule, poursuit Élodie. L'an dernier, une autre petite fille a disparu au beau milieu de la nuit. J'ai entendu dire qu'on avait jeté son corps derrière l'hôpital et qu'elle a été enterrée dans le cimetière. Tout ça parce qu'elle avait chanté.

Élodie se souvient encore de la petite fille qui chantait chaque soir pour s'endormir ; sa jolie voix flottait dans la salle. Elle s'appelait Agathe. Elle n'avait que cinq ans, mais Sœur Ignatia la frappait pour qu'elle arrête. Puis, un matin, Élodie a entendu quelqu'un dire qu'Agathe était partie.

Son lit était vide et fait comme si elle n'y avait jamais dormi.

Personne n'a dit aux petites filles ce qui était arrivé. Personne ne leur a donné d'explication, comme si elles n'étaient pas dignes d'être informées.

— Ils nous font toutes sortes de choses terribles, raconte-t-elle au médecin. Ne pouvez-vous pas nous aider? Est-ce que quelqu'un sait ce qu'ils nous font subir font là-haut?

— Calme-toi, exhorte le médecin en fronçant les sourcils.

— Est-ce que les folles de mon aile étaient folles avant d'arriver ici?

— Comme est-ce que je pourrais le savoir?

— Est-ce que je vais devenir folle si je reste là?

— Où vas-tu chercher des idées pareilles?

— Je vous en supplie, aidez-moi! Personne ne se soucie de nous, là-haut. Et les sœurs..., elles sont cruelles. Elles nous torturent. N'y a-t-il rien que vous puissiez faire?

— Je vais enquêter là-dessus, assure-t-il en posant une main sur le genou d'Élodie. Calme-toi. Je vais aller au fond des choses.

Élodie opine docilement, immensément soulagée.

— Prends ceci, dit-il en lui tendant la bouteille de lotion. Et mets-en quand ça pique trop.

— Merci, docteur.

Il lui fait un clin d'œil avant qu'elle quitte la pièce, plus légère et heureuse qu'elle ne l'a été depuis plusieurs années.

— Varicelle, mentionne-t-elle, tout sourire à Sœur Calvert qui l'attendait à la porte.

— On dirait que tu es contente, marmonne la sœur avant de s'engager dans le couloir, sa robe bruissant à chaque pas.

Plusieurs jours plus tard, il ne s'est toujours rien passé. Élodie attend que le médecin se manifeste, qu'il vienne les voir. Il a promis qu'il enquêterait. Elle suppose que les religieuses lui donnent du fil à retordre. Elle doit être patiente. Ne serait-il pas merveilleux qu'il dévoile ce qui se passe ici et que les responsables de l'hôpital comprennent leur terrible erreur et les libèrent. On les renverrait à Saint-Sulpice, où elle a été relativement heureuse si sa mémoire est bonne.

Étendue sur son petit lit un soir, environ une semaine après sa visite chez le médecin, elle se rend compte que personne n'est venu lui administrer du Largactil. Peut-être le médecin s'est-il manifesté après tout, qu'il a dit quelque chose sur la mort d'Emmeline et qu'on a interdit aux religieuses de leur donner des tranquillisants chaque jour. Élodie a des sentiments contradictoires par rapport au fait de ne pas recevoir son médicament pour dormir, mais toutes ses inquiétudes s'envolent à l'idée qu'elle pourrait être libre.

Plus tard, elle se fait brutalement réveiller par des mains qui la manipulent sans ménagement. Elle tente de s'asseoir, mais quelqu'un lui recouvre la tête d'une taie d'oreiller qui l'empêche de respirer librement. Les mains la tirent dans tous les sens. Elle ne voit rien sous sa taie, mais elle reconnaît le son des attaches de la camisole de force qu'on tente de lui mettre. Elle se débat, ses cris assourdis par le tissu, terrifiée à l'idée d'étouffer.

— Calme-toi !* siffle une voix qu'elle reconnaît immédiatement comme celle de Sœur Ignatia.

Elles se mettent à plusieurs pour tenter d'attacher la camisole de force, mais Élodie leur rend la tâche très difficile.

— Reste tranquille ! fait Sœur Ignatia, impatiente, avant de la frapper à la tête.

Le corps d'Élodie devient tout mou. La camisole de force est resserrée. Sœur Ignatia aboie des ordres. Élodie comprend alors que ses autres assaillantes ne sont nulles autres que des patientes comme elle, qui ne font qu'obtempérer, soulagées de ne pas être à sa place. Dans l'obscurité totale, elle sent qu'on la transporte dans une autre pièce. On la jette sur un sommier métallique auquel on l'enchaîne comme un animal. Les ressorts lui blessent la peau du dos, là où elle n'est pas couverte par la camisole.

On lui retire sa taie d'oreiller, et Élodie constate avec effroi qu'elle se trouve dans une cellule sombre, non ventilée, aux fenêtres barricadées. La chaleur est étouffante.

— Qu'est-ce que j'ai fait? demande-t-elle d'un ton suppliant à Sœur Ignatia. Pourquoi me faites-vous cela?

La sœur ne répond pas, et son silence est encore plus effrayant que tout ce qu'elle pourrait dire.

— Je vous en prie, gémit Élodie. Ne me laissez pas ici! Je vous en prie, ma Sœur…

Sœur Ignatia glisse un seau sous le lit, et Élodie comprend immédiatement qu'elle sera là pendant un bon moment et qu'elle restera attachée, même pour se soulager.

— Ne partez pas, supplie-t-elle. Il fait tellement chaud. Je vous en prie…

Sœur Ignatia tourne brusquement les talons, sa robe bruissant à ses pieds, et sort de la cellule suivie par ses laquais silencieux.

Élodie envisage de crier, mais élimine rapidement cette idée. Elle sait que personne ne l'entendra. Et même si on l'entendait, personne ne viendrait. Elle gigote sur le lit, en essayant désespérément de trouver une position quelque peu confortable – ou à tout le moins tolérable –, mais c'est impossible avec la camisole de force, la chaleur et le métal qui s'enfonce dans sa chair. Le sommeil ne vient pas non plus. Sans matelas, sans air, sans possibilité de bouger, elle peut seulement rester étendue à se reprocher de ne pas avoir essayé de s'enfuir il y a longtemps.

Aurait-elle pu? Pas à sept ans. Pas une fois qu'elle a été enfermée dans l'Aile B. Mais Agathe, elle, s'est enfuie. Emmeline s'est enfuie. Peut-être que la mort est la seule issue. Elle décide de ne plus jamais déplorer le décès d'une patiente de Saint-Nazarius. Pourquoi le ferait-elle? Celles qui meurent sont libres, en paix, tandis qu'elle reste en enfer.

Élodie mesure le temps qui passe par le nombre de repas qu'on lui sert – une purée de ce qui a été servi à la cafétéria trois fois par jour. La cellule empeste l'urine, la merde et le vomi. De temps en temps, pour tromper un ennui intolérable, elle prie. Elle négocie avec Dieu, Lui demande comment Il peut permettre qu'on la traite de cette façon. Mais elle ne reçoit aucune réponse, seulement Son silence insensible, du vide là où devrait y avoir du réconfort. Elle Le hait presque autant qu'elle hait Sœur Ignatia.

Au bout de près d'une semaine d'emprisonnement – soit exactement 17 abominables repas liquides –, la porte s'ouvre sur Sœur Ignatia, une expression suffisante sur le visage. Elle défait la chaîne et la camisole de force sans dire un mot. Élodie grimace aussitôt que ses bras sont libérés. Ses muscles sont courbaturés, ses articulations, douloureuses et ses os, faibles. Le moindre centimètre de son corps lui fait mal. Elle laisse échapper un cri de douleur en essayant de s'asseoir, avant de s'effondrer. La sensation du métal coupant dans son dos était préférable à cette souffrance.

Sœur Ignatia lui tend une robe. Elle fait une moue de dégoût à cause de la puanteur du seau rempli à ras bord et se couvre le nez et la bouche.

— C'est parce que j'ai parlé au médecin de la surdose d'Emmeline ? demande Élodie.

Quelque chose de joyeux – victoire ou amusement – traverse comme un éclair les yeux de chauve-souris de Sœur Ignatia, mais elle ne daigne même pas répondre à Élodie.

CHAPITRE 25
Maggie

Maggie se réveille en hurlant tellement fort qu'elle réveille Roland à son tour. Elle faisait un terrible cauchemar. Elle allume, les doigts tremblants, le cœur battant la chamade.

— Que se passe-t-il, ma chérie ? lui demande Roland en posant la main sur son épaule.

— Je rêvais que je me noyais, dit-elle en tentant de se calmer. J'étais enceinte, et le bébé et moi étions en train de nous noyer. Et je n'arrêtais pas de penser : *je ne peux pas le perdre, pas celui-là aussi.* Oh, Roland, c'était horrible !

Elle ne mentionne pas que le nom de ce bébé était Élodie.

Roland l'attire vers lui. Ils restent ainsi étendus, en laissant la lampe allumée à la demande de Maggie.

Le lendemain, guère reposée après sa nuit sans sommeil, Maggie attend Audrey dans un box du restaurant Fern. Elle commande un café. Elle a maintenant un permis de conduire et une Ford Falcon, que Roland lui a offerte pour son anniversaire. Depuis qu'elle a enfin quitté son emploi chez Simpson, elle a encore plus de temps pour réfléchir aux deux existences entre lesquelles elle se trouve coincée – ce qui explique sans doute son récent cauchemar. D'un côté, il y a une maison qu'elle adore, un jardin à la campagne qu'elle chérit et un merveilleux mari qu'elle ne pourra jamais assez aimer. De l'autre, il y a Gabriel, ce qui est suffisant, estime-t-elle.

Maggie n'a cessé de penser à Gabriel depuis leur rencontre dans l'appartement de la rue Papineau. Elle a tenté de différentes manières de justifier son infidélité émotionnelle à ses propres yeux, mais celle qui semble l'apaiser le plus consiste à se dire qu'elle aurait dû être avec Gabriel depuis le début. Il est vrai qu'elle vient seulement de le retrouver, mais ses sentiments sont aussi profonds et fermes qu'avant. Roland n'exige pas grand-chose d'elle. Il travaille beaucoup et est généralement heureux lorsqu'elle l'est. Sa confiance et sa complaisance – ou son refus d'aller au fond des choses – font qu'il est presque trop facile pour Maggie de tomber amoureuse d'un autre homme.

Elle allume une cigarette, en continuant à penser à la façon dont Gabriel et elle se sont quittés l'autre jour. *Dis bonjour à Audrey de ma part,* lui a-t-il dit au moment où elle partait.

Son ton était un peu tranchant. Elle a fait l'erreur de lui dire qu'elle allait rencontrer Audrey à Dunham. Évidemment, cela lui a rappelé l'incident avec Barney, la bataille dans la rue, le couteau qu'il avait brandi. Il n'a pas dit un mot, mais Maggie a bien vu que l'évocation d'Audrey l'avait mis en colère. Elle a aussitôt regretté de lui en avoir parlé.

Ils n'ont pas échangé une parole tandis qu'elle ramassait ses affaires. Une tension familière s'était immiscée entre eux, et il est venu à l'esprit de Maggie que l'amour n'était peut-être pas assez fort pour passer outre les origines d'une personne. Elle veut croire au caractère impérieux de l'amour, mais peut-être qu'il ne peut pas rivaliser avec l'essence d'une personne, ce qu'elle est fondamentalement. Maggie est terrifiée à l'idée que Gabriel et elle pourraient devoir abandonner la partie et qu'après tout ce temps, ils soient forcés de se séparer et de se retirer dans leurs clans respectifs, vaincus par les complexités de la langue et des classes sociales.

— Est-ce qu'on peut se voir vendredi ? lui a-t-il demandé.

— Impossible, a-t-elle répondu. Roland aime bien m'amener voir un spectacle le vendredi soir.

— Qu'i mange d'la marde*, a marmonné Gabriel.

Elle l'a embrassé, en lui caressant le visage. Ses yeux étaient gris foncé, en colère.

— Un autre jour, a-t-elle assuré. N'importe lequel, sauf vendredi. Je veux te revoir.

Il a regardé au loin. Mais elle lui a fait promettre de l'appeler. C'est ainsi qu'ils se sont quittés.

Elle lève les yeux de sa tasse et voit Audrey s'avancer vers elle en se dandinant. Enceinte de sept mois, celle-ci attend son troisième enfant. Elle a les joues rosies par le grand air et est plus adorable que jamais. Elle a les cheveux blond platine maintenant, comme une vedette de cinéma. Elle et Maggie ont continué à rester en contact au fil des ans, poliment et de façon distante, mais juste assez pour pouvoir se considérer mutuellement comme de vieilles connaissances. Audrey aime envoyer des cartes de Noël accompagnées de photos de famille et de longues lettres complaisantes dans lesquelles elle décrit les réalisations de ses proches avec abondance de points d'exclamation. *Barney a eu une promotion ! Lolly est maintenant propre ! Davie a remporté le concours de la Goutte de lait !* Elle aime aussi rencontrer Maggie une ou deux fois par année pour prendre une collation avec elle, ça lui permet de se vanter en personne.

— Comment te sens-tu ? lui demande Maggie.

— Pas trop mal, répond Audrey, en glissant son corps encombrant dans le box. Tu es superbe. Tu as toujours ta taille de jeune fille. Je t'envie.

Maggie sourit, mais elle sait qu'Audrey ne l'envie pas du tout. Audrey commande un café et une part de tarte, et tire une bouffée de la cigarette de Maggie.

— Par quoi commençons-nous ? demande-t-elle en tapant dans ses mains.

— Comment vont les enfants ?

— Lolly est une rigolote et Davie un véritable *monstre.* C'est de la folie d'en avoir un troisième. Je ne sais pas ce que je vais faire si c'est encore un garçon. Mais avant d'aller plus loin, dis-moi, Mags, comment t'en sors-tu ?

— Comment je m'en sors… ? fait Maggie en penchant la tête de côté.

— J'ai entendu dire que tu avais de la difficulté à tomber enceinte, dit Audrey, la voix remplie de sympathie, avant d'ajouter *Les fausses couches* en baissant le ton.

Maggie fait tomber la cendre de sa cigarette dans le cendrier.

— Où as-tu entendu parler de cela ? demande-t-elle.

— Oh, tu connais Dunham… Violet, je crois.

— J'ai eu un curetage, reprend Maggie. Le pronostic est bon.

Audrey encourage évidemment Maggie à prendre le train de la maternité. Les gens semblent adhérer fortement à l'idée qu'une femme mariée doit tomber enceinte à l'intérieur d'un délai convenu. Ils sont désorientés si les choses se passent autrement, comme si quelque contrat universellement conclu n'avait pas été respecté. Maggie sent de façon palpable que l'on soutient le succès de sa fertilité autant que l'on panique à l'idée de son échec.

— Penses-tu…, commence Audrey au moment où la serveuse lui apporte sa part de tarte.

— Quoi ?

— Rien... Oublie ça, répond Audrey avant de prendre une bouchée.

— Quoi?

— Eh bien, je me demandais... Penses-tu... Est-ce possible qu'il y ait eu des dommages à cause de ta première grossesse?

— Oui, c'est exactement ce que le médecin a dit. Il y avait encore des tissus cicatrisés de la première fausse couche...

— Non, Maggie, l'interrompt Audrey. Ce n'est pas de cette grossesse-là que je parle.

Maggie fige. Audrey se frotte le ventre d'un geste protecteur, en la regardant.

— Qu'est-ce que tu racontes? finit par dire Maggie, le cœur battant.

— Oh, ça va, Maggie. J'ai toujours su.

Maggie écrase sa cigarette dans le cendrier, et en allume une autre. Ses doigts tremblent. Audrey pose une main sur la sienne.

— Tu n'as plus besoin de le cacher, dit-elle.

— Comment l'as-tu découvert? demande Maggie en essayant d'avoir un ton posé et de contenir la vague de honte qui lui remonte dans la gorge comme une nausée.

Audrey engloutit une autre bouchée et lâche un rot.

— J'ai beaucoup de difficulté à digérer, s'excuse-t-elle. Pour être honnête, je l'ai toujours soupçonné.

— Comment ça?

— Je sais ce que Gabriel attendait, dit-elle. Je ne voulais pas aller jusqu'au bout avec lui, ce qui explique probablement pourquoi il m'a remplacée par toi.

Ces paroles sont blessantes, et Maggie foudroie Audrey du regard.

— Comment as-tu su que j'étais enceinte?

— On n'envoie pas une jeune fille au loin pendant un an sans raison, dit Audrey. Et maintenant, tu viens juste de le confirmer.

Elles se regardent les yeux dans les yeux. Maggie se demande soudain pourquoi Audrey voulait la rencontrer aujourd'hui. Peut-être qu'elle attend depuis des années le bon moment pour la faire payer de lui avoir volé Gabriel.

— Je n'étais pas enceinte quand ils m'ont envoyée là-bas.

— Non ? fait Audrey en ouvrant de grands yeux bleus.

— Non, mes parents m'ont envoyée au loin pour nous séparer. Comme je l'ai dit à tout le monde. C'était la vérité.

— Et il est allé te voir ? Il t'a mise enceinte *là-bas*? demande-t-elle en s'adossant à la banquette, l'air très satisfait. Ne m'en veux pas de te reparler de cela. Je suis simplement curieuse.

Maggie tente de deviner les motifs d'Audrey. Peut-être qu'elle essaie simplement de redevenir son amie. Avant Gabriel, elles étaient inséparables.

— Je veux juste que tu saches que je suis là si tu as besoin de parler à quelqu'un, dit Audrey, en rotant dans sa serviette. Je sais que nous nous sommes éloignées quand j'ai commencé à fréquenter Barney, mais notre amitié m'a toujours manqué. Je sais que tu traverses une période difficile en ce moment. Je voulais te voir.

— Est-ce que quelqu'un d'autre sait? lui demande Maggie.

— Pas que je sache. Gabriel est-il au courant ?

— Non, pas encore. Et s'il te plaît, ne le dis à personne. Je lui en parlerai quand ce sera le bon moment.

— Ça fait dix ans.

— Je ne l'ai revu pour la première fois que tout récemment.

— Donc, vous avez gardé contact ?

Maggie avale sa salive nerveusement, en se mordant la langue.

— Nous nous sommes revus par hasard, dit-elle en restant vague. Nous rendions tous les deux visite à nos parents. Je vais lui dire. Bientôt.

Audrey opine, souriant avec sympathie.

— Comment c'était? demande-t-elle. Être enceinte en sachant que tu abandonnerais le bébé ?

— Je ne me rappelle pas vraiment, ment Maggie.

— Je sens toujours un fort attachement aux bébés que je porte.

— Je pense que j'aimais la sentir en moi.

— *La ?*

Maggie opine.

— Une fille ! dit Audrey d'une voix étouffée, comme si le fait de connaître le sexe du bébé rendait son abandon encore plus tragique. Vas-tu essayer de la retrouver un jour ?

— C'est illégal de donner ces renseignements à la mère biologique, dit Maggie. Alors, ce ne sera pas facile, mais oui, je vais essayer. J'ai déjà appelé l'hospice où elle a été emmenée en théorie.

— Penses-tu souvent à elle ? demande Audrey, en soulevant ses sourcils parfaitement épilés et dessinés.

— Tous les jours, lui confie Maggie, heureuse de pouvoir enfin le dire à voix haute. Je pense que si je n'avais pas fait ce que j'ai fait – abandonner mon propre enfant, la laisser aller seule dans le monde –, tout irait mieux pour moi. Je trouve... En fait, je suis incapable de me sentir complètement bien, alors que je sais qu'elle existe quelque part. Ma culpabilité est encore pire depuis les grossesses et les fausses couches.

— Cela a du sens.

— Peut-être que je ne mérite pas d'être heureuse ou d'avoir un autre enfant.

— Tu dis n'importe quoi, rétorque Audrey. Comment Roland prend-il tout cela ?

— Il travaille beaucoup.

— C'est toujours ce qu'ils font. Mais c'est un bon mari pour toi.

Cette remarque rappelle à Maggie ses jours comme vendeuse chez Simpson. Elle montrait la solide attache et les épaisses bretelles du soutien-gorge à la cliente en lui disant : *C'est un bon soutien-gorge pour vous.*

— Écoute, dit Audrey, en s'égayant. Je voulais te parler d'autre chose aussi. J'ai un travail pour toi. Mon oncle, qui est journaliste au journal *The Gazette*, m'a dit qu'il connaissait un auteur canadien-français qui venait tout juste de publier un livre et voulait le faire traduire en anglais. J'ai dit à mon oncle que je connaissais quelqu'un qui pourrait le faire.

— Je n'ai jamais traduit quoi que ce soit.

— Ça ne devrait pas être si difficile pour toi. Tu es bilingue. Je ne connais personne qui connaisse mieux l'anglais et le français que toi. Et tu as toujours été excellente en rédaction. Tu serais la candidate idéale.

— Je ne pourrai jamais.

— Le livre serait publié, Maggie.

Le cœur de Maggie vacille à la seule idée de le faire.

— Je n'ai pas les compétences nécessaires.

— Au moins, accepte de rencontrer l'auteur, insiste Audrey. Il s'appelle Yves Godbout. Qu'as-tu à perdre ?

La curiosité de Maggie est piquée. Peut-être est-ce une occasion de faire quelque chose d'utile pour une fois.

— D'accord, je le verrai, promet-elle en trouvant qu'elle a du culot.

— Parfait, dit Audrey, en lui saisissant la main.

Maggie lui sourit, reconnaissante, en pensant qu'elle avait mal jugé Audrey pendant toutes ces années.

CHAPITRE 26

Yves Godbout a donné rendez-vous à Maggie à la Brasserie Saint-Régis dans le centre-ville. Il est assis à l'une des longues tables en pin de la taverne, un pichet, deux verres, un paquet de tabac et du papier à cigarettes devant lui. Le local est long et étroit. Avec son parquet, ses murs en lambris et ses tables à pique-nique disposées en rangées comme dans un mess, c'est un endroit réservé aux hommes. Du vacarme et des bruits métalliques proviennent de la cuisine derrière eux.

Godbout, fin trentaine, a les cheveux bruns, gras à la racine. Malgré le temps doux qu'il fait dehors, il porte un pull gris miteux, troué aux coudes. Il fait un signe de tête à Maggie, mais ne se lève pas pour l'accueillir.

— On m'a dit que vous étiez d'origine canadienne-française et anglaise, dit-il, d'entrée de jeu.

— Ma mère est Canadienne française.

Il plisse les yeux, allume une cigarette maison. Maggie réprime un haut-le-cœur quand le nuage de fumée atteint son visage.

— D'où vient-elle ?

— D'Hochelaga.

— La mienne aussi, dit-il, d'un ton légèrement plus chaleureux. Elle habite toujours le taudis où j'ai passé mon enfance.

Maggie ne sait pas trop ce qu'il attend d'elle. Doit-elle compatir ?

— Je n'ai pas de diplôme en traduction, l'avertit-elle.

— Diplôme ? rétorque-t-il en riant. Vous pensez que j'ai un diplôme en création littéraire ?

— Votre livre a combien de pages ? lui demande-t-elle, en essayant d'avoir l'air professionnelle.

— Il fait environ 50 000 mots, lui répond-il après avoir léché le bord du papier d'une cigarette qu'il vient de rouler lui-même. L'éditeur paie trois cents le mot.

Maggie fait un rapide calcul. La rémunération n'est pas très motivante.

— Comme ça, vous avez épousé un Anglo*, dit Godbout. Larsson.

— Oui.

— Pourquoi ?

— Parce qu'il me l'a demandé.

Il jette un regard furtif au collier de perles de Maggie avant de relever les yeux vers son visage.

— Vous savez, dit-il, il n'y a pas si longtemps, une petite maison d'édition canadienne-anglaise n'aurait pas envisagé de publier un livre comme celui-ci.

Il sort un exemplaire de son livre de sous la table, et le garde contre son cœur.

— Mais les choses commencent à changer, poursuit-il. Maintenant que Duplessis est mort, il va y avoir une révolution dans cette province. Mon éditeur sait cela. Il est plutôt intelligent pour un Canadien anglais. Il a une vision. Jusqu'à maintenant les Anglos* n'ont jamais voulu lire un livre écrit par un Québécois, sauf s'il s'agissait de Gabrielle Roy.

Il lui tend le livre, dont le titre est *On va en venir à bout**.

— Y a-t-il une échéance ? demande Maggie.

— Avant ma mort, si possible. Je crois que mon éditeur veut que cela soit fait au plus tôt pour profiter de la ferveur suscitée par la mort de Duplessis. Les choses vont commencer à se précipiter.

Cinquante mille mots.

— Votre nom ne figurera pas sur la couverture, prévient-il. Seulement sur la page des droits d'auteur.

Elle baisse les yeux sur le livre et sait d'ores et déjà comment elle traduira le titre. *We Shall Overcome.*

— Je vais le lire, dit-elle.

— Je vais dire à l'éditeur de vous appeler.

Ils se serrent la main, et Maggie quitte la taverne à la fois terrifiée et étrangement emballée.

Moins d'une heure plus tard, elle se trouve devant l'usine Canadair, dont les travailleurs commencent à sortir par vagues, après le quart de jour. Elle est impatiente de raconter sa rencontre avec Godbout à Gabriel. Ils se sont parlé quelques fois au téléphone, mais ne se sont pas revus. Elle le repère dans la foule, et constate que ses yeux s'illuminent dès qu'il la voit. Elle se met à sourire. Est-ce que ce sera toujours ainsi avec lui ? Enivrant, génial, un peu effrayant ?

Il la prend dans ses bras, sans se soucier du fait qu'on puisse les voir. Il sent le lubrifiant pour avion. Sa réticence à s'attacher à elle semble s'être éclipsée aussi rapidement et complètement que les dix années de leur séparation. Ils ont été surpris de se voir submergés par leur amour de jeunesse, tout en trouvant que c'était absolument normal et inévitable. En se chuchotant des propos grisants au téléphone, ils se sont avoué qu'il était tout simplement inconcevable pour eux de ne pas être ensemble.

— Tu as l'air tout excitée, remarque-t-il, en lui prenant la main. Que se passe-t-il ?

— Je vais traduire un livre qui s'appelle *On va en venir à bout.*

— *Tu* vas traduire le livre d'Yves Godbout ? dit Gabriel, en s'arrêtant net, les yeux brillants.

— Tu le connais ?

— Pas personnellement, mais j'ai lu son livre. Tu l'as rencontré ?

— Oui, je viens juste de le voir.

— Il était comment ?

— Il a les dents gâtées, les doigts jaunes, les cheveux gras, des vêtements déchirés, un ton extrêmement condescendant. Mais à part ça, il est merveilleux.

— C'est incroyable, s'exclame Gabriel en riant. Comment est-ce arrivé ?

— C'est Audrey qui a arrangé tout ça.

— Audrey ? fait-il, stupéfait. Pourras-tu rendre justice au livre ?

— Je n'en suis pas sûre, admet-elle. Je n'ai jamais traduit officiellement quoi que ce soit.

— Je ne parle pas de ça. Je veux dire, pourras-tu communiquer sa passion pour la cause ?

— Je l'espère.

— Je pourrais t'aider.

— Vraiment ? J'adorerais ça.

— C'est bon pour toi, lui dit Gabriel en l'attirant vers lui.

— Et pour nous.

— Nous allons commencer dès que je serai de retour, projette-t-il. Et je veux rencontrer Godbout.

Aucune mention n'est faite des obstacles que représentent leurs époux respectifs. Ils se rendent bras dessus bras dessous jusqu'à la voiture de Gabriel.

— Je suis ravie, dit-elle comme pour elle-même.

— Moi aussi.

— Je veux être avec toi, lui dit-elle, ses intentions devenant plus claires à mesure qu'elle prononce ces mots. Je veux que nous fassions notre vie ensemble.

— C'est ce que je veux aussi.

— Vraiment ?
— Bien sûr ! Par contre, je suis inquiet pour toi.
— Mais tu es celui avec qui je veux être.
— N'oublie pas tout ce que tu devras abandonner.
— Je suis malheureuse dans cette grande maison remplie de belles choses. Roland est un homme bien, mais notre relation n'est pas ce que j'avais escompté.

Il sort un paquet de cigarettes de la poche de sa chemise. Il allume leurs deux cigarettes. Ils exhalent la fumée en même temps.

— Es-tu prêt à quitter Annie ?
— Je suis prêt à quitter Annie depuis que je t'ai revue dans le champ.
— Très bien, alors. Nous allons leur dire.
— Prenons le temps de bien réfléchir, d'accord ?
— Réfléchir ? Mais nous venons juste de dire…
— Nous sommes en train de décider de notre avenir, Maggie. C'est de divorce qu'on parle, là…, dit-il, en lui ouvrant la portière de sa voiture. Tu abandonnerais beaucoup de choses.
— Je t'ai dit que je me moque de toutes ces choses.
— Je veux que tu sois absolument certaine, dit-il, en démarrant. Je ne veux pas que tu m'en veuilles de ne pas pouvoir subvenir à tes besoins de la façon dont tu y es habituée maintenant. Je ne veux pas prendre cela sur moi. Nous allons y aller très doucement, d'accord ?

Maggie opine, prenant exemple sur lui. L'impulsivité ne lui a causé que des problèmes. Pour la première fois de sa vie, elle se sent sûre d'elle, elle sait ce qu'elle veut et elle ne craint pas l'échec.

Lorsqu'ils arrivent à l'appartement, Gabriel commande un repas à La Rôtisserie Saint-Hubert. Ils pique-niquent par terre. Du poulet, de la sauce, du vin rouge. Maggie est euphorique.

— Quelle magnifique journée, se réjouit-elle en lui caressant le visage. Je t'aime.

— Je t'aime aussi.

Elle se penche au-dessus des boîtes de nourriture et l'embrasse sur la bouche. Il l'attire dans ses bras et la garde contre lui en s'étendant sur le dos. Il n'y a aucun sentiment d'interdit ou de tricherie dans ce moment. Sachant qu'ils vont être ensemble, tout leur apparaît parfaitement légitime.

Gabriel fait passer le corsage de Maggie par-dessus sa tête. Elle l'imite. Il défait son soutien-gorge, qui glisse sur le sol. Elle pousse un gémissement dès qu'il tend la tête pour lui effleurer le bout du sein avec sa langue. Ils ont atteint un point de non-retour.

CHAPITRE 27

Roland tend le bras pour saisir le pichet de limonade, il remplit son verre. Il a les joues rouges et le front luisant de sueur. Maggie se penche au-dessus de la table pour lui tapoter le visage avec sa serviette en papier.

— C'est lourd pour un mois de mai , dit-il, en vaporisant de l'antimoustiques sur un essaim d'insectes de façon tellement agressive que Maggie finit par en avaler avec son hamburger.

Il se met à plier et replier sa serviette.

— Ça fait longtemps que…, commence-t-il, en la regardant nerveusement. Que nous n'avons pas discuté de notre situation.

Elle ne dit rien.

— Tu n'es toujours pas enceinte, poursuit-il. Je commence à m'inquiéter. Peut-être que nous n'avons pas été très assidus, mais tout de même.

Elle ne lui a pas dit qu'elle utilise son diaphragme. Elle le cache dans son tiroir de sous-vêtements, sous ses nombreux soutiens-gorge de « meilleure vendeuse ».

— Je crois que nous devrions revoir le docteur Surrey, reprend-il. Il était très optimiste. Peut-être qu'il nous donnera des conseils.

Maggie a l'impression que les pins qui bordent leur terrain se rapprochent d'elle. Le soleil se couche à l'horizon, ce qui amène encore plus de moustiques.

— Roland, es-tu heureux ? lui demande-t-elle.

— Heureux de quoi ?

— En général. De nous. De notre vie ?

— Oui, bien sûr, dit-il. Évidemment, ces derniers temps, ça ne va pas toujours comme sur des roulettes, mais je crois qu'en fondant une famille, nous remédierons à la situation. Un enfant réglera tout.

Les yeux fixés sur son vaste jardin, ses magnifiques géraniums en pots et le gazon parfaitement entretenu, prêt à recevoir une balançoire et un carré de sable, Maggie peine à trouver les mots pour lui dire la vérité.

— Reste-t-il du Jell-O d'hier soir ? lui demande-t-il.

— Penses-tu vraiment qu'un enfant peut régler ceci.

— Ceci ?

— Je vais aller chercher le Jell-O, dit-elle en se levant.

Laissant tomber momentanément la discussion, elle s'enfuit à l'intérieur pour reprendre ses esprits. Elle revient quelques instants plus tard avec un bol de gelée verte.

— Lime, observe-t-il en souriant avec gratitude, ma saveur préférée.

— Je ne crois pas que je puisse continuer ainsi, tente-t-elle.

— Continuer quoi ?

— Ce mariage.

— Qu'est-ce que tu dis ?

— Je suis désolée, Rol. Ça ne fonctionne pas.

— C'est *maintenant* que tu me dis ça ? fait-il, incrédule. De cette façon ?

— Je suis désolée. Je ne sais pas comment…

L'air désorienté et les yeux hagards, Roland brise la cuillère en l'enfonçant dans le Jell-O.

— Il est évident que ton problème de fertilité te cause beaucoup de stress, dit-il. J'aimerais que tu cesses de te montrer aussi entêtée et que tu me laisses prendre un rendez-vous avec le docteur Surrey.

— Il n'est pas question de mon problème de fertilité.

— Nous reprendrons pied dès que nous aurons un enfant, dit-il, confiant. Prenons un rendez-vous la semaine prochaine.

— Ne vois-tu pas ce qui nous arrive, Rol ? Tout devient une question d'avoir un bébé. Rien d'autre ne compte.

— Ce n'est pas vrai, se défend-il.

— Pour *toi,* oui.

— Évidemment que je veux fonder une famille, admet-il. Je veux être un père. Je n'ai pas à justifier ce désir.

— Et tu ne devrais pas, renchérit-elle, émue, en s'essuyant les yeux avec une serviette de papier. Mais ce n'est pas le but ultime pour moi. J'ai essayé de me convaincre que j'étais prête à avoir un enfant.

— Et tu ne l'es pas ?

— Tu sais que j'adorais travailler. Tu prétendais soutenir mon indépendance au début, mais j'ai compris que tu n'étais pas sincère.

— Je n'ai rien prétendu, crie-t-il. Je ne savais pas que c'est ce qui nous empêchait d'avoir des enfants.

— Ce n'est pas ça. En réalité, notre difficulté à avoir des enfants a révélé le réel problème.

— Et quel est-il ?

— N'est-ce pas évident, Rol ?

— Pas pour moi.

— Il n'y a pas de passion entre nous, dit-elle. Peut-être qu'il n'y en a jamais eu. Je ne suis même pas sûre que nous voulions encore les mêmes choses.

Roland regarde au loin, lui cachant son visage.

— La situation se rétablirait si nous avions un enfant, murmure-t-il, obstinément. La passion reviendrait, nos objectifs se réaligneraient.

— Vraiment ? dit-elle. Tu ne sais même pas quels sont mes objectifs.

— Dis-moi, alors.

— Eh bien, pour commencer, j'aime traduire.

Roland laisse échapper un soupir exaspéré.

— J'ai fait beaucoup d'efforts pour être la personne que tu voulais que je sois, dit-elle. J'ai essayé de te donner un bébé, je n'ai pas tenu compte de la pression que cela mettait sur moi, j'ai prétendu ne pas remarquer que cela tuait lentement le respect que nous avions l'un pour l'autre, et ce qui restait d'attirance entre nous. Je veux *plus*, Roland. Mon travail avec Godbout m'a aidée à renouer avec cette partie de moi-même.

Roland soupire et ses épaules s'affaissent. Il a l'air fatigué. Normal, compte tenu des efforts qu'il déploie pour nier leurs différences fondamentales, et ce, peut-être depuis qu'ils se sont rencontrés.

— Roland, tu m'as épousée parce que je me suis présentée dans ta vie, au moment précis où tu voulais fonder une famille.

— Tu es injuste.

— Je sais que tu as de l'affection pour moi, concède-t-elle. Mais devenir père a toujours été ton objectif et ta priorité dans notre relation.

Il baisse la tête. Elle interprète son silence comme la triste acceptation de son raisonnement.

— Y a-t-il quelqu'un d'autre ? lui demande-t-il sans la regarder.

La question la prend au dépourvu. Elle ne croyait pas qu'il la poserait, et elle n'avait pas l'intention de lui en parler, ne serait-ce que pour le protéger. Mais elle ne veut pas mentir. Il mérite mieux que cela.

— Ah, dit-il, devinant la réponse avant même qu'elle décide de la manière de lui présenter les choses. Nous sommes donc ce genre de couple. Je suis cocu. Quel cliché.

— Ce n'est pas si simple.

— Qui est-ce ?

— Est-ce vraiment important ?

— Oui, ça l'est, dit-il, tranchant. Très important, en fait.

— C'est mon premier amour, admet-elle. Je l'ai revu par hasard à Dunham, l'automne dernier. Nous ne nous sommes pas vus souvent, mais nos sentiments sont restés intacts.

Elle ne va pas jusqu'à lui dire qu'elle a couché avec lui une fois. Roland serait en mille morceaux.

— Donc, tu me quittes pour un autre homme, résume-t-il. Ne faisons pas comme si c'était parce que je veux un enfant et que tu veux traduire des livres.

— Ça fait des années que nous ne sommes pas heureux, dit-elle doucement. Ce sont peut-être mes sentiments pour Gabriel qui m'incitent à mettre fin à notre mariage maintenant, mais ce n'est pas à cause d'eux que je le fais.

— Bien sûr, c'est parce que tu veux traduire à plein temps.

— Tu es mesquin, Roland. Godbout m'a encouragée à déployer mes ailes, à être plus sûre de moi. Et *j'aime* ce sentiment. Je veux continuer à l'explorer.

— Avec un autre homme à tes côtés. Ton « premier amour ».

— Honnêtement, es-*tu* heureux dans cette relation ? demande-t-elle.

— Qui est « heureux », de toute façon, Maggie ?

— Moi, je veux l'être.

— Nous avons un mariage, déclare-t-il avec emphase, comme si le mariage était quelque chose que l'on possède, un bien comme une voiture ou une maison. Nous avons persisté tout ce temps, en traversant des situations très difficiles. Ce serait trop bête de tout foutre en l'air, maintenant.

— Je ne veux pas seulement *persister*, dit-elle, de guerre lasse.

Roland ne dit rien pendant quelques minutes, vaincu. Maggie a le cœur rempli d'affection pour lui.

— Tu es un homme bien, dit-elle. Intelligent et fiable et solide. Soyons honnêtes l'un envers l'autre pour une fois.

— Qu'est-ce que tu envisages de faire, exactement ?

— J'ai pensé que je pourrais déménager dans la maison de Knowlton.

— Tu retournerais dans les Cantons-de-l'Est? Seule ou avec lui?

— Seule. Je serais proche de ma famille, dit-elle. Tu ne vas jamais dans cette maison, tu n'y es pratiquement jamais allé. Elle ne te manquera pas.

— Je pourrais la vendre, souligne-t-il.

— Oui, mais regardons les choses en face, Roland. Même si nous restions ensemble, je serais seule. Tu n'es jamais là.

— Cela changerait si…

— …nous avions un enfant, coupe-t-elle, exaspérée. Exactement.

Elle se lève et prend leurs assiettes pour les rapporter dans la cuisine. Roland la suit, mais se dirige vers la salle de séjour. Elle l'entend se verser un verre. Elle range et nettoie la cuisine, avant d'aller le rejoindre.

— Je suis désolée, dit-elle, sans savoir quoi ajouter.

Assise dans cette magnifique pièce, entourée de son précieux mobilier suédois recouvert de soie bleu métallique, de son papier peint à effet velours, de son foyer en marbre et de la vue sur son immense jardin à travers la baie vitrée, elle est absolument certaine de prendre la bonne décision.

— Notre vie ensemble n'a rien donné, constate-t-il d'un ton lugubre.

Elle s'assoit à côté de lui et lui prend la main. Sans savoir pourquoi, la vue de quelques poils raides gris argenté sur les jointures de Roland lui donne envie de pleurer.

— Mais tu as raison, poursuit-il, ce qui la surprend. Nous sommes un couple mal assorti, n'est-ce pas?

— Nous avons essayé courageusement, dit-elle en lui serrant la main. Nous avons vraiment essayé.

Il opine. Et ce qu'elle lit sur son visage, c'est du soulagement. Bien qu'il soit blessé dans ses sentiments et dans son orgueil, il est en train de se faire à l'idée qu'il peut recommencer sa vie avec quelqu'un qui voudra exactement la même chose que lui : une gentille femme fertile, dont les aspirations en matière de famille et de conjugalité correspondront aux siennes. Maggie n'aurait jamais pu être cette femme. Il ne l'admettra pas devant elle, mais elle est certaine qu'il est en train d'en arriver à la même conclusion.

CHAPITRE 28

Maggie arrive au Motel Maisonneuve, rue Ontario, tout excitée et à bout de souffle. Elle a tellement de choses à raconter à Gabriel, à commencer par le fait qu'elle quitte Roland. C'est fait, ils ne peuvent plus revenir en arrière. Elle va également lui dire ce qui lui est arrivé à Frelighsburg – le viol, la grossesse, l'obligation d'abandonner le bébé. Elle veut se libérer de tous ses secrets et prendre un nouveau départ dans la vie. Le destin a voulu qu'ils se retrouvent; elle doit la vérité à Gabriel. Il a été tenu dans l'ignorance trop longtemps.

Elle frappe à la porte au cas où il serait déjà arrivé. Elle sourit en pensant simplement à lui. Elle a une bouteille de vin dans son sac, et elle porte de nouveaux sous-vêtements en dentelle. Gabriel lui ouvre la porte, mais va s'asseoir sur le lit sans lui dire bonjour ni l'étreindre. Elle le suit à l'intérieur.

Elle est déçue par la chambre. La pièce est miteuse avec ses rideaux en toile de jute jaune moutarde, sa moquette vert olive qui aurait bien besoin d'un coup d'aspirateur, le couvre-lit en chenille effilochée et la simple tête de lit en pin. Et elle sent le moisi.

— Je croyais que ce serait plus joli, dit-elle en posant son sac sur la commode et en sortant la bouteille de vin.

Gabriel reste silencieux, les yeux fixés droit devant lui, une expression étrange sur le visage. Elle va vers lui et caresse ses cheveux blonds coupés en brosse avant de se pencher pour l'embrasser sur la bouche.

Il détourne le visage.

— Que se passe-t-il ? demande-t-elle.

— Je suis allé à Dunham, ce week-end.

— Ne me dis pas que ta sœur t'a découragé de quitter Annie ? fait-elle en s'assoyant à côté de lui. N'écoute pas Clémentine. J'ai déjà dit à Roland que je le quittais.

— Pour quelle raison as-tu fait ça ? lui demande-t-il brusquement. Quelque chose en lui effraie Maggie.

— Pourquoi pas ? dit-elle. Nous avons convenu que c'est ce que nous voulions tous les deux.

Ses yeux sont sombres, distants. Quelque chose a changé.

— Qu'y a-t-il, Gabriel ? lui demande-t-elle encore.

— Ça ne marchera pas entre nous.

— Comment ça ? s'écrie-t-elle, désorientée. Tu n'aimes pas Annie. Nous avons parlé de tout cela.

— Ce n'est pas à cause d'Annie.

— Que se passe-t-il, alors ? Je croyais que nous avions pris notre décision avant que tu ailles à Dunham. Nous nous aimons. Qu'est-il arrivé ?

— Nous avons failli faire une grave erreur.

— Je ne comprends pas. Est-ce que Clémentine a dit quelque chose ? Est-ce que mon père a dit quelque chose ?

— C'est fini entre nous.

Elle a l'impression que le lit tangue.

— Ne dis pas ça, supplie-t-elle, en s'agenouillant devant lui pour lui entourer les jambes de ses bras.

Il la repousse et la fixe du regard, sans aucune trace d'affection.

— Qu'ai-je fait ?

— À Dunham, je suis tombé sur Audrey McCauley, lâche-t–il, d'une voix calme qui lui donne froid dans le dos.

— Où ?

— J'ai accompagné mes sœurs à la messe dimanche. En fait, je voulais remercier Audrey de t'avoir mise en contact avec Godbout.

Il sait. Et dans cette fraction de seconde, l'univers de Maggie s'effondre.

— Elle m'a dit qu'elle et toi aviez eu une conversation à cœur ouvert.

Elle a envie de vomir. Ce n'est pas ainsi que les choses étaient censées se produire.

— Elle m'a dit que tu avais abandonné notre bébé, assène-t-il, en se levant pour arpenter la chambre comme un lion en cage.

— Gabriel…

— Je ne savais même pas que tu étais enceinte.

— Pourquoi Audrey t'a-t-elle dit cela ?

— Elle pensait que je savais. Elle n'aurait pas cru que tu m'aurais caché une telle chose.

— *Je lui ai dit que tu ne savais pas !* s'écrie Maggie. Elle savait aussi que je prévoyais de te le dire.

— Quand ?

— Aujourd'hui ! *Maintenant.*

— Mais bien sûr, fait-il, en ricanant. Quelle coïncidence.

— Elle a fait cela pour te blesser et me punir.

— Je me fous *d'elle* ! crie-t-il. Il ne s'agit pas d'Audrey.

Maggie cache son visage entre ses mains. Quelle grossière erreur d'avoir fait confiance à Audrey.

— J'ai dit à Roland que je le quittais, dit-elle. Et je suis toujours amoureuse de toi. J'avais l'intention de tout te dire aujourd'hui pour que nous puissions partir sur de nouvelles bases.

Gabriel se remet à ricaner, d'un rire dur, plein de colère, qui lui fait peur.

— Donc, c'est vrai, dit-il. Tu as abandonné notre enfant.

Elle comprend qu'aucune réponse ne le consolera ou ne sauvera leur relation. La vérité est impossible. Il s'est écoulé trop de temps.

— Je n'avais pas le choix, commence-t-elle.

Il se remet à arpenter la pièce, tandis qu'elle se recroqueville contre la tête de lit, en le regardant, en attente.

— Tu as abandonné ma fille, Maggie.

— Mes parents m'y ont forcée, dit-elle. Ils ont pris toutes les décisions. Je n'ai pas eu mon mot à dire. C'était en 1950, et j'avais 16 ans. Mon père m'a menacée de me renier si jamais je te revoyais !

— Comment se fait-il que tu ne m'aies rien dit depuis que nous nous sommes revus ? fait-il, d'un ton accusateur. Le soir où nous sommes tombés l'un sur l'autre dans le champ de maïs ? Ou la première fois que je t'ai amenée à l'appartement de la rue Papineau, où nous avons parlé pendant des heures ? Ou le jour où nous y avons fait l'amour ?

— Je suis venue ici aujourd'hui pour te l'annoncer, répète-t-elle d'un ton abattu. Je suis désolée que tu l'aies su avant que j'aie eu l'occasion de te le dire.

— Tu es *désolée* ? répète-t-il en hochant la tête avec dégoût. L'autre jour, quand nous étions devant Canadair à faire des plans pour l'avenir, à parler de divorce, il ne t'est pas venu à l'esprit de mentionner que nous avions eu une foutue fille ?

— Ce n'est pas si simple, dit-elle. Il y a autre chose.

— Explique-toi, alors, crie-t-il.

— Je voulais tout te dire le soir où je t'ai vu dans le champ. Mais c'est plus compliqué que ce que t'a raconté Audrey.

— Je sais ce qu'il en est, dit-il. Tu ne voulais pas passer ta vie avec un pauvre ouvrier canadien-français.

— Je n'étais pas sûre que le bébé était de toi ! laisse-t-elle échapper.

Ce qui le laisse bouche bée.

— Mon oncle Yvon m'a violée quand je vivais avec lui et ma tante, avoue-t-elle.

Gabriel serre les poings.

— J'allais te le dire, mon amour. *Aujourd'hui.*

Gabriel s'assoit sur le bord du lit, l'air découragé. Elle attend, espère qu'il comprendra, qu'il la prendra dans ses bras et qu'ils pourront aller de l'avant. Il reste longtemps à regarder par terre.

— Gabriel ? dit-elle. Dis quelque chose. Je t'en prie.

Il lève vers elle des yeux rougis.

— Je suis désolé pour toi, commence-t-il. Vraiment. Et si tu me l'avais dit à l'époque, je l'aurais tué, ce salaud. Peut-être que je vais le faire quand même.

— Je sais.

— Je *sais* que tu sais, dit-il. C'est bien ça le problème. Si tu m'avais dit la vérité à l'époque, nous aurions pu nous arranger. Nous aurions pu élever cet enfant ensemble. C'est justement ce que je ne parviens pas à accepter. *Tu ne voulais pas.*

— Ce n'est pas vrai, dit-elle, mais ses paroles manquent de conviction.

Il a *en partie* raison. Elle avait évalué ses options à l'époque, et ce qu'elle craignait le plus de perdre, c'était son père et le magasin. Dans cette optique, elle était d'accord avec la décision de ses parents.

— C'est ce qui me blesse le plus, dit-il. Tu savais que je prendrais soin de toi, même si le bébé n'était pas le mien, mais quand ton père t'a menacée de te renier, c'est lui que tu as choisi.

— J'étais une enfant, répète-t-elle. Je n'étais pas prête pour le mariage. Alors, oui, j'ai choisi ma famille. Tu aurais fait la même chose. Mais je suis une adulte, maintenant.

— Je n'aurais pas fait la même chose. De toute façon, rien n'a changé, Maggie.

— Ne me punis pas pour une décision que j'ai prise il y a plus de dix ans, quand je n'étais qu'une adolescente.

— Donc, *c'était* ta décision, dit-il, de nouveau enragé.

Il se détourne d'elle et donne un coup de pied dans le mur. Le plâtre s'effrite, mais cela ne l'arrête pas. Il se dirige vers elle, la prend par les épaules, la secoue fortement. L'espace d'un instant, elle craint qu'il la projette par terre. Mais il ne le fait pas.

— Je t'aurais épousée, gémit-il, dévasté.

— Épouse-moi maintenant.

— C'est trop risqué. Nous n'avons pas assez changé pour que ça fonctionne.

— Nous avons grandi, Gabriel. Nous sommes des adultes, maintenant.

— Je n'arrive pas à le croire, dit-il, en la lâchant. Tu aurais pu tout m'avouer avant que je l'apprenne de la bouche d'Audrey McCauley. Mais tu es encore en train de me jauger, d'essayer de voir si tu pourrais être heureuse dans mon monde, de juger si je suis assez bon pour toi.

— C'est toi qui penses que tu n'es pas assez bon pour moi ! lui lance-t-elle. C'est la raison pour laquelle tu fuis.

— Je ne fuis pas. Je pars parce que je ne te fais pas confiance.

Il se lève et s'éloigne du lit. Elle le suit, le dépasse et se place devant lui pour lui bloquer le passage.

— Mon amour, dit-elle. Je t'en prie, ne t'en va pas.

Il tente en vain de lui cacher son visage. À la place de l'expression de mépris et de reproche à laquelle elle s'attendait, elle voit des larmes couler sur ses joues.

— Ne fais pas ça, le supplie-t-elle.

Il la regarde un moment, l'air froid et résigné, puis il la repousse pour pouvoir sortir.

— C'est fini, Maggie.

— Personne ne peut t'aimer comme je t'aime.

— Ou me faire autant de mal.

CHAPITRE 29

Étendue sur son lit, Maggie regarde le lustre que Roland lui a offert pour leur deuxième anniversaire de mariage. Chacune de ses dix branches en fonte se termine par une bobèche en verre sous laquelle sont suspendues des pendeloques en cristal en forme de gouttelettes. Elle se souvient du jour où l'électricien est venu l'installer au-dessus du lit. Que la chambre était élégante, comme elle était ravie. Elle trouvait qu'elle avait réussi. Mais maintenant, le lustre semble se moquer d'elle, chatoyant dans la lumière qui traverse la baie vitrée, magnifique et vide de sens.

Elle est de nouveau enceinte. Son médecin le lui a confirmé aujourd'hui. Elle sait que le bébé est de Gabriel. La seule fois qu'elle a eu des rapports sexuels sans diaphragme, c'était avec lui, à l'appartement de la rue Papineau, quelques semaines plus tôt. Sa seule et dernière fois avec lui. Elle n'avait pas prévu de coucher avec lui ce jour-là, et elle ne s'était pas préparée en conséquence. Sur le coup, elle a fait taire la petite voix dans sa tête. Ça va aller, s'est-elle dit. Elle était certaine que ça irait, peu importe ce qui arriverait.

Et maintenant, elle porte cet enfant qui naîtra en janvier. Elle n'a pas parlé à Gabriel depuis cette soirée au motel.

Elle voulait lui donner du temps, elle trouvait que c'était essentiel. Il en avait besoin – pour s'ennuyer d'elle, pour réfléchir, pour se rendre compte qu'il ne pouvait pas vivre sans elle. Pour lui pardonner. Elle n'a pas abandonné tout espoir. Pas encore.

Elle est déterminée à avoir ce bébé avec lui. Rester avec Roland n'est plus possible ; il a quitté la maison et vit temporairement à l'hôtel en attendant qu'elle déménage à Knowlton. Probablement qu'il la reprendrait si elle le lui demandait, et qu'il élèverait cet enfant comme si c'était le sien. Mais lorsque Maggie envisage cette situation, elle voit un de ces portraits de famille sans originalité, où tous les gens, avec leurs jolis rubans et leurs cols blancs empesés, prennent la pose en souriant de manière figée, immortalisés dans un moment de perfection synchrone, alors que derrière les sourires, tout n'est que secret, division, souffrance.

Elle tend le bras pour saisir le téléphone sur sa table de chevet et appelle encore une fois chez Gabriel. Sa femme répond après plusieurs sonneries.

— Qui est à l'appareil ? demande-t-elle sèchement.

— Une vieille amie de Dunham.

Annie ne dit rien.

— Est-il là ? demande Maggie.

— Pourquoi appelez-vous si tard ?

— Je dois lui parler, dit Maggie, en choisissant bien ses mots. C'est important.

— Il n'est pas là, dit Annie. Cessez d'appeler ici.

Elle raccroche.

Le lendemain, elle décide d'aller affronter Gabriel à son travail. Une fois arrivée à Canadair, elle se regarde dans le rétroviseur de sa voiture, et se pince les joues pour leur donner un peu de couleur.

Quinze heures trente. Les hommes sortent de l'usine, leurs bottes battant le pavé, leurs briquets brillant sous le soleil. Maggie sort de la voiture et attend. La foule diminue. Il ne reste plus que les derniers retardataires, mais Gabriel n'est pas parmi eux.

Maggie repère un de ses compagnons du syndicat et s'avance vers lui.

— Où est Gabriel ? lui demande-t-elle d'un ton beaucoup plus hystérique qu'elle le voudrait, sans prendre la peine de le saluer en bonne et due forme.

— Parti, dit-il, en sortant un paquet de cigarettes de sa poche de poitrine. Il est chauffeur de taxi à plein temps, maintenant.

— Il a quitté Canadair ?

— Meilleur horaire, meilleur salaire.

— Pour quelle entreprise de taxis ?

— Aucune idée, répond l'homme en haussant les épaules, l'air irrité. Je ne le surveille pas.

Le ciel s'assombrit soudain, tandis qu'un coup de tonnerre annonce un orage. Maggie se rend à l'appartement de la rue Papineau. Son sac à main faisant office de parapluie, elle court sous la pluie battante jusqu'à la porte d'entrée pour constater qu'un nouveau nom a été écrit à la main à côté de la sonnette. Elle appuie quand même sur le bouton. Une jeune femme vient lui ouvrir.

— Je cherche Gabriel ou Pierre, dit Maggie.

— Pierre ne vit plus ici, l'informe la femme.

Complètement trempée, Maggie retourne en courant à sa voiture. Elle reste assise pendant un certain temps à réfléchir à une nouvelle stratégie.

Les torrents d'eau se déversent sur le pare-brise. Elle ferait mieux d'y aller, sinon elle va devoir rentrer durant l'heure de pointe. Elle met le contact, s'engage dans la rue, humant pratiquement l'odeur du garçon qu'était Gabriel ce jour où, pendant la tempête, Clémentine l'a ramenée à la maison dans sa camionnette. Sueur, terre, humidité, hormones adolescentes et pluie.

Quelques jours plus tard, Maggie frappe à la porte de la bicoque des Phénix, à Dunham. La maison est moins délabrée que dans son souvenir. Les fenêtres et le toit sont récents, et la porte avant vient d'être repeinte.

Clémentine apparaît, vêtue de sa salopette.

— Maggie, dit-elle, surprise.

Elle repousse une mèche de cheveux qui lui barrait le visage, et sourit. Elle est toujours belle, à sa façon naturelle et peu compliquée. Elle ne s'embête pas avec des artifices auxquels la plupart des femmes se soumettent pour se sentir désirables ou simplement convenables. Elle ouvre la porte et fait signe à Maggie d'entrer.

Maggie est sous le choc. Elle ne se souvient pas d'être jamais entrée dans la maison, même quand elle était amie avec Angèle. Comment les Phénix ont-ils fait pour vivre dans un endroit pas plus grand qu'une chambre de motel ? se demande-t-elle. Si elle avait gardé son bébé et épousé Gabriel, ils s'y seraient entassés à cinq.

Clémentine offre une tasse de thé à Maggie. Apparemment, elle n'est pas du tout gênée de ses conditions de vie. Il vient alors à l'esprit de Maggie que pour Clémentine, il n'y a peut-être rien de gênant à sa situation. Elle apporte un plateau sur lequel sont disposés de la crème, du sucre et deux jolies tasses à thé en porcelaine à motifs de roses. Une tradition très anglaise, observe Maggie.

— Je suis tout à fait pour le changement, confie Clémentine en déposant le plateau sur la table. Tant et aussi longtemps que ce nouveau gouvernement ne nous oubliera pas, nous, les agriculteurs.

Maggie remarque qu'il y a un exemplaire d'un livre qu'elle connaît sur une étagère : *Le guide du jardinier.*

— Mais je ne peux pas me plaindre, poursuit Clémentine. Jusqu'à maintenant, nous avons eu un bon été.

— Comment va Angèle ?

— Occupée, répond Clémentine, en versant du thé dans la tasse de Maggie. Elle n'arrête pas d'avoir des bébés.

Clémentine s'assoit à côté de Maggie et tend le bras pour prendre le sucre. Le silence qu'elles ont évité en causant poliment de tout et de rien s'installe entre elles. Clémentine attend. Maggie se demande si elle est au courant du bébé qu'elle a abandonné quand elle avait 16 ans. Elle ignore si Gabriel s'est confié à sa sœur ou s'il a tout gardé pour lui lorsqu'il a découvert la vérité.

Maggie a encore mal au cœur et trouve son thé trop sucré, mais elle se force à en boire quelques gorgées, car cela lui donne une contenance.

— Je suis ici à propos de Gabriel, dit-elle pour commencer.

— J'avais compris.

— As-tu des nouvelles de lui ?

— Nous nous sommes disputés, répond Clémentine. Je n'ai pas entendu parler de lui depuis quelques semaines.

Un sentiment familier de panique étreint la poitrine de Maggie.

— Nous avons toujours eu des périodes… difficiles, dit Clémentine.

Nous aussi, pense Maggie.

— Il pense que j'essaie d'être sa mère, confesse Clémentine. Mais c'est lui qui me traite comme une enfant. Il a essayé de me convaincre de vendre la ferme…

— Vendre la ferme ? s'écrie Maggie, blessée par le fait que Gabriel ne partage manifestement pas son attachement sentimental au champ de maïs.

— Est-ce que tout va bien, Maggie ?

— Il a disparu, souffle Maggie, la voix brisée. J'ai essayé de le joindre chez lui, mais il n'est jamais là.

Clémentine se tait pendant un moment.

— Est-ce que tu le vois encore ? finit-elle par lui demander.

Mais Maggie détourne le regard.

— A-t-il quitté Annie ? reprend Clémentine.

— Je ne sais pas.

— Ils n'ont jamais été faits l'un pour l'autre.

Maggie se touche instinctivement le ventre. Que se passera-t-il si elle trouve Gabriel et qu'il ne veut rien savoir d'elle et de leur bébé ? S'il ne peut pas lui pardonner ? Ses espoirs de réconciliation et ses idées de bonheur pour le restant de ses jours sont peut-être dus à ses hormones en délire.

— Je peux appeler Annie pour découvrir ce qu'elle sait, propose Clémentine.

— Tu ferais cela ? dit Maggie, retrouvant espoir.

Clémentine apporte sa tasse de thé dans la cuisine. Maggie dépose la sienne, croise les mains sur ses genoux et attend. Elle sent la salive s'accumuler dans sa bouche, et sait ce qui s'en vient. Elle pense d'abord se précipiter dans la cuisine pour demander à Clémentine de lui donner des craquelins, mais elle comprend qu'elle n'en aura pas le temps. Elle se jette plutôt sur la porte d'entrée et vomit sur les jolis géraniums rouges qui ornent le balcon.

Après cette première phase – il y en a *toujours* une deuxième –, elle se redresse et cherche un endroit plus retiré. Elle vise les arbustes, et vomit violemment sur une haie de clématites.

Elle s'effondre sur le gazon pour reprendre son souffle. Elle se sent vide. Son dos lui fait mal.

— Ça va ?

Maggie se tourne et aperçoit Clémentine qui se tient au-dessus d'elle, ses cheveux brillant sous le soleil.

— Je suis désolée, dit Maggie en s'essuyant la bouche. Tes géraniums...

— Ne t'en fais pas avec ça, répond Clémentine.

Elle se dirige vers le côté de la maison et revient avec un tuyau d'arrosage qu'elle actionne pour nettoyer le balcon.

— Peut-être que ça leur fera du bien, dit-elle à la blague.

Une fois qu'elles sont de retour dans la maison, Clémentine va directement à la cuisine d'où elle revient avec une assiette de craquelins.

— Merci, lance Maggie en engouffrant les craquelins comme si elle n'avait pas mangé depuis des jours, sous l'œil de Clémentine.

— As-tu parlé à Annie ? demande Maggie.

— Il est parti, Maggie.

— Parti ?

— Annie dit qu'il a pris toutes ses affaires et qu'elle n'a pas entendu parler de lui depuis des semaines.

Maggie est soulagée, mais elle ne sait plus où le chercher dorénavant.

— Je devrais partir avant...

Clémentine opine et reconduit Maggie à la porte. *Gabriel est parti.* Elle intègre lentement cette information. De toute évidence, il ne veut pas qu'on le retrouve, et certainement pas que Maggie le retrouve.

— Si jamais il t'appelle, dit Maggie, veux-tu lui dire que je dois lui parler ?

Clémentine hoche la tête, pose la main sur le bras de Maggie.

— Je sais que ça ne me regarde pas, dit-elle, mais… tu l'aimes, n'est-ce pas ?

Maggie ne peut retenir ses larmes plus longtemps. Clémentine s'approche d'elle et la prend dans ses bras. Maggie pleure doucement dans le plastron de la salopette de Clémentine.

— Je l'ai perdu pour de bon maintenant.

— Je sais ce que tu ressens, dit Clémentine, sa poitrine se soulevant et s'abaissant dans un soupir compatissant.

Maggie se doute qu'elle ne parle pas de Gabriel.

CHAPITRE 30
Élodie

Élodie ouvre la porte donnant sur la cage d'escalier et descend en toute hâte la première volée de marches vers le sous-sol. Elle est en retard pour le travail. Une jeune fille de son dortoir a eu ses règles et tentait de laver discrètement ses draps avant que quiconque s'en aperçoive. Après l'avoir prise sur le fait, Sœur Ignatia a choisi dix jeunes filles au hasard pour les fouetter avec sa lanière de cuir. Heureusement, Élodie n'était pas l'une d'elles, mais elle a dû rester dans le dortoir pour les regarder se mettre en rang et recevoir leur châtiment l'une après l'autre.

Tout en se trouvant chanceuse de ne pas avoir été choisie, elle n'a cessé de penser qu'elle arriverait en retard au travail.

Élodie entend des pas derrière elle au moment où elle atteint le palier et s'engage dans la deuxième volée de marches. Elle accélère nerveusement le rythme sans regarder de qui il s'agit. Elle est sûre que c'est le nouvel aide-soignant qui fait le quart de nuit dans l'Aile B – un homme d'âge moyen au visage banal qui d'emblée n'avait l'air ni mauvais ni dangereux. Elle n'aurait jamais cru qu'il pouvait lui faire du mal – c'est l'apanage des sœurs. Elle a donc été prise complètement au dépourvu lorsque, en pleine nuit, il s'est jeté sur elle dans la salle de bain. Il lui a mis la main sur la bouche, l'a poussée dans une des cabines et a remonté sa chemise de nuit d'un coup sec. Elle lui a instinctivement mordu les doigts, qu'il avait négligemment laissés près de sa bouche. Il a hurlé de douleur.

— Tabarnac !* a-t-il fait, avant de la gifler.

Elle a crié à l'aide et en quelques secondes, plusieurs jeunes filles se sont massées derrière la porte de la cabine. Élodie était terrifiée à l'idée que Sœur Ignatia les entende et rapplique, mais par quelque miracle, cela ne s'est pas produit.

L'aide-soignant a poussé violemment la porte de la cabine et s'est enfui.

— Quel porc, a marmonné une des jeunes filles, en jurant après lui.

— Il a essayé de..., a fait Élodie.

— Évidemment qu'il a essayé. Ça ne t'était jamais arrivé avant ?

— Non.

— Tu as eu de la chance. Ils le font tous.

— Est-ce que les sœurs sont au courant ? s'est écriée Élodie, stupéfaite.

Les autres se sont contentées de rire.

Élodie réussit à l'éviter depuis plusieurs semaines, mais elle s'en veut aujourd'hui. Elle aurait dû attendre une autre jeune fille avant de descendre.

Son cœur bat la chamade lorsque les pas se rapprochent. Elle descend à vive allure, mais lui aussi. Il est de plus en plus près, elle peut entendre la semelle de ses souliers crisser sur les marches de béton.

— Je suis en retard pour le travail, s'écrie-t-elle. Et Sœur Calvert va venir me chercher !

Mais en tournant la tête, elle constate que c'est simplement un médecin. Il passe rapidement à côté d'elle en l'ignorant, et continue de descendre l'escalier, sa blouse blanche battant derrière lui comme une cape.

Élodie s'arrête pour reprendre son souffle et savourer sa chance. « Dieu merci », murmure-t-elle, oubliant qu'elle n'aime pas Dieu et ne croit pas en Lui. Une fois remise, elle se hâte de descendre. Sœur Calvert est beaucoup moins sadique que Sœur Ignatia, mais elle ne tolère pas les retards.

En fin de compte, Élodie arrive à l'heure. Elle se glisse derrière sa machine à coudre et attaque son premier drap.

« Psitt ! »

Élodie lève les yeux. Marigot lui sourit.

— Qu'y a-t-il ? chuchote Élodie.

— J'ai trouvé quelque chose.

— Quoi ?

Sœur Calvert arpente les allées et supervise le travail des jeunes filles, en faisant des commentaires ici et là. *C'est de travers. Recommence. Tu vas trop lentement. Il y a une taie d'oreiller par terre.*

Lorsqu'elle est hors de portée de voix, Marigot tend son poing vers Élodie, puis l'ouvre pour lui montrer un petit carré de couleur marron.

— Qu'est-ce que c'est ? demande Élodie, qui ne reconnaît pas la chose.

— Du chocolat.

— Du chocolat ?

— Sens.

Élodie jette un coup d'œil derrière elle pour s'assurer que Sœur Calvert est toujours occupée à réprimander une autre couturière, et hume furtivement le carré de chocolat. Elle roule des yeux. L'arôme est divin, doux et tellement agréable que tous ses sens sont animés.

— La sœur doit l'avoir laissé tomber, chuchote Marigot. Tiens. Dépêche-toi.

Marigot brise le morceau en deux, en met un dans sa bouche et tend l'autre à Élodie qui fait de même. Elle laisse le bout de chocolat fondre sur sa langue, ferme les yeux et déguste.

— C'est sucré, mais pas comme de la mélasse, remarque-t-elle en gémissant de plaisir.

Elle aime la façon dont le morceau colle à son palais pendant qu'elle le suçote.

— Mam'selle de Saint-Sulpice ?* dit la sœur.

— Oui, ma Sœur ?

— Qu'est-ce que tu manigances ?

— Rien, ma Sœur. Je couds.

Sœur Calvert n'est pas dupe, mais n'en fait pas de cas. Elle ne cherche pas à contraindre ou à torturer les enfants comme certaines autres religieuses. Elle n'est ni aimable ni amicale, mais sa sévérité se transforme rarement en maltraitance. Tout ce qu'elle veut, c'est que le travail se fasse.

— Merci, Marigot, chuchote Élodie.

Marigot lui fait un clin d'œil. C'est une belle journée.

CHAPITRE 31
Maggie

Maggie est réveillée au beau milieu de la nuit par une forte vague de nausées. Bien que ce soit l'automne, la chaleur est étouffante. C'est sa première nuit dans les Cantons-de-l'Est depuis qu'elle s'est séparée, et plutôt que de la passer seule à Knowlton, elle a décidé de dormir chez ses parents. Bien qu'ils soient déçus de la décision de leur fille, ils ne l'ont pas rejetée.

Elle descend sans bruit et fouille dans le garde-manger à la recherche de la boîte de craquelins. Elle en prend une poignée, jette un des cardigans rugueux de sa mère sur ses épaules, et sort de la maison. Elle trouve son père en train d'examiner le petit potager, comme s'il était parfaitement normal de faire du jardinage à minuit un soir d'octobre.

— Qu'est-ce que tu fais, papa?

Il se tourne vers elle, éclairé par la lueur jaune de la lumière au-dessus de la porte arrière. Elle voit qu'il met un moment à bien la distinguer; il est ivre.

— Je vérifie les fines herbes de ta mère, bredouille-t-il.

— À cette heure-ci?

— La lune est croissante, dit-il, en renversant la tête pour regarder le ciel. Il faut toujours semer quand la lune est croissante, jamais quand elle est décroissante.

Maggie s'assoit sur une chaise blanche en fer forgé, et respire l'air automnal.

— Les scientifiques commencent à découvrir les effets des rythmes lunaires sur les champs magnétiques de la Terre, dit son père. Ce qui, bien entendu, a des répercussions sur la croissance.

Il s'accroupit, creuse la terre et en sort une petite pomme de terre.

— Apparemment, même une pomme de terre qui pousse en laboratoire a un rythme de croissance qui tient compte du rythme lunaire.

Il tente de se relever, chancelle et tend la main vers la chaise pour se retenir. Maggie remarque que ses mains tremblent et que tout son corps semble osciller au moindre souffle de vent, comme s'il n'était pas solidement ancré dans le sol.

— J'adore l'odeur du thym, lance Maggie, en humant l'arôme des fines herbes.

L'air est chaud et humide pour un mois d'octobre.

— Je dois planter du persil pour ta mère, poursuit-il, comme s'il se parlait à lui-même. C'est bon pour améliorer le parfum des roses, aussi.

— Je suis fatiguée, déclare Maggie en se levant et en s'étirant. Je retourne me coucher.

— Tu devrais retourner avec Roland, lui dit son père. Ce bébé est exactement ce dont vous avez besoin tous les deux.

Ce dont vous avez besoin tous les deux. Comme s'il s'agissait d'un mélangeur ou d'un aspirateur. *Une chose.* C'est d'ailleurs ainsi que Roland en parle.

— Nous sommes tous les deux passés à autre chose, papa. C'est d'un commun accord que nous nous sommes séparés.

— Tu as tout, Maggie. Je ne te comprends pas.

— Tu ne comprends pas que je souhaite être heureuse ?

— Ça prend plus de courage pour rester.

— Je ne suis pas d'accord, jette-t-elle avec lassitude. Je suis désolé si ça te blesse.

Elle l'embrasse sur le front, qui est moite et recouvert de fines gouttelettes de sueur.

Il fouille dans la poche de sa veste et en sort une flasque en argent. Il prend une gorgée avant de la remettre dans sa poche.

— Bonne nuit, papa.

Il ne répond pas. Il continue de regarder droit devant lui, son visage marqué par la fatigue et la déception. Il y a tellement de désespoir dans ses yeux que, rien que pour lui, Maggie en vient presque à regretter que cela n'ait pas fonctionné avec Roland.

Maggie n'a toujours pas joint Gabriel, et il n'est pas réapparu non plus. Son rêve d'avoir cet enfant avec lui commence à s'estomper. Pourtant, malgré de fréquentes vagues de désespoir, elle persiste à avoir confiance – ou à se faire des illusions. Elle ne renoncera pas à lui, ce qui explique pourquoi elle donnera naissance à cet enfant seule, plutôt qu'auprès de Roland qui assurerait sa sécurité. Elle interprète son propre comportement comme de la foi, plus que toute autre chose.

Elle laisse son père à ses herbes et à sa flasque, et rentre. Elle passe devant son bureau, et remarque que la porte est entrouverte. Jamais elle n'a vu cette porte ouverte à l'époque où elle vivait dans cette maison. Soit son père est plus ivre que d'habitude, soit il était certain que tout le monde dormait et qu'il n'avait pas besoin de la fermer.

Maggie se glisse dans l'antre de Wellington. Elle reste là un moment, à humer l'odeur de son père. Le livre *Exploiter une jardinerie*, qui a abondamment servi, est ouvert au chapitre présentant les moyens d'attirer les clients, ce qui veut dire que le magasin connaît une période peu achalandée. Le regard de Maggie balaie les autres livres, les pièces de radio, le désordre de la paperasse et des projets en cours, le meuble de rangement en métal gris dans le coin de la pièce.

Sans réfléchir et avant même de comprendre ce qu'elle fait, elle ouvre le premier tiroir du bureau et prend la clé qui était bien mal cachée dans une boîte de cigares vide. Elle s'agenouille devant le meuble de rangement en métal et l'ouvre. Elle parcourt rapidement les dossiers – des factures pour la plupart – jusqu'à ce qu'elle tombe sur une épaisse enveloppe de papier kraft dans le tiroir du bas. Une adresse est estampillée dans le coin. Maggie la prend dans ses mains au moment où son père apparaît derrière elle.

— Qu'est-ce que tu fabriques là ? crie-t-il.

Elle se relève précipitamment, laissant tomber l'enveloppe. Elle ne retient qu'un nom, *Goldbaum, LL.B.*, avant que son père referme le tiroir d'un coup de pied. Son instinct lui dit que cette enveloppe a quelque chose à voir avec Élodie.

— Qu'est-ce que c'est ? lui demande-t-elle. Pourquoi as-tu fait affaire avec un avocat ?

Il la prend par les poignets et la pousse vigoureusement hors de son bureau. C'est le geste le plus brutal qu'il ait jamais eu à l'endroit de sa fille. Il a les joues rouges et les veines de son nez semblent dilatées par la colère. Il lui ferme la porte au nez et met le verrou.

Elle reste là pendant plusieurs minutes, encore sous le choc d'un emportement qui ressemble si peu à son père. Elle l'entend ranger et se cogner aux meubles.

« Papa ! » crie-t-elle à travers la porte. Mais il ne répond pas.

CHAPITRE 32
Élodie

Élodie passe la main sur son front pour en essuyer la sueur et détourne le visage de la vapeur. On l'a affectée au repassage des draps ce mois-ci, une tâche encore plus ennuyeuse que la couture. C'est aussi beaucoup plus douloureux pour son bras droit, qui n'a plus jamais été le même depuis qu'elle a été enchaînée à ce lit sans matelas pendant une semaine.

— Arrête cinq minutes, dit Sœur Camille. Tu as le visage tout rouge.

Sœur Camille est nouvelle. Elle n'a pas l'air bien plus âgée qu'Élodie, mais elle est responsable des couturières. Elle est trop bonne pour Saint-Nazarius. Ce n'est qu'une question de temps avant qu'on se débarrasse d'elle.

— Pourquoi restez-vous ici? lui demande Élodie, en posant son fer sur la plaque. Ce n'est pas plus votre place que la mienne.

— Dieu m'a fait venir ici pour une raison, répond-elle. Même si parfois je ne vois pas pourquoi.

— Pensez-vous que Dieu m'a fait venir ici pour une raison?

— Bien sûr, répond Sœur Camille avec conviction. Nous ne comprenons pas toujours ce qu'Il fait ou pourquoi Il le fait. Il se peut que nous ne le comprenions jamais dans cette vie. C'est ça, la foi.

— Ce n'est pas rassurant, marmonne Élodie.

Sœur Camille lui serre la main, un geste tellement étonnant qu'Élodie tressaille et la retire.

— C'est ce qui est le plus difficile, ici, constate tristement Sœur Camille. Les enfants grandissent sans affection. Ce n'est pas normal. Je ne supporte pas de ne pas pouvoir prendre les petits dans mes bras lorsqu'ils pleurent.

— On vous mettrait à la porte, dit Élodie. Ou pire.

— Je l'ai fait une fois, au début. J'ai pris une petite fille qui avait été enchaînée à un tuyau toute la nuit. Elle n'avait pas plus de quatre ans.

— Et qu'est-ce qui s'est passé ? demande Élodie, en se disant qu'elle aurait bien aimé que Sœur Camille soit là quand elle était petite.

— Sœur Laurence m'a vue, et j'ai été confinée à la cafétéria, avoue-t-elle, l'air penaud. Et ici, au sous-sol, je ne peux pas être aussi cruelle qu'on me le demande. J'en suis tout simplement incapable.

— Peut-être que ça va changer un jour.

— Bien sûr que non.

— Alors, pourquoi restez-vous ?

— Je te l'ai dit, c'est la volonté de Dieu. Mais je dois t'avouer que je serai contente quand on se débarrassera de moi.

— Emmenez-moi, ma Sœur…

— J'aimerais bien, dit Sœur Camille, en prenant Élodie par la main pour l'attirer dans le couloir, avant de poursuivre à voix basse : Écoute, Élodie, la loi va changer.

— Quelle loi ?

— La loi qui fait que tu es ici.

Élodie hausse les épaules, sans comprendre.

— L'État commence à enquêter sur ces hôpitaux, reprend Sœur Camille. Les fonctionnaires sont au courant de ce qui est arrivé aux orphelins, et ils commencent à réagir. *Ils savent que vous n'êtes pas des malades mentaux.*

Élodie sent les larmes lui monter aux yeux. Elle tombe dans les bras de Sœur Camille.

— Quand ? crie-t-elle. Quand est-ce que je pourrai partir ?

— Les médecins commencent à interroger les enfants.

Élodie sent la panique monter en elle.

— Qu'y a-t-il ? demande Sœur Camille. C'est une bonne chose, Élodie.

— La dernière fois qu'un médecin m'a interrogée, je me suis retrouvée ici, geint-elle, en se remémorant ce jour à l'orphelinat. J'ai échoué !

— Tu n'as qu'à être toi-même, dit Sœur Camille en tentant de la rassurer. Tu n'es pas arriérée. Toi et moi savons cela. Ces médecins sont de votre côté.

Élodie est sceptique. Les médecins ne sont jamais de son côté, ils font seulement semblant de l'être.

— Ils vont découvrir que la plupart des enfants ici sont normales, ajoute Sœur Camille. Tout au plus, vous avez l'esprit dérangé à force d'avoir été maltraitées et enfermées. Tu es intelligente, Élodie, mais ignorante.

— Qu'est-ce que ça veut dire ?

— Ça veut dire que tu ne sais rien du monde. Tu ne connais même pas les choses les plus rudimentaires. Tu es en retard, c'est tout. Mais pas folle.

— C'est vrai.

— Mes pauvres petites, reprend Sœur Camille. Vous n'étiez peut-être pas en retard quand vous êtes arrivées ici, mais vous le serez certainement quand vous en sortirez.

— Pensez-vous que je pourrai retrouver ma mère ?

— Tout est possible avec Dieu, dit Sœur Camille, tandis que ses yeux disent le contraire. Élodie n'y voit pas de la foi, mais de la pitié. Ou peut-être qu'elle est influencée par ses propres doutes, sa propre ambivalence par rapport à Dieu.

— Où est-ce que j'irai ? demande Élodie. Je ne connais aucun autre endroit…

— Les plus jeunes iront probablement dans des familles d'accueil ou dans de véritables orphelinats. Les plus âgées seront tout simplement libérées, j'imagine.

— Libérées ?

Sœur Camille opine. Puis, voyant le regard inquiet d'Élodie, elle ajoute :

— Ne t'en fais pas, tu n'es pas assez âgée pour être laissée à toi-même.

— Pensez-vous qu'on me renverra à l'orphelinat de Farnham ?

— Je n'en sais rien.

L'esprit d'Élodie bourdonne. La simple possibilité de fuir Saint-Nazarius – de ne plus jamais être obligée de revoir Sœur Ignatia – la remplit d'espoir, ce qui ne lui est pas arrivé depuis des années.

— Tu vas devoir être patiente, l'avertit Sœur Camille. Ça n'arrivera pas rapidement.

— Mais ça *va* arriver, n'est-ce pas ?

— Je crois que oui. C'est déjà en train de se produire dans d'autres hôpitaux.

Élodie rayonne. Elle frissonne d'excitation et de soulagement. Elle a tout de même un peu peur – car elle doit encore convaincre les médecins qu'elle n'est ni arriérée ni folle – et elle appréhende de savoir où on l'enverra, mais rien ne saurait l'emporter sur sa joie.

CHAPITRE 33
Maggie

Maggie arrive au magasin de son père, emportant avec elle un petit-déjeuner pour deux. La fenêtre est ornée de neige artificielle et d'une banderole d'un rouge éclatant portant l'inscription «Joyeux Noël – *Merry Christmas*». Il y a des semaines qu'elle n'a pas parlé à son père. Elle a tenté de le joindre plusieurs fois, mais il refuse de lui adresser la parole.

Aujourd'hui, elle est résolue à se faire pardonner d'avoir fouillé dans ses affaires. En gage de réconciliation, elle lui offrira les épreuves de sa première traduction. *We Shall Overcome* représente non seulement les quelque 50 000 mots français qu'elle a apprivoisés et rendus en anglais, mais aussi la parfaite incorporation de ses côtés francophone et anglophone. Les commentaires de Godbout l'ont à la fois surprise et encouragée. Sans lui, elle aurait abandonné le projet.

— Tu as saisi l'essence de la lutte, lui a-t-il dit pendant qu'ils révisaient la première version de sa traduction. *Je crois ce que je lis.*

— C'est toi qui as écrit ces mots, a-t-elle soutenu, évitant le compliment.

— Je les ai écrits en français, Larsson. Tu les écris en anglais. Je craignais que la version anglaise manque d'authenticité ou, pire, qu'elle soit scolaire. Mais ton écriture est honnête et réelle. *On y croit.*

— Merci, a-t-elle dit en rougissant.

Elle était ravie. En l'absence du soutien de son père, l'approbation de Godbout lui redonnait beaucoup de confiance.

— Nous ne sommes pas si différents l'un de l'autre, lui a-t-il mentionné en roulant une cigarette. Être une femme dans un monde d'hommes ne doit pas être plus facile qu'être un Canadien français dans un monde de Canadiens anglais, qu'en penses-tu ?

— J'imagine que oui, a-t-elle reconnu, n'ayant jamais vu les choses sous cet angle.

Elle lui est reconnaissante de faire ce genre d'observations et de louer constamment ses efforts et sa résilience. Il voit en elle quelque chose que peu d'hommes voient et il la respecte sincèrement. Elle attribue cette générosité d'esprit à son ralliement à la cause des soumis et des opprimés de ce monde.

Malgré les louanges de Godbout, elle se demande ce que les gens penseront de son travail. Elle s'inquiète encore beaucoup trop du jugement des autres. Gabriel tombera-t-il par hasard sur sa traduction dans une librairie ? Dira-t-il *Hé, j'ai connu cette femme* ? Après tout, peut-être qu'elle n'est pas parvenue à rendre justice à la passion de Godbout.

Elle ouvre la porte et entre dans le magasin. L'odeur de la terre flotte autour d'elle. Violet ne pèse plus les semences ; elle travaille comme secrétaire chez Small Bros., où l'on fabrique les bacs d'évaporation servant à faire bouillir le sirop. Cet emploi semble très ennuyeux, mais Vi n'a jamais eu de grandes ambitions. Elle a pris l'ancienne chambre de Peter et n'est plus obligée de partager son lit avec ses sœurs, et elle n'a toujours pas de fiancé. C'est Nicole qui pèse les semences maintenant.

Penché au-dessus d'une caisse de semences, le père de Maggie lève les yeux et laisse aussitôt tomber son expression avenante. Il est toujours fâché contre elle. Elle a ses propres raisons d'être en colère contre lui, mais pour le moment, elle veut surtout obtenir des réponses de lui. À Montréal, elle a découvert un avocat du nom de Sonny Goldbaum, mais elle n'a pas réussi à le joindre à cause des vacances de fin d'année. En attendant, elle va chercher à découvrir ce qu'il y a dans l'enveloppe de papier kraft.

Wellington semble avoir maigri et il est pâle. Il devient trop vieux pour travailler aussi fort, pense Maggie, en tapant des pieds pour faire tomber la neige de ses bottes.

— Je t'ai apporté quelque chose, annonce-t-elle.

Comme il ne daigne pas répondre, elle lui montre un sac de papier taché de graisse d'une main et ses épreuves de l'autre.

— Le petit-déjeuner et… roulement de tambour… mon livre !

— Félicitations, marmonne-t-il, en lui offrant un pâle sourire.

— Pour faire la paix, lui dit-elle, en lui tendant le livre.

Il s'approche à contrecœur et l'examine.

— Bravo, dit-il en admirant l'épaisseur du manuscrit.

— Selon Godbout, mon côté marginal est justement ce qui m'a permis de faire de l'excellent travail.

— Marginal ? fait son père. Je ne t'ai jamais vue comme une marginale.

Elle le suit jusque dans son bureau où il débarrasse une chaise pour qu'elle s'assoie. Elle lui tend un sandwich aux œufs frits.

— Comment se débrouille la nouvelle vendeuse ? demande-t-elle.

— Elle aime offrir des rabais aux clients pour les convaincre d'acheter, dit-il, d'un ton mécontent. Je n'arrête pas de lui dire que cela gruge les marges.

Maggie grignote un bout de bacon. Elle a été anéantie d'apprendre qu'il avait embauché une vendeuse. Elle s'est sentie trahie, comme s'il l'avait trompée. La traduction du livre de Godbout l'a tout de même aidée à encaisser la nouvelle. Elle était déjà bien engagée dans son travail, concentrée. Elle a alors progressé avec une détermination renouvelée. Dorénavant, l'affront de son père ne la blesse que si elle s'y attarde.

— Mais les clients semblent l'apprécier, poursuit son père. Elle a du cran.

Maggie ne dit rien. C'est avec une bouffée d'envie qu'elle lit la citation encadrée au-dessus du bureau de son père. « Quiconque pouvait faire croître deux épis de blé ou deux brins d'herbe là où il n'en croissait qu'un auparavant méritait mieux du genre humain et rendait un service plus essentiel à son pays que toute la race des politiciens prise ensemble[16]. » Jonathan Swift

— Qu'est-ce que je peux faire pour toi ? lui demande-t-il, comme si elle était une cliente.

— Je voulais simplement te remettre cette épreuve, dit-elle. Garde-la, j'en ai une autre copie.

Il la feuillette, l'air impassible. Est-il le moindrement fier d'elle ?

— Maggie, commence-t-il, en mettant l'épreuve de côté et en la regardant. Je ne crois pas que tu as bien réfléchi. Tu ne pourras pas élever cet enfant seule. Ce ne sera pas bon pour lui et guère possible financièrement.

— J'aurai une pension alimentaire, l'informe-t-elle. Et l'argent que je toucherai comme traductrice.

— Je suis sûr que Roland serait heureux de se réconcilier avec toi.

— Je suis venue ici pour parler de mon livre, pas de mon mariage.

---

16 Traduction de B.H. Gausseron (*Voyages de Gulliver*, Paris, Éditions du Seuil, 1994).

— J'aimerais que tu fasses preuve d'un peu plus de sens pratique, plaide-t-il. Pour une fois dans ta vie. Ce n'est pas le moment d'aller à contre-courant. *Tu as toujours été ma fleur sauvage.* Tu es sur le point d'avoir un bébé.

— Pourquoi y avait-il une enveloppe d'un avocat dans ton meuble de rangement ? lui demande-t-elle.

— Tu n'aurais pas dû fouiller dans mes affaires.

— Tu sais pourquoi je l'ai fait. Pourquoi y avait-il une enveloppe d'un avocat dans ton meuble de rangement ?

— Tu penses qu'il y a un grand mystère, Maggie, mais tu te trompes.

Il se lève, jette à la poubelle les restes de son petit-déjeuner et se tourne vers elle pour lui faire face.

— J'ai fait breveter ma semence Prévert, indique-t-il sur un ton exaspéré. C'est pour cette raison que j'ai eu besoin d'un avocat. Satisfaite ?

Maggie le dévisage à la recherche d'un signe indiquant qu'il ment.

— Décevant, n'est-ce pas ?

Maggie ne peut en effet cacher sa déception. Elle avait espéré autre chose.

— Prends un poinsettia en sortant, dit-il. J'en ai trop.

— J'y suis allergique, marmonne-t-elle.

Elle quitte le bureau de son père avec la pénible impression que rien ne sera plus jamais pareil entre eux.

CHAPITRE 34

Le bureau de Sonny Goldbaum se trouve dans un vieil immeuble à appartements de l'avenue Queen Mary, à des années-lumière du chic cabinet d'avocats de la rue Saint-Jacques qu'elle avait imaginé. Maggie balaie de la main la neige accumulée sur son manteau et se blottit contre le radiateur pour se réchauffer avant d'appuyer sur la sonnette. Elle a très hâte de parler à l'avocat, car elle attend depuis près de deux mois qu'il revienne de la Floride.

— C'est Maggie Larsson, annonce-t-elle à l'interphone.

Il sonne pour la laisser entrer.

Rendue pataude par son corps encombrant, elle tient fermement la rampe pour descendre jusqu'au sous-sol. Le hall empeste l'urine de chat. Sonny Goldbaum l'attend à la porte de son bureau.

— Je ne savais pas que vous étiez enceinte, dit-il, comme s'il avait dû être mis au courant. Et d'après ce que je vois, vous allez bientôt accoucher.

— Pas avant la fin du mois, précise-t-elle en enlevant son foulard.

Avec ses quelque 40 ans, Goldbaum est beaucoup plus jeune que ce à quoi elle s'attendait. Il est trapu et très bronzé, il a les cheveux noirs bouclés et des lunettes à monture d'écaille. Il porte un pantalon gris qui lui descend sous le ventre et une chemise blanche en polyester à travers laquelle on peut voir son maillot de corps.

— Entrez, l'invite-t-il.

Il la dirige vers la salle de séjour qui lui sert également de bureau, et l'invite à s'asseoir dans l'un des deux fauteuils affaissés à carreaux jaune et marron qui s'y trouvent. Une demi-douzaine de meubles de rangement en bois sont alignés contre le mur, et un bureau est coincé entre la cuisinette et le couloir, dont le plancher est jonché de dossiers et de paperasse.

— J'ai trouvé votre nom dans les papiers de mon père, commence-t-elle, encore incommodée par les relents de litière de chat, auxquels se mêle maintenant une odeur de poisson. Je souhaite simplement confirmer ce que vous avez fait pour lui.

Goldbaum s'adosse à sa chaise.

— Il m'a dit que vous vous êtes occupé d'un brevet pour lui, poursuit Maggie. Pour une herbe qu'il a inventée. Prévert, ça vous dit quelque chose ?

Goldbaum a le regard complètement vide.

— Vous souvenez-vous d'avoir déposé une demande de brevet pour un dénommé Wellington Hughes ?

— Hughes ? répète-t-il, toujours perplexe. Je ne connais personne de ce nom.

Maggie bouge dans son fauteuil pour tenter de trouver une position confortable. Son dos commence à la faire souffrir.

— De plus, je ne m'occupe pas de brevets, Madame Larsson.

Le cœur de Maggie chavire.

— Alors, pourriez-vous me donner la vraie raison de votre visite ? lui demande-t-il en fixant son ventre du regard.

Il retire ses lunettes.

— Car je ne travaille plus dans ce secteur, ajoute-t-il en baissant la voix.

— Quel secteur ?

— Le secteur des bébés.

— Oh… Non… Je ne…, bredouille-t-elle, en mettant la main là où elle sent le bébé lui donner des coups de pied.

— Dans ce cas, je crains de ne pas comprendre, dit-il. Je ne m'occupe pas de brevets et je n'ai certainement aucun souvenir de votre père ou de son herbe. Alors, pourquoi ne m'expliquez-vous pas pourquoi vous pensez que je devrais le connaître ?

— J'ai eu un bébé quand j'avais 16 ans, l'informe-t-elle, une fille. Mon père vous a probablement embauché pour que vous vous occupiez de la faire adopter. C'est ce que vous faites, non ?

— Ce que je *faisais.* Pour ainsi dire.

— Je croyais que mon père l'avait emmenée dans un hospice pour enfants trouvés, mais il n'y en a aucune trace à ce que j'ai appris. Et récemment, j'ai trouvé votre nom dans ses dossiers.

— Et il vous a dit que j'avais travaillé sur son brevet d'invention d'herbe ?

— Oui.

— Eh bien, il vous a menti.

— Vous êtes-vous occupé de faire adopter mon enfant ?

— C'est possible.

— Vous devez bien avoir un dossier, insiste-t-elle, en jetant un coup d'œil aux meubles de rangement derrière lui. Ce devait être en mars 1950.

— Je me suis occupé de beaucoup d'adoptions.

— Pouvez-vous vérifier ?

— Pour quelle raison ?

— Je veux savoir si elle a été adoptée.

— Ne devriez-vous pas poser cette question à votre père ?

— J'ai plus de chance de connaître la vérité en m'adressant à vous. J'ai besoin de le savoir pour pouvoir dormir sur mes deux oreilles.

— Je peux vous garantir que si j'ai été impliqué, votre fille a été adoptée. C'est ce que je faisais. Je m'arrangeais pour que les enfants se retrouvent avec de bons parents. Donc, si votre père a retenu mes services, votre fille a trouvé un foyer.

Maggie commence à se détendre. Elle se sent déjà plus légère.

— Pouvez-vous me le confirmer ? demande-t-elle, pleine d'espoir. Pouvez-vous vérifier dans vos dossiers pour que je sois certaine ?

— Lorsque vous avez été payée, vous avez signé un contrat stipulant que vous renonciez à tous vos droits sur elle et à toute information la concernant.

— Quand j'ai été *payée*? s'écrie Maggie. Je n'ai jamais signé quoi que ce soit ni reçu d'argent.

— Vous n'étiez pas à l'hospice des filles-mères ? demande-t-il, en se mettant à tapoter sur le bureau avec un stylo qu'il vient de saisir.

— Non, répond-elle, déconcertée.

— Écoutez, dit-il, je suis désolé. Je n'ai aucun souvenir. Il y avait beaucoup de bébés à l'époque. La plupart venaient de l'hospice des filles-mères de l'Est de Montréal. J'ai toujours fait affaire avec les religieuses. Je n'ai traité que quelques fois avec les mères biologiques ou, comme dans votre cas, avec leurs parents. Mais j'ai les mains liées. C'était une adoption privée, et les dossiers sont secrets.

— Vous ne pouvez même pas vérifier le nom de mon père ?

— C'est illégal, Madame Larsson. J'ai suffisamment de soucis comme ça avec la loi. De plus, je n'ai pas de dossiers qui datent d'avant les enquêtes de 1954.

— Quelles enquêtes ?

— Vous êtes trop jeune pour être au courant. Les affaires de certains avocats qui traitaient d'adoptions ont été passées au peigne fin il y a quelques années.

— Pour quelle raison ?

— L'État n'aime pas que les gens vendent des bébés, dit-il. Ça ne dérange pas les politiciens qu'on les mette dans les institutions, et ils ferment les yeux sur les sévices qu'ils subissent aux mains des prêtres et des sœurs, mais que Dieu nous préserve de vendre un bébé à une bonne famille.

Maggie ouvre la bouche pour parler, mais il l'arrête.

— Madame Larsson, je crois comprendre que vous avez repris le droit chemin, dit-il. Croyez-moi, si votre père a correspondu avec moi, il est probable que j'aie placé votre fille. Dans ce cas, elle est entre bonnes mains et vous pouvez effectivement dormir sur vos deux oreilles.

Maggie monte dans sa voiture et se rend directement au magasin de son père. Elle fait les cent pas dehors, en attendant qu'il termine sa journée. Il fait noir et froid, et son haleine forme de la fumée, mais elle aime sentir l'air hivernal sur son visage. Elle regarde son père reconduire les derniers clients à la porte, ces retardataires de fin de journée, puis fermer les lumières. Elle frappe à la vitre au moment où il met le verrou.

Il la laisse entrer, perplexe.

— Que fais-tu ici ? lui demande-t-il, en fermant derrière elle.

— Pourquoi m'as-tu dit que tu avais amené mon bébé à l'hospice des enfants trouvés ? Pourquoi m'as-tu menti ?

Les épaules de son père s'affaissent très légèrement, mais suffisamment pour qu'elle le remarque. Il n'a toujours pas l'air bien.

— Si tu as parlé à cet avocat, dit-il, je suis sûr que tu sais pourquoi je t'ai menti.

— Parce que tu l'as vendue.

— Pas exactement.

— Qu'est-ce que tu veux dire ?

— C'était ce qui était convenu, admet-il, frottant sa tempe de son pouce. Comment pouvais-je te dire cela ? Il valait mieux que tu penses qu'elle était dans un orphelinat. Mais la vente de bébés illégitimes était une pratique courante.

— C'est horrible ! s'écrie-t-elle.

— Ce n'était même pas mon idée. C'est Yvon qui savait de quoi il retournait. Je suppose qu'il avait mis une fille enceinte.

Maggie a un rictus de dégoût.

— Je croyais que ça garantissait l'adoption, reprend son père. Et j'avais toujours besoin d'argent. C'était une solution qui faisait l'affaire de tout le monde, Maggie. Mais ça n'a pas marché.

— Pourquoi ?

— La petite était malade. Elle était censée être adoptée par un couple de Juifs new-yorkais. Tout était arrangé. Je devais l'amener à une Sœur Grise à l'Hôpital de la Charité…

— Les *sœurs* ! s'écrie Maggie. Elles étaient impliquées dans la vente de bébés ?

— C'était un commerce florissant. Un avocat préparait les papiers et remettait le bébé à une sœur ou à un médecin de l'hospice des filles-mères. Tout le monde était de mèche. Goldbaum a été arrêté quelques années après que j'ai fait affaire avec lui. On en a parlé aux nouvelles.

Les enquêtes de 1954. À en croire l'avocat, il avait été persécuté.

— Il a fait l'objet de toutes sortes d'accusations, poursuit son père. Contrefaçon. Falsification de certificats de naissance. La première fois, il s'en est tiré. Mais pas la seconde ; il a dû payer une amende. C'est à ce moment-là que toute l'histoire a été dévoilée dans les journaux.

— Et tu allais la vendre à quel prix ? demande Maggie.

— Trois mille dollars, dont la majeure partie devait être remise aux religieuses. Après avoir payé l'avocat, il serait resté 500 $. Yvon en aurait reçu la moitié pour t'avoir hébergée à la ferme pendant ta grossesse.

— Ma fille valait 250 $ à tes yeux ?

Son père ne répond pas.

— Alors, qu'est-ce qui est arrivé ?

— Goldbaum m'a assuré que les gens qui voulaient l'adopter étaient bien ; ils ne pouvaient pas avoir d'enfants. Mais quand ils ont découvert que la petite était prématurée et qu'elle avait la jaunisse, ils ont changé d'avis. Ils ne voulaient pas d'un enfant malade.

— Où l'as-tu emmenée, alors ? demande Maggie en essuyant ses larmes.

— Elle est restée à l'hôpital. Les sœurs étaient censées la transférer à l'hospice pour enfants trouvés dès qu'elle aurait été guérie de sa jaunisse et qu'elle aurait pris du poids. Elle pesait moins de deux kilos.

— Alors, tu l'as juste laissée là ? s'écrie Maggie, qui peine à imaginer sa petite abandonnée à l'hôpital.

— Je l'ai laissée entre les mains de médecins et de sœurs, oui.

— Et elle est allée à l'hospice plus tard ? En avril, peut-être ?

— Peut-être, dit-il. C'était très courant à l'époque, Maggie. Je suis sûr qu'elle a fini par être adoptée.

— Comment peux-tu le savoir ? fait Maggie d'un ton accusateur. Tu ne sais pas ce qu'elle est devenue. Et tu t'en fous.

CHAPITRE 35

En route vers Knowlton, Maggie ne cesse de se demander ce qu'elle devra faire ensuite. Se rendre à l'hospice pour enfants trouvés ? Rappeler pour s'informer des bébés arrivés dans les semaines qui ont suivi le jour de la naissance d'Élodie ? Elle arrête la voiture dès qu'elle ressent des élancements à l'aine. Elle prend quelques profondes inspirations en attendant que la douleur passe. Puis, elle redémarre, soulagée de sentir le bébé s'étirer en elle.

Elle est presque arrivée chez elle lorsqu'elle sent quelque chose de chaud entre ses jambes. Elle se penche pour constater qu'elle est complètement trempée. Les eaux. Elle s'en souvient.

Yvon aiguisant son couteau avant de découper le rôti de bœuf. « Y a-t-il du raifort ? » Le flot de liquide chaud entre ses jambes, la honte de son ignorance.

Elle n'est pas censée accoucher avant trois semaines. Mais une autre douleur aiguë la convainc de se rendre directement à l'hôpital. Les eaux continuent de s'écouler sur le siège. Elle y jette constamment des coups d'œil pour s'assurer qu'il ne s'agit pas de sang. *Faites que ce ne soit pas du sang.*

Arrivée à l'hôpital Brome-Missisquoi-Perkins, elle manque de tomber en sortant de la voiture.

— Elle a des contractions ! crie quelqu'un. Allez chercher un fauteuil roulant.

Elle revient au temps présent. Des gens l'entourent. Le vent et la neige sur son visage lui font du bien.

— C'est trop tôt, marmonne-t-elle.

Elle n'a pas fini sa phrase qu'elle a une contraction aiguë, brutale.

— Votre bébé n'est pas d'accord, dit quelqu'un.

Ces choses-là ne se passent pas toujours comme on veut.

— Est-ce qu'il y a quelque chose qui ne va pas ? demande Maggie.

Personne ne lui répond. Le présent s'estompe encore une fois. Une autre contraction, un autre souvenir. *Les robustes hanches du docteur Cullen. La bassine en émail. Le sang. Le cordon ombilical brisé.*

— Est-ce qu'elle va bien ? demande Maggie.

— Tout va très bien. On va vous amener à l'intérieur.

Un fauteuil roulant se matérialise sous elle, et quelqu'un – une infirmière – la pousse vers l'intérieur de l'hôpital. Elle arrive à se détendre entre les contractions. Elle prend de profondes inspirations d'air froid et se sent lucide.

— Continuez à prendre de grandes inspirations. C'est juste une contraction.

— Je ne me rappelais pas à quel point ça faisait mal.

— Vous êtes donc passée par là, constate l'infirmière. Vous avez de l'expérience.

— C'est trop tôt, dit Maggie, en gémissant.

Elle passe la main sur son ventre comme pour essayer de garder le bébé en elle.

— Il me reste encore quelques semaines...

— Ça fait suffisamment longtemps qu'il est là, la rassure l'infirmière. Une de mes cousines a accouché 18 semaines avant terme, et son bébé est parfait. Petit, mais parfait.

Maggie a mal jusqu'au postérieur ; la pression est forte, intolérable. On se hâte de l'amener à la maternité. Comme aucune chambre n'est disponible, on la laisse dans le couloir sur sa civière. Une infirmière lui demande si elle doit appeler son mari.

— Ma mère, grogne Maggie, aux prises avec une contraction.

Même si elle a l'esprit à la dérive à cause des contractions, elle ne peut s'empêcher de penser à Élodie qu'elle a laissée dans cet hôpital même – malade, seule et non désirée. Chaque contraction est un assaut de culpabilité. Elle se met à pleurer, non pas à cause de la douleur, mais à cause du remords. *Où est-elle maintenant ?*

— Élodie…, dit-elle en sanglotant.

— Tout va bien aller, l'encourage l'infirmière pour la rassurer. Nous allons vous faire une injection contre la douleur.

Les contractions ne lui laissent plus aucun répit maintenant. Elles se succèdent en une épouvantable agonie.

— Il arrive ! gémit-elle, à demi consciente. Appelez mon médecin. Il est *là*…

Elle sent le bébé qui pousse pour faire son entrée dans le monde. Elle ne cesse d'osciller entre le présent et le passé. Une minute elle est ici, une minute elle a 16 ans.

— Le médecin arrive.

Le docteur Cullen apparaît. « Elle est complètement dilatée. »

Elle est vaguement consciente de sa main dans celle de quelqu'un d'autre. Elle pousse, pousse. Sa tête retombe sur l'oreiller. Une infirmière se tient au-dessus d'elle. L'uniforme blanc.

Elle enfonce son pied dans la hanche du docteur Cullen, serre la main de sa tante.

— Vous vous en tirez très bien, dit l'infirmière. L'uniforme blanc.

« Une de plus, l'encourage le docteur Cullen. Une dernière poussée ! »

Et soudain, à son propre hurlement s'ajoutent les cris perçants d'un nouveau-né. Son bébé, celui qu'elle va pouvoir garder cette fois. Elle tente de s'asseoir, mais l'infirmière la repousse doucement.

C'est une fille.

— Puis-je la voir ? demande Maggie, délirant à moitié.

— C'est un garçon, mon petit. Vous avez un fils.

Un éclair de lucidité dans la brume des souvenirs. *Un garçon.* Elle regarde autour d'elle. Sa mère et sa tante Deda ne sont pas là. Pas plus que le docteur Cullen. Il y a une infirmière en uniforme blanc et un médecin qu'elle n'a jamais vu. Et son fils.

Son fils. Même s'il repose sur sa poitrine, enveloppé dans une petite couverture de coton bleu, elle ne peut s'empêcher de pleurer la petite fille qu'elle a abandonnée. Elle pleure et rit avec soulagement, en embrassant le crâne moite recouvert de fins cheveux dorés de son fils.

— Il est en parfaite santé, déclare le médecin.

— Il vous aurait fendue en deux s'il s'était rendu à terme, dit l'infirmière.

Étonnamment éveillé, le bébé regarde Maggie fixement. Elle lui touche le nez et lui effleure le front de ses lèvres. Elle cherche la ressemblance avec Gabriel. Elle a accepté son absence avec sa raison, mais pas avec son cœur.

L'infirmière se penche pour le reprendre.

— Qu'est-ce que vous faites ? demande Maggie, en resserrant son étreinte sur lui.

— Je veux juste l'emporter à la pouponnière.

— Pas tout de suite, s'il vous plaît.

Elle refuse de le laisser partir. Elle a fait cette erreur une fois et n'a plus jamais revu sa fille. Celui-là, elle ne le laissera pas hors de sa portée.

— Comment s'appelle-t-il ? lui demande l'infirmière.

Maggie y pense un instant, puis, comme si elle l'avait toujours su, dit :

— James Gabriel.

Gabriel,

J'ai essayé du mieux que j'ai pu d'entrer en contact avec toi. Mais mes efforts n'ont rien donné. Je sais que tu es brouillé avec Clémentine, et Angèle ne répond pas à mes lettres ni à mes appels. Elle a toujours été farouchement loyale envers toi. Je l'ai probablement déçue autant que je t'ai déçu.

Puisque je ne peux pas te dire en personne tout ce que je veux te dire, je te l'écris. Ainsi, il en restera au moins une trace. Peut-être que j'enverrai cette lettre à Clémentine en comptant sur le fait que vous vous réconcilierez un jour. Je sais à quel point vous êtes attachés l'un à l'autre. Je me souviens de cet après-midi de tempête, quand elle nous a ramenées de l'école ; il y avait de la tendresse dans la façon dont vous vous adressiez la parole, et l'affection était manifeste entre vous. J'étais jalouse. J'aurais voulu que ce soit à moi que tu parles ainsi. J'étais déjà amoureuse de toi.

Je t'annonce que tu as un fils. J'ai découvert que j'étais enceinte tout de suite après que tu as rompu avec moi et que tu as disparu. Quelle ironie, n'est-ce pas ? Tu m'as laissée à cause de l'enfant que j'ai abandonnée, et pour cette raison, tu as raté la naissance de celui que j'ai choisi de garder. <u>Notre</u> *enfant, de cela je suis sûre.*

Pendant que je regarde son visage endormi, je me demande qui je plains le plus : toi, qui n'es pas là pour le voir et le tenir dans tes bras et l'aimer, ou notre fils, James Gabriel Phénix Hughes, qui apparemment grandira sans connaître son père. Mais ne t'en fais pas, nous ne sommes pas complètement seuls. Mes sœurs viennent me voir chaque jour et sont en adoration devant James Gabriel. Il a même réussi à attendrir le cœur de pierre de ma mère. Mon père ne l'a pas vu depuis qu'il est né, mais ceci est une autre histoire que je te raconterai si jamais je te revois.

Pas un jour ne se passe sans que je pense à toi, que je regrette la façon dont les choses se sont terminées entre nous ou que je me haïsse pour avoir tout foutu en l'air. Il y a pourtant une chose que j'ai réussie. J'ai eu ce bébé, ce magnifique garçon aux yeux bleu foncé et aux cheveux blonds comme ceux de son papa.

Il est parfait. Ses jambes sont comme des saucisses crues, tandis que ses petits pieds et ses petites mains me font pleurer. Il sent le talc et le lait suri.
Je le berce pour qu'il s'endorme, son petit fessier recouvert d'une couche blanche dans les airs et ses joues roses contre ma poitrine. Je lui chante des berceuses à l'oreille et je lui frotte le dos. Son corps, pas plus gros qu'un ballon de foot, s'insère parfaitement entre mes seins. Lorsqu'il dort profondément, il sourit et sa bouche tressaute comme s'il faisait un rêve très amusant ou qu'il parlait à des gens d'un autre monde. Ses cris, qui me réveillent chaque heure de la nuit, ressemblent à s'y méprendre à ceux d'une chèvre en colère.
C'est tout ce à quoi je peux penser maintenant. J'aimerais que tu sois ici avec nous. Je suis tellement désolée.
Avec tout mon amour,

Maggie

PARTIE III

1961-1971

LES FAMILLES DE FLEURS

« Les oiseaux ont des ailes ; ils peuvent se déplacer, se fréquenter et normaliser leurs populations… Pour leur part, les fleurs sont enracinées dans le sol. Des groupes de la même espèce sont souvent séparés les uns des autres par de vastes environnements qui ne leur conviennent pas. »

Le guide des fleurs sauvages

CHAPITRE 36

Maggie répond au téléphone sans enlever sa manique. C'est sa mère. Cela ne la surprend pas puisqu'elles se parlent pratiquement tous les dimanches, sauf que c'est habituellement après le dîner.

— Pourquoi m'appelles-tu si tôt? lui demande Maggie en remettant le poulet au four.

— Il est malade, répond Maman.

— Qui est malade? demande Maggie dont le cœur s'accélère.

— Ton père. Il a le cancer.

— Le cancer?

— Il ne voulait pas aller voir le Dr Cullen. Tu sais comment il déteste les médecins. Mais maintenant, le cancer s'est répandu. Il a attendu trop longtemps.

Maggie sait que son père a toujours eu une peur bleue des médecins. À sa connaissance, il n'en a jamais consulté un, que ce soit pour un examen de routine, une indisposition ou une maladie. Il s'est toujours soigné à sa façon, en espérant que les choses s'arrangeraient d'elles-mêmes.

— Depuis combien de temps est-il malade? demande-t-elle.

— L'an dernier, il a remarqué qu'il avait une petite bosse derrière l'oreille, dit Maman. Il m'a menti en me disant qu'il était allé voir le médecin et que c'était un simple kyste. Il n'en a pas fait de cas, et la bosse a grossi. Elle était de la taille d'une balle de golf quand je l'ai obligé à aller se la faire retirer. Sinon, elle serait devenue aussi grosse que sa tête. Je l'ai amené moi-même voir le Dr Cullen, et il nous a envoyés aussitôt à l'hôpital. Foutu idiot! Il ne m'avait jamais dit qu'il se sentait mal à ce point. Et maintenant...

— Quoi?

— Il est trop tard. Il va mourir.

— Il y a certainement quelque chose à faire, s'écrie Maggie. On peut toujours faire quelque chose. De quel type de cancer s'agit-il?

— C'est une forme rare, répond Maman. Le médecin dit que c'est le cancer des jardiniers.

— Qu'est-ce que c'est que ça?

— C'est probablement causé par les pesticides.

Combien de fois Maggie a-t-elle entendu son père prendre la défense des pesticides devant ses clients? *Ce sont les meilleurs amis des semences, Messieurs!*

— Il a subi des tests toute la semaine, reprend sa mère. Il ne voulait pas que je vous en parle – tant que nous ne saurions pas à quoi nous en tenir. On l'a renvoyé à la maison, pour mourir.

Maggie met sa main devant sa bouche pour étouffer un cri.

— Combien de temps lui donne-t-on?

— Quelques mois, un an tout au plus.

— Ils ne connaissent pas papa, dit Maggie, la voix brisée. S'il y a quelqu'un qui peut combattre quelque chose comme ça, c'est bien lui. Il n'abandonnera pas.

— Maggie, ce n'est pas un problème qu'il peut régler comme au magasin. C'est le *cancer.*

Maggie s'adosse au four et pleure silencieusement. Elle n'a pas parlé à son père depuis la naissance de James Gabriel. Elle avait l'intention d'attendre encore longtemps avant de reprendre contact avec lui, pour le punir de ce qu'il avait fait à Élodie. Elle a même demandé à ses sœurs et à sa mère de venir chez elle si elles voulaient voir son fils pour éviter de remettre les pieds chez ses parents. Maintenant, tout ça la rend malade.

Elle savait que quelque chose ne tournait pas rond chez son père. Il y a des mois qu'il a l'air mal en point. Il n'a vu son petit-fils qu'une seule fois, à l'hôpital. Ce jour-là, il a donné des cigares à quiconque était présent. Maggie ne lui a pas adressé la parole.

— As-tu entendu ce que je t'ai dit? demande sa mère.

— Non.

— J'ai dit qu'il a demandé à te voir.

Sa mère l'attendait dans la cuisine, elle a l'air vieille et fatiguée. Elle n'a que la cinquantaine, mais elle a l'air d'avoir vingt ans de plus. Elle a encore pris du poids et a un double menton dorénavant. Aussitôt que Maggie arrive, elle lui prend le bébé des mains. Elle le regarde dormir en souriant d'une façon qui illumine ses yeux foncés et adoucit les profondes rides qui entourent sa bouche habituellement pincée.

— Bonjour, mon p'tit chou*, roucoule-t-elle.

En regardant sa mère tenir tendrement James Gabriel dans ses bras, le couver des yeux et lui murmurer des mots doux à l'oreille, Maggie se demande si elle lui a jamais manifesté autant d'affection, à *elle*.

— Comment va papa? demande-t-elle.

— Il souffre atrocement. On lui injecte de la morphine, mais ça ne fait aucune différence. Le cancer s'est déjà répandu dans le foie.

Maggie monte à l'étage. La chambre est dans le noir complet et affreusement silencieuse. En s'approchant du lit, elle finit par distinguer un petit monticule sous la couverture en chenille.

— Papa?

— Maggie? répond-il en changeant de position.

Elle s'assoit à côté de lui.

— Allume la lampe, dit-il d'une voix rauque.

Elle s'exécute et voit à quel point son état s'est déjà détérioré. Elle doit se retenir de pleurer pour ne pas l'alarmer. Toute la colère qu'elle a éprouvée contre lui au cours des mois passés s'évanouit instantanément. Il a l'air d'un vieil homme malade. Squelettique, gris, sans défense. Disparu, le solide gaillard sur qui on pouvait compter. Il ne reste plus aucune trace de sa vitalité ou de sa passion ou de son arrogance.

— Maggie, répète-t-il en respirant bruyamment.

Il a des poches et des cernes sous les yeux, et ses membres sont minces comme des branches d'arbre. Maggie fait la grimace lorsqu'il tousse dans un mouchoir.

— Comment vas-tu? lui demande-t-il, la voix enrouée par le mucus.

— Je vais bien, papa.

Il tente de sourire. Des années à fumer le cigare lui ont jauni les dents du bas.

— Il faut que tu penses au bien de ton fils, maintenant, dit-il.

Maggie lui prend la main.

— Une de mes dernières volontés…

— Je t'en prie, ne dis pas ça.

— Ce garçon a besoin d'un père, poursuit-il. Roland te reprendrait tout de suite. Je sais qu'il t'aime toujours.

Maggie reste silencieuse.

— Il faut vendre le magasin, dit-il.

— Je sais. Je peux m'en occuper.

— Mais veille bien à ce qu'il n'aboutisse pas entre les mains d'un Canadien français! Je ne veux pas que Semences Supérieures ait une mauvaise réputation après tout le travail que j'ai accompli pour en faire quelque chose de bien.

Maggie rit. Son père a toujours cru qu'il était mieux que le commun des mortels.

— À moins que tu prennes la relève, ajoute-t-il.

— Que je reprenne le magasin ?

— Tu as toujours eu le sens des affaires, dit-il. Il *faut* que ce soit toi. Tu pourrais t'en occuper. Ça resterait dans la famille.

L'esprit de Maggie va dans toutes les directions. Diriger le magasin de son père est son rêve d'enfance, mais elle a un bébé maintenant, et elle aime la traduction…

— J'ai besoin de dormir, murmure-t-il. Penses-y, hein ?

Elle opine, sachant qu'elle ne pourra penser à rien d'autre.

Maman sort la casserole de spaghetti du four et la tend à Vi pour qu'elle la mette sur la table. Puis, elle fait frire quelques saucisses dans une poêle. Maggie éprouve un élan d'affection pour sa mère en la regardant évoluer dans la cuisine de façon experte. Hortense a toujours pris soin de ses enfants. Elle ne l'a jamais fait avec affection ni tendresse, mais elle a toujours veillé à combler leurs besoins de base. Ils ont toujours été bien nourris, bien habillés, extrêmement propres ; leur maison était impeccable, jolie et confortable. Probablement que sa mère ne connaît que ce moyen de témoigner de l'affection.

— Tu as préparé son plat favori, fait remarquer Maggie. Spaghetti au four et saucisses.

— Après 35 ans, dit Maman en tournant les saucisses dans la poêle, c'est étrange de ne pas le voir à table.

James Gabriel bouge dans le couffin, aux pieds de Maggie. Maman dépose les saucisses sur la casserole de spaghetti et s'assoit à table. Ses deux filles et elle mangent dans un silence interrompu uniquement par le tintement des couverts et la voix de Patti Page à la radio.

— Les agriculteurs l'avaient averti, lance soudain Maman. À propos de ces foutus pesticides. *Eux*, ils savaient. Mais Wellington n'a jamais écouté qui que ce soit. Il ne doutait de rien. Il fallait toujours qu'il ait raison.

— Personne n'a de certitude à propos des pesticides, dit Vi en remontant ses lunettes à monture « Browline » sur son nez.

— Ce fantôme en haut, poursuit Maman. Ce n'est plus mon mari.

Elle se tait, réfléchit. Elle n'a pas touché à son assiette.

— Il n'arrêtait pas de se vanter de son diplôme, de dire qu'il ouvrirait son propre magasin de plantes. Il était tellement imbu de lui-même.

Elle rit.

— Le jour où j'ai fait sa connaissance, il portait une veste en tweed irlandais. Il a pris la peine de me le préciser. Comme si, moi, je me préoccupais du foutu tweed irlandais !

Elle éclate de rire. Maggie se penche pour ramener la couverture sur James Gabriel.

— Il a fait des efforts, concède Maman. Je l'admets. Il vivait à L'Abord-à-Plouffe, et il faisait une heure et demie en tramway pour venir me voir en m'apportant un bouquet de fleurs fraîches. Ça n'avait pas l'air de le déranger que j'habite dans Hochelaga.

Soudain, la porte arrière s'ouvre sur Nicole, rouge et débordante d'énergie. Ses cheveux foncés sont coupés très court, dans le style mutin de Jean Seberg dans *À bout de souffle*. Elle est aussi mignonne que Maggie, mais elle a plus d'assurance. Elle attrape une saucisse en sortant de la cuisine.

— Elle est pénible, celle-là, dit Maman d'un ton plaintif.

— Ce n'est pas étonnant, reproche Vi. Tu la laisses faire tout ce qu'elle veut, et elle n'a pas encore 16 ans.

— Qu'est-ce que ça me donnerait d'essayer ? fait Maman. Aucun de vous ne fait ce que j'avais prévu. Sauf Peter, et c'est lui que j'ai le moins embêté.

— Géri est à l'université, lui rappelle Vi.

Maman hausse les épaules et se lève pour desservir. Elle prépare du café, dépose une assiette de petits gâteaux faits maison sur la table. Elle verse du cacao et un nuage de lait dans trois tasses, avant de les remplir de café.

— C'est après notre mariage que votre père a essayé de me changer, dit-elle en se rassoyant. Tout à coup, il ne pouvait plus endurer mon côté canadien-français. Il était comme ça. Il s'en voulait d'être avec quelqu'un comme moi.

— Et toi, qu'est-ce qui te plaisait en lui? demande Maggie.

— Ses belles manières, se souvient-elle. Tous les autres garçons que j'avais côtoyés dans ma jeunesse buvaient et juraient. Mais votre père avait de la classe. Je suppose que c'est pour cette raison qu'il aimait fréquenter l'est de la ville et les Canadiennes françaises.

— Ça n'a pas de sens, doute Vi.

— Votre père n'avait aucune confiance en lui, leur apprend Maman. Son propre père est mort quand il était jeune et il a été élevé par sa mère. C'était une vraie snob. Elle n'était pas riche elle non plus – elle vivait à la campagne, nom de Dieu –, mais elle se comportait comme si elle était une reine. Elle prenait de grands airs.

Maman lève les yeux au ciel au souvenir de sa belle-mère.

— Rien de ce que votre père faisait ne trouvait grâce à ses yeux, dit-elle. Elle voulait qu'il étudie à l'Université McGill, pas à l'école d'horticulture. Elle voulait qu'il soit médecin ou banquier. Elle se moquait constamment de lui parce qu'il était devenu «jardinier», comme elle disait. Il détestait cela.

Elle coupe un petit gâteau en deux et en engouffre la moitié.

— Il n'avait pas beaucoup d'estime de soi lorsque je l'ai connu, poursuit-elle. Mais dans l'est de la ville, il était toujours le mieux habillé, et il se comportait comme s'il valait mieux que nous tous. C'était le roi du quartier. Il portait ces costumes coûteux qui suscitaient l'admiration des jeunes Canadiennes françaises. Il aimait attirer l'attention, mais il avait peur de son propre clan. C'est sa mère qui lui avait inculqué cela. Tout le monde était inférieur à elle. Je crois qu'il m'a épousée pour la punir. Ou pour fuir ses attentes ridicules.

— Il t'aimait, déclare Maggie. Je sais que vous vous disputiez souvent, mais vous vous aimiez.

Sa mère fait un geste pour signifier que ça ne comptait pas, mais elle rougit.

— De toute façon, sa mère l'a renié lorsqu'il m'a épousée, exulte-t-elle.

Maggie sirote son café au goût doux-amer à cause du cacao. Elle est frappée par le fil conducteur de tous ces événements – le rejet d'un parent, une vie passée à essayer de compenser le sentiment d'insuffisance qui en découle.

— Il a essayé de me transformer en poupée anglaise, reprend Maman. Et vous aussi, les filles. Naturellement, il a répété ce que sa mère avait fait avec lui.

— Pour une fois, tu ne pourrais pas dire quelque chose de gentil sur lui ? fait Vi. Il est en train de mourir, pour l'amour de Dieu. Tu ne peux pas juste dire que tu l'aimes ?

— Honnêtement, je n'ai jamais pensé à ça, répond Maman. Nous ne pensions pas à l'amour dans Hochelaga. Nous n'y pensons pas plus aujourd'hui, d'ailleurs. Il fallait survivre. *Vous*, les filles, vous pensez beaucoup trop à l'amour. Vous y avez toujours trop pensé.

— Il existe sûrement une raison pour laquelle papa et toi êtes restés ensemble, dit Maggie.

— On vous entendait dans votre chambre, marmonne Vi, ce qui surprend Maggie, car elles n'en avaient jamais parlé.

— C'était juste du sexe, réfute Maman.

— Eh bien, c'est déjà plus que ce qu'ont la plupart des gens.

CHAPITRE 37

Maggie entre dans la chambre de son père et avance sur la pointe des pieds jusqu'au lit, où elle le regarde dormir. Elle a encore passé la nuit chez ses parents. Elle n'est pas prête à rentrer à Knowlton de crainte que son père meure en son absence.

— Maggie, fait-il d'une voix rauque. C'est toi ?

— Je ne voulais pas te réveiller.

— Assieds-toi.

Elle lui obéit, et l'aide en relevant l'oreiller dans son dos lorsqu'il tente de s'asseoir, un effort qui l'épuise littéralement.

— Maggie, je veux juste que tu saches que je suis navré.

Il lui prend la main, et la force avec laquelle il la serre la surprend.

— Ça va, le rassure-t-elle.

— Non, écoute-moi. Je suis navré de t'avoir interdit d'être avec Gabriel Phénix. Je sais que tu l'aimais.

Maggie essuie ses larmes, puis caresse les fins cheveux moites de son père.

— Et je suis désolé à propos du bébé, reprend-il. Je t'ai menti seulement pour t'éviter d'avoir du chagrin.

— Je sais.

— Nous avons décidé de la donner en adoption pour protéger ton avenir, Maggie.

— Je sais.

— C'était ainsi à l'époque. C'est ce que les familles faisaient. Autrement, ta réputation et ton existence auraient été ruinées, alors que tu n'avais que 16 ans.

Il s'interrompt et reprend la main de sa fille.

— Nous voulions que tu aies une chance de t'en sortir. Pense à l'existence que Clémentine a menée et pourtant elle n'était que divorcée.

Maggie sait qu'il a raison. Ces événements se sont déroulés avec pour toile de fond les bonnes mœurs du Québec de Duplessis. Ses parents ont simplement réagi par peur, et ont fait la seule chose qu'ils croyaient devoir faire pour protéger leur fille de l'opprobre social. Comment peut-elle encore en vouloir à son père ? Il est mourant. Loin d'elle l'idée de le punir sur son lit de mort ou de lui garder rancune une fois qu'il sera parti. Cela ne ferait que lui empoisonner la vie.

— As-tu essayé de la retrouver ? lui demande-t-il.

— Je n'en ai pas eu le temps depuis la naissance de James.

— Je ne peux pas supporter que tu me haïsses.

— Je ne pourrais jamais te haïr, papa.

Il bat des paupières et sa respiration devient encore plus difficile. Sa tête retombe sur le côté, tandis que son corps est agité de sanglots silencieux. Les larmes coulent le long de ses joues creuses.

— Elle était tellement belle, Maggie. Comme toi.

Il se met à tousser.

— Je suis désolé de ne pas l'avoir sauvée quand j'en avais l'occasion.

— Sauvée de quoi ?

— Ça suffit, intervient sa mère en entrant dans la pièce. Laisse-le tranquille, Maggie.

— Hortense, ordonne-t-il en s'étouffant. Va me chercher un verre.

— Wellington, ne fais pas l'idiot.

— S'il te plaît.

Hortense quitte la chambre à contrecœur. « Maudit ivrogne* », marmonne-t-elle.

— Je lui ai donné le nom que tu aimais, reprend le père de Maggie, une fois qu'ils sont seuls.

— Quel nom ?

— Élodie.

Maggie pousse un petit cri avant de se mettre la main devant sa bouche.

— Maman te l'a dit ?

— Non, c'est Deda.

— Pourquoi ne m'en as-tu jamais parlé ?

Il hoche la tête, impuissant, et ses yeux s'assombrissent.

— C'était une décision impulsive, admet-il. Je n'avais pas l'intention de le faire, mais à la dernière minute, j'ai pensé que je ne pouvais pas la laisser partir sans qu'elle ait le moindre lien avec toi. Une sorte de souvenir.

Maggie pose sa tête sur sa poitrine. Qu'il ait donné ce nom à son bébé n'efface pas ce qu'il a fait, mais c'est ce qui se rapproche le plus d'un cadeau.

— Et si jamais elle n'a pas été adoptée ? fait Maggie en soulevant la tête. Et si jamais elle avait grandi dans un asile ?

— Si seulement ce couple avait respecté sa promesse, se lamente son père. Ils auraient dû la prendre, malade ou pas. Eux seuls sont à blâmer.

— Pourquoi as-tu choisi des gens de New York ? Pourquoi si loin ?

— À l'époque, c'était compliqué pour les Juifs d'adopter des bébés, lui explique-t-il. Comme ils étaient désespérés, ils se sont mis à en acheter au Québec. Je croyais que c'était le meilleur moyen de garantir l'adoption.

— Et après qu'ils ont décidé de ne pas la prendre, vous n'avez pas pu trouver une autre famille ici, au Québec ?

— C'est ce qui était prévu, dit-il. Ta fille était censée être transférée à l'orphelinat de Saint-Sulpice près de Farnham. Je suis sûr qu'elle a fini par être placée dans une famille, Maggie. Elle était parfaite.

Ses yeux se ferment et il se met à ronfler de manière irrégulière.

— C'est comme ça que ça fonctionnait, murmure-t-il, à moitié éveillé. Nous ne pensions pas que nous faisions quelque chose de mal, mais rien n'a marché comme prévu.

Il se met bientôt à ronfler bruyamment, en râlant. En sortant de la chambre, Maggie se heurte à sa mère qui tient une bouteille de Crown Royal dans une main et un verre rempli de cubes de glace dans l'autre.

— Il dort, dit Maggie, en fermant la porte.

— Que t'a-t-il dit? demande sa mère.

— Tout.

— Nous ne pensions pas que nous faisions quelque chose de mal, se défend sa mère. Nous essayions seulement de te sortir du pétrin dans lequel tu t'étais mise, du mieux que nous pouvions, Maggie.

— Le pétrin dans lequel je m'étais mise? C'est peut-être Yvon qui m'y a mise!

Maggie peut pardonner à son père d'avoir emmené Élodie à l'orphelinat, mais pas à sa mère d'avoir choisi de croire Yvon plutôt qu'elle.

— J'imagine que c'est plus commode pour toi de jeter le blâme sur Gabriel plutôt que sur ton beau-frère adoré.

— C'est le mari de ma sœur, Maggie.

— *Et moi*, je suis ta fille.

Maman regarde au loin.

— Je vais la retrouver, annonce Maggie.

— Tu ne pourras pas, rétorque sa mère. On a probablement changé son nom, effacé son passé. Personne dans cette province ne veut que tu saches où est cette enfant ni ce qui lui est arrivé.

Maggie fixe sa mère du regard pendant un instant avant de répéter avec assurance:

— Je vais la retrouver.

CHAPITRE 38

Maggie coupe le contact devant l'Hôpital psychiatrique Saint-Sulpice et reste assise dans sa voiture plusieurs minutes afin de reprendre ses esprits. Avec sa façade en briques rouges et son joli jardin, l'endroit a dû être charmant un jour. Si ce n'étaient les barreaux aux fenêtres, il pourrait l'être encore.

Un simple appel à l'hospice des enfants trouvés de Cowansville a permis à Maggie de découvrir qu'un bébé de sexe féminin de trois semaines y avait été amené en avril 1950, avant d'être transféré un mois plus tard à l'orphelinat de Saint-Sulpice, comme son père l'avait supposé. En 1954, la vocation de l'orphelinat a été modifiée, et il est devenu l'Hôpital psychiatrique Saint-Sulpice.

Maggie sort de la voiture et reste devant la porte un long moment, imaginant sa petite fille amenée ici dans les bras d'une étrangère, onze ans plus tôt. Elle prend une longue inspiration et frappe à la porte en se servant du heurtoir. On lui ouvre presque immédiatement.

— Que puis-je faire pour vous ?

Maggie qui s'attendait à voir une religieuse est étonnée de se retrouver devant un homme d'âge moyen arborant une banane à la Elvis.

— Puis-je parler à la personne responsable, ici? lui demande-t-elle. Une des religieuses?

— Je suis le responsable.

— Je souhaiterais obtenir de l'information sur ma fille.

L'homme fronce les sourcils. Il a le regard las et une expression dure. Des femmes comme Maggie doivent sans cesse venir frapper à cette porte à la recherche de leur enfant depuis longtemps disparu, surtout depuis qu'on a mis sur pied des commissions d'enquête publique.

— Nous ne donnons pas ce genre d'information, dit-il. C'est illégal.

Elle s'avance vers lui et lui fourre un billet de cinquante dollars dans la main.

— Veuillez accepter ce don, tente-t-elle nerveusement. Je vous serais reconnaissante de quelque information que vous pourriez me donner.

Il hésite un moment, puis met le billet dans sa poche.

— Suivez-moi, dit-il.

Maggie suit l'homme vers un bureau situé à l'arrière de l'édifice. Elle remarque à quel point l'endroit est sinistre – l'éclairage est faible, le mobilier en piteux état et l'air empli d'une forte odeur de moisissure.

L'homme allume en tirant sur un cordon rattaché à une simple ampoule électrique au plafond. Ils se trouvent dans une pièce étroite où sont alignés des meubles de rangement en bois. Maggie imagine leur contenu sacré – noms de bébés, noms de parents biologiques, noms de familles adoptives, dossiers d'hôpitaux, certificats de naissance – inaccessible à ceux-là mêmes qui souhaitent le plus le consulter.

— Nom? demande l'homme.

— Maggie Larsson.

— Pas le *vôtre*, dit-il avec impatience. Celui du bébé. Est-ce qu'elle en avait un?

— Élodie.

— Date de naissance.

— 6 mars 1950.

Il s'agenouille devant le meuble portant l'inscription *1948-1950* et parcourt les dossiers jusqu'à ce qu'il trouve ce qu'il cherchait. Maggie retient sa respiration.

— Voilà, dit-il, en lui tendant le dossier.

Il s'appuie contre le meuble et allume une cigarette.

— Dépêchez-vous avant que Sœur Tata et les autres reviennent. La plupart sont encore au service du matin.

Exactement ce qu'elle espérait. Les mains tremblantes, Maggie ouvre le dossier pour y trouver deux documents. Le premier est un certificat de naissance. Nom : Élodie. Date de naissance : 6 mars 1950. Lieu de naissance : Hôpital Brome-Missisquoi-Perkins, Cowansville, Québec. Mère : inconnue. Père : inconnu.

Le second document est une fiche de transfert.

— Qu'est-ce que c'est ? demande Maggie. Il est daté d'octobre 1957.

— Beaucoup d'enfants ont été transférés dans des hôpitaux psychiatriques à Montréal, dit-il. Après le changement de vocation.

— Est-ce que ça veut dire qu'elle n'a pas été adoptée ?

— S'il y a une fiche de transfert, c'est qu'il n'y a pas eu d'adoption.

— Mais pourquoi aurait-elle été transférée ?

— Pour libérer les lieux afin de recevoir d'autres patients. Après 1955, de vrais malades mentaux ont commencé à être transférés ici. Les orphelins ont dû être envoyés dans les asiles de la ville. Nous n'avions pas le matériel nécessaire pour traiter tout le monde.

— Étiez-vous ici à cette époque ? lui demande-t-elle. Pensez-vous que vous pourriez vous souvenir d'elle ?

— Je ne suis ici que depuis deux ans. Auparavant, je travaillais dans un orphelinat de Valleyfield. Mais je me souviens du jour où les religieuses ont informé les enfants.

Il écrase sa cigarette dans un cendrier tout près, et ouvre son paquet pour en prendre une autre et en offrir une à Maggie ; il la lui allume. Maggie inhale la fumée. Ça lui fait du bien de la sentir jusque dans ses poumons. C'est la première profonde inspiration qu'elle prend depuis des heures.

— Une religieuse est passée dans chaque classe pour annoncer aux enfants qu'ils allaient être déclarés malades mentaux, reprend-il. Pouvez-vous imaginer ça? Les sœurs étaient bouleversées. Elles savaient qu'elles faisaient quelque chose de mal.

Il hoche la tête à ce souvenir.

— Les enfants ont arrêté d'aller à l'école du jour au lendemain, poursuit-il. Ils ont été traités comme des arriérés à partir de ce moment-là. On a mis des barreaux aux fenêtres, comme vous pouvez le constater. Des clôtures autour du terrain. Peu de temps après, on a commencé à envoyer les enfants dans des asiles à Montréal où on les a entassés dans des ailes déjà surpeuplées de vrais malades mentaux.

Leurs cigarettes enfument la petite pièce.

— Pourquoi? demande Maggie, connaissant déjà la détestable réponse.

— C'est facile à comprendre, dit-il. Le gouvernement provincial payait à peine les religieuses pour qu'elles s'occupent des orphelins, mais trois fois plus pour qu'elles s'occupent des malades mentaux. C'est pourquoi Mont Providence est devenu un établissement psychiatrique, et que tant d'orphelinats au Québec ont suivi le mouvement. C'est toujours une question d'argent, n'est-ce pas?

— Mais ça ne devait pas être légal?

— Légal? fait-il, en laissant échapper un rire. D'après vous, qui profitait le plus de tout cela? Dès que les dossiers de ces enfants ont été modifiés pour qu'ils passent pour des déficients mentaux, l'Église *et* Duplessis ont commencé à s'en mettre plein les poches. Le gouvernement provincial a obtenu d'énormes subventions du gouvernement fédéral pour construire des hôpitaux. C'est certain qu'il lui restait des fonds même en payant l'Église trois fois plus qu'auparavant.

— Où ma fille a-t-elle été amenée ? demande Maggie. Pourquoi n'est-ce pas inscrit sur la fiche de transfert ?

— Ce n'est pas une information qui était divulguée. On ne disait rien qui puisse permettre à quelqu'un comme vous de retrouver son enfant.

— Ne devrait-il pas y avoir d'autres documents ? Où sont-ils ?

— Beaucoup de dossiers ont été détruits après la conversion des orphelinats. Il est possible que ceux de votre fille aient été transférés en même temps qu'elle à l'asile. Mais comme vous pouvez le constater, les fiches de transfert, *quand* il y en avait, étaient très vagues.

Maggie ferme le dossier et le lui remet. Elle se sent aussi vide que le jour où on lui a pris Élodie, onze ans plus tôt.

— Avez-vous une idée de l'endroit où on a pu l'envoyer ? lui demande-t-elle.

— Peut-être à l'Hôpital Saint-Nazarius ou à l'Hôpital de la Merci. C'étaient les deux établissements où la plupart de nos orphelins étaient transférés. Je doute que vous la retrouviez cependant. Ces endroits sont de véritables forteresses. Par ailleurs, la plupart des dossiers sont un ramassis de mensonges. J'ai vu des enfants parfaitement normaux décrits comme étant de dangereux malades mentaux. Pure invention. Les vrais dossiers ont été expurgés. On a même donné de nouveaux noms à plusieurs de ces orphelins à leur arrivée dans les hôpitaux psychiatriques. Ceux qui étaient nés en janvier recevaient un nom commençant par A, ceux qui étaient nés en février, un nom commençant par B, et ainsi de suite.

Maggie est découragée. Comment pourra-t-elle jamais retrouver Élodie si on lui a donné un nouveau nom ? Si son dossier – son *identité* – a été complètement détruit ?

— L'Église doit continuer à dissimuler tout cela, dit l'homme. Vous ne pourrez pas l'acheter comme vous l'avez fait avec moi.

— Alors, qu'est-ce que je *peux* faire ?

— Vous pouvez écrire au gouvernement du Québec.

— Qu'est-ce que cela va me donner ? dit-elle, désabusée. Depuis quand le gouvernement aide-t-il les orphelins ?

— Depuis que Duplessis est mort, dit-il. Une commission de psychiatres a été mise sur pied pour enquêter sur les hôpitaux psychiatriques de la province. Elle a déjà conclu que la plupart des 500 enfants gardés à Mont Providence étaient parfaitement normaux. Quelle surprise…

— Que fera-t-on de ces enfants ensuite ?

— Je ne sais pas exactement. Je crois qu'on a l'intention de placer les plus jeunes enfants dans des foyers d'accueil et qu'on laissera les plus âgés se débrouiller seuls.

Il hausse les épaules, l'air cynique.

— Le nouveau gouvernement vient tout juste de révéler que ces enfants ne sont pas à leur place dans des établissements psychiatriques. Des centaines d'établissements doivent encore faire l'objet d'enquêtes.

— Mon Dieu. Peut-être que je pourrai récupérer ma fille, espère Maggie.

— Si vous réussissez à la retrouver. Mais croyez-moi, les bonnes sœurs feront tout en leur pouvoir pour vous arrêter.

Une fois dehors, Maggie prend plusieurs grandes inspirations avant de sauter dans sa voiture pour rentrer chez elle, où elle se met aussitôt à envoyer des lettres au gouvernement provincial, exigeant de voir le dossier de sa fille et de savoir où elle a été transférée en 1957.

CHAPITRE 39

Maggie espère que son bébé se réveillera bientôt pour qu'elle puisse un peu soulager ses seins gonflés de lait. Pour se changer les idées en attendant, elle lit le dernier manuscrit de Godbout. Elle prend des notes ici et là, et réfléchit à la façon dont elle pourrait rendre telle ou telle idée. Elle a demandé que son nom figure sur la page couverture cette fois-ci, et Godbout a promis qu'il en discuterait avec son éditeur. Il a décidé de promouvoir sa carrière littéraire.

Elle ne sait toujours pas ce qu'elle fera à propos du magasin de son père. Elle est tentée de prendre la relève, mais Peter veut le vendre et remettre le produit de la vente à leur mère. Il ne semble pas faire trop de cas des volontés de leur père, et d'ailleurs, il n'a jamais cru que cette entreprise pouvait être rentable. Maggie est plutôt encline à penser que conserver le magasin au sein de la famille constituerait un meilleur investissement à long terme et procurerait un revenu correct à leur mère, mais pour le moment, elle ne cherche pas à avoir gain de cause. Elle ne sait toujours pas comment elle pourrait à la fois élever son fils et gérer une entreprise aussi exigeante. Son père n'était jamais à la maison, ce qui n'est pas envisageable pour Maggie.

En même temps, elle n'arrive pas à se faire à l'idée de vendre le magasin à un pur étranger.

Avec son duvet doré, ses yeux qui hésitent entre le bleu et le gris, ses jolies joues roses et ses membres potelés, James Gabriel est maintenant un bébé solide. La mère de Maggie a même déclaré qu'il était plus mignon que Peter lorsqu'il avait le même âge. Depuis sa naissance, l'existence de Maggie est devenue une longue suite de périodes d'allaitement, de manque de sommeil, de furie hormonale, d'impressionnante confusion, de solitude et de dévotion féroce et quasi douloureuse pour ce petit être égocentrique. Elle a à peine le temps de se préparer à la mort de son père, à supposer qu'elle y arrive. Elle n'a pas non plus le temps de penser à Gabriel ou à Élodie. En fait, Maggie est heureuse de son état de quasi-zombie et de la suspension de la réalité.

Ses sœurs l'aident beaucoup. Maintenant que Vi a son permis de conduire, elle lui rend visite pratiquement tous les jours, souvent accompagnée de Nicole et de Géri lorsque celle-ci peut s'absenter de l'université. Parfois, l'une d'elles reste au chevet de leur père afin que leur mère puisse aussi venir voir le bébé. C'est à qui prendra James dans ses bras, lui changera ses couches et ira le chercher dans son petit lit après sa sieste – Maman, en particulier, déborde d'affection pour lui. Maggie et ses sœurs trouvent qu'elle ramollit avec l'âge.

Violet arrive dans la cuisine chargée d'un panier débordant de couches, linges, layettes et couvertures de bébé fraîchement lavés.

— Oh, Vi, tu me sauves la vie, dit Maggie.

Vi dépose le panier et enlève ses lunettes embuées.

— J'adore plier ses petites affaires, se réjouit-elle.

— Tu sais tellement bien t'y prendre avec lui.

— Je ne sais pas comment tu t'en sors sans mari, répond Vi. Je passerai demain après le travail. La porte claque derrière elle et la maison devient silencieuse. James Gabriel continue à dormir, pas dérangé le moins du monde.

Maggie retourne au livre de Godbout. Au bout d'une demi-heure, elle entend quelqu'un frapper à la porte. Elle constate alors que Violet a laissé ses lunettes sur la table. Elle les attrape en se levant, essuie rapidement ses mamelons avec un linge et court à la porte.

On frappe encore.

— J'arrive, Vi ! fait-elle, exaspérée.

Elle ouvre la porte, les lunettes à la main.

— Je viens juste de les voir, sinon je t'aurais…

Elle s'interrompt lorsqu'elle constate que ce n'est pas Violet. Instinctivement, elle jette un coup d'œil sur son chemisier taché et ses seins qui coulent, et regrette d'avoir ouvert.

— Maggie, salue-t-il.

Elle fait un effort pour se maîtriser, mais elle tremble de tout son corps.

— Je m'excuse de ne pas t'avoir prévenue de ma visite, dit-il. Je ne savais pas si tu accepterais de me voir.

— Bien sûr que je veux te voir, prononce-t-elle, la voix brisée d'émotion.

Elle fait quand même un rapide inventaire de sa personne. Il porte une veste de l'armée, des jeans et un bonnet à l'effigie des Canadiens de Montréal qu'il s'est enfoncé jusqu'aux yeux. Il est toujours aussi séduisant. Ses épaules semblent plus larges, ses yeux plus bleus, ses lèvres plus pleines. Ou peut-être est-ce son imagination qui lui joue des tours ? Une partie d'elle veut se jeter dans ses bras, tandis que l'autre veut lui envoyer son poing dans la figure. Elle ne sait absolument pas à quoi s'en tenir.

— Entre, invite-t-elle, en ouvrant la porte.

— Jolie maison, dit-il, en la suivant dans la cuisine. Tu l'as bien décorée.

C'est quelque chose qu'elle tient de sa mère. Elle aime fabriquer elle-même des rideaux aux volumineux drapés à partir de tissus rétro. Elle va aux puces et dans les ventes aux enchères où elle achète des meubles antiques qu'elle repeint et restaure.

— Nouvelle traduction ? lui demande-t-il, en jetant un coup d'œil à ses notes sur la table. J'ai lu ta dernière. Tu as fait un travail génial.

— Je suis contente que ça t'ait plu, jette-t-elle, sentant la colère la gagner.

— Comment vas-tu ? s'enquit-il comme s'il revenait d'une partie de pêche.

— Beaucoup de choses se sont passées.

— J'ai su pour ton père. Je suis désolé.

— Où étais-tu ? s'écrie-t-elle. Sais-tu tout ce que j'ai fait pour te retrouver ? À quel point j'ai harcelé tes sœurs ? Tu as simplement disparu dans la nature !

Il retire son bonnet, se passe la main dans les cheveux. Ils sont plus longs que la dernière fois qu'elle l'a vu. Il ne dit rien et s'assoit sans attendre qu'elle l'y invite.

— J'ai appelé partout, reprend-elle, en s'assoyant elle aussi. J'ai même parlé à ta femme. Je suis allée à Canadair, à l'appartement sur la rue Papineau…

— Je sais.

— Tu as quitté l'usine sans le dire à personne. Tu as disparu. Pourquoi ?

— Tout s'est effondré quand ça s'est terminé entre nous. J'ai quitté Annie. Je n'étais plus capable de rester avec elle, plus capable de conduire un taxi, plus capable d'aller travailler à l'usine. Il fallait que je m'éloigne de tout ça.

— Pourquoi ne m'as-tu pas appelée ?

— C'était surtout de toi que je voulais m'éloigner, admet-il. J'étais convaincu que ça ne pourrait jamais marcher entre nous. Tu étais habituée à un autre genre de vie. Tu avais des attentes que je ne pourrais jamais combler.

Elle regarde au loin.

— Mais maintenant, je suis en paix, reprend-il.

— Que veux-tu dire ?

— Je me suis réconcilié avec moi-même, avec la personne que je suis.

— Je vois, dit-elle, sans trop savoir ce qu'il essaie de lui dire.

— Tu étais mariée, Maggie. Qu'est-ce que je pouvais t'offrir ? Je n'avais rien.

— Tu aurais pu revenir à Dunham, sur la ferme familiale.

— Et avoir ma grande sœur comme patronne pour le restant de mes jours, sans jamais avoir mon mot à dire, en la laissant prendre toutes les décisions, comme si j'avais encore 14 ans ? Ou te voler à ton riche banquier de mari et te faire vivre ? *Comment ? Avec quoi ?*

— Je l'ai quitté, dit-elle. Je le lui avais déjà annoncé. Je me foutais des choses, des possessions. C'est seulement toi que je voulais. J'ai attendu et attendu.

— Je ne trouvais pas que c'était une bonne idée à l'époque.

— Où es-tu allé ?

— À Gaspé.

Elle lui jette un coup d'œil, se permettant pour la première fois de le regarder vraiment.

— J'ai pratiqué la pêche à la morue, dit-il.

— Tu n'as même pas dit à tes sœurs où tu étais ?

— Clémentine et moi, on ne se parlait pas. Angèle savait où j'étais, mais je lui ai fait promettre de ne rien dire à personne. Pas même à Clem. J'avais juste besoin d'être seul.

— Ça a fonctionné, à ce que je vois.

— C'était le but, dit-il en versant du lait dans son thé. Mais maintenant, je me sens bien, très bien, en fait. Le travail physique fait du bien. J'adore vivre au bord de la mer, travailler au grand air. Loin de Montréal.

— Et de moi.

— Au début, oui. J'avais besoin de faire le point, de digérer tout ce qui s'était passé.

— Et maintenant ?

— J'ai acheté un terrain à Gaspé.

Cette information lui fait l'effet d'une perte aussi aiguë que lorsqu'il l'a quittée la première fois. Plus que jamais, elle veut le supplier de rester, mais l'achat de ce terrain signifie qu'il ne veut pas leur donner une seconde chance.

— Je ne veux pas conduire un taxi ou travailler à Canadair pour le restant de mes jours, lui dit-il. C'est la seule chose que j'aie pu tirer au clair en étant au loin.

Un hurlement en provenance de la chambre les fait sursauter. Gabriel passe près de tomber de sa chaise. Maggie est habituée aux cris de son fils, à la façon inopinée qu'il a de se manifester lorsqu'il se réveille. Elle attend de voir si cette fois c'est pour de bon, en espérant qu'elle pourra enfin le nourrir et soulager ses seins endoloris. Mais les pleurs du bébé diminuent. Il s'est rendormi.

— Angèle m'a dit que tu avais eu un bébé, dit-il. Félicitations.

— Il est de toi, Gabriel, lance-t-elle après un silence.

Visiblement, cette révélation lui coupe le souffle. Il ouvre la bouche, mais aucun son n'en sort. Il reste assis, bouche bée, absorbant cette réalité. Ses yeux brillent comme du verre.

— J'ai essayé de te retrouver, lui rappelle-t-elle. Je voulais qu'il ait un père.

— Je sais, murmure-t-il. Je ne peux pas… Je ne sais pas quoi dire.

Elle le laisse digérer la nouvelle.

— Veux-tu le voir ? lui demande-t-elle, brisant finalement le silence.

— Oui, accepte-t-il, son visage s'illuminant. S'il te plaît.

Il se lève, va vers Maggie et l'étreint de façon inattendue.

— Je me demandais s'il était de moi, admet-il, en la libérant, quand Angèle m'a appris la nouvelle.

— Tu aurais dû revenir, alors.

— Il pouvait aussi être de ton mari. Je ne voulais pas empirer les choses. Et j'étais toujours en colère, Maggie.

— Je vais l'allaiter, puis je vais te l'amener.

James Gabriel sourit dès qu'il voit le visage de sa mère. Il l'adore. Elle est le centre nourricier de son univers.

— Bonjour, dit-elle. Bonjour, mon petit bonhomme.

Elle le sort de son petit lit et presse ses lèvres contre sa joue chaude.

— C'est le temps de manger, lui murmure-t-elle, en lui enfilant son pyjama.

Il attrape une poignée de ses cheveux et tire fort. Elle laisse échapper un petit cri, tout en s'émerveillant de la force de son fils. Elle s'installe dans le fauteuil berçant tandis qu'il tète son mamelon et la vide de son lait. Elle en profite pour essayer de se calmer avant la rencontre père-fils. Combien de fois a-t-elle répété cette scène mentalement? Elle a peine à croire qu'elle va réellement se produire. Elle avait pratiquement abandonné tout espoir.

Une fois que le bébé, repu, a régurgité sur son épaule, elle le ramène contre sa poitrine et lui dit:

— Maintenant, allons faire la connaissance de papa.

Elle descend au rez-de-chaussée et prend une grande inspiration avant d'entrer dans la cuisine.

— Le voici, dit-elle en éclatant en sanglots avant même que Gabriel puisse le prendre dans ses bras.

— Comment s'appelle-t-il? lui demande Gabriel, en tendant les bras pour le prendre.

— James Gabriel.

Gabriel ouvre de grands yeux, et réussit à sourire.

Le bébé fait un rot en passant des bras de sa mère à ceux de son père, et Maggie se précipite pour lui essuyer le menton avec la manche de son chemisier. Gabriel prend le bébé dans ses bras avec une surprenante assurance.

— Mon Dieu*, murmure-t-il.

Il frotte son nez contre le crâne duveteux de James, lui embrasse la joue.

— Il est magnifique.

Gabriel relève la tête, et Maggie et lui restent ainsi les yeux dans les yeux. Il pleure.

— Mon fils, déclare-t-il fièrement. Mon gars*.

Maggie rit. Elle ne s'est pas sentie aussi heureuse depuis longtemps.

— Bonjour, mon homme*, dit-il tendrement, en le faisant sauter dans ses bras.

James le regarde en souriant. C'est le coup de foudre.

Gabriel se met alors à lui chanter une chanson. « Fais dodo, bébé à Papa…* »

Le cœur de Maggie bat la chamade. James roucoule et rigole.

« Si bébé fait pas dodo, grand loup-loup va le manger*. »

Le téléphone sonne et Maggie se lève pour répondre.

— Ton père est mort, lui annonce sa mère sans plus de cérémonie.

CHAPITRE 40

L'Homme qui sème est enterré dans le cimetière jouxtant l'église protestante. À peu près tous les agriculteurs de Frelighsburg à Granby sont venus lui rendre un dernier hommage. Maggie a peine à les reconnaître avec leurs visages solennels et leurs tenues habillées, habituée qu'elle est à les voir vêtus de salopettes et de bottines couvertes de boue, le visage bronzé et les ongles noirs de terre. Ils sont tous là – les Blais, LaPellure, O'Carroll, Cardinal, Loriot. Ils jettent des semences sur le cercueil pendant qu'on le descend en terre. Et Maggie verse quelques larmes lorsque celui-ci disparaît, complètement enseveli dans cette terre que son père aimait tant.

Elle pense aux catalogues de Wellington, à son jardin jamais réalisé, à son antre enfumé dans les anciens quartiers de la domestique, à ses radios maison, à ses cigares, à ses séminaires de Dale Carnegie, à ses livres de croissance personnelle, et à tous les moyens qu'il a pris pour se cacher de sa femme et oublier la triste réalité de sa vie domestique, sans pour autant ne jamais faillir à pourvoir aux besoins de sa famille, peu importe le prix à payer.

Maggie a été surprise d'apprendre que son père a fait d'elle son unique exécutrice testamentaire. Son testament comprend également une clause stipulant qu'elle décidera si l'entreprise sera vendue ou non, ce qu'elle a interprété comme un geste de conciliation. À la grande surprise et à la grande déception de Peter, personne d'autre au sein de la famille n'a voix au chapitre – pas même leur mère. La décision revient entièrement à Maggie. C'était malin de la part de son père, car, connaissant sa fille comme il la connaissait, il a compris qu'elle ne voudrait jamais – ne pourrait jamais – vendre son magasin.

Et il avait raison. Elle ne le vendra jamais.

À tour de rôle, les hommes s'approchent des membres de la famille Hugues pour leur serrer la main et leur offrir leurs condoléances. Une fois la cérémonie terminée, Maman s'accroche au bras de Géri, et toutes deux marchent résolument vers la Packard, suivies de Gabriel qui porte le bébé. Maggie reste derrière. Elle en profite pour passer un moment seule avec son père.

Elle peut à peine croire qu'il n'est plus là. Elle a été envahie par une torpeur qui a atténué sa souffrance et son sentiment de vide juste assez pour qu'elle vienne à bout de chaque journée. Elle s'agenouille, pose une main gantée sur la pierre et promet silencieusement à son père de poursuivre son œuvre avec la même passion et le même dévouement dont il a fait preuve.

Elle se relève après plusieurs minutes et en s'éloignant de la tombe aperçoit Clémentine Phénix qui émerge d'un boisé, un mouchoir de soie à motif cachemire pressé sur son visage. Elle saisit le bras de Maggie et la regarde d'un air suppliant. Elle a les yeux bouffis et rougis, et de sa peau émane le parfum du savon Yardley.

—Je t'offre toutes mes condoléances, dit-elle, la voix brisée.

Georgette traîne derrière Clémentine. Elle a les joues rougies par le froid et le nez qui coule. Comme elle a grandi, se dit Maggie. Elle doit avoir environ 17 ans maintenant, et elle a les mêmes taches de rousseur et les mêmes cheveux blond doré que sa mère. Elle porte un manteau abîmé qui ressemble à l'un de ceux que portait Vi il y a plusieurs années. À y regarder de plus près, Maggie constate que *c'est* le manteau de Vi – elle le reconnaît à son bouton manquant.

— Ton père était un homme bien, dit Clémentine.

— Merci du fond du cœur, répond Maggie, qui, troublée, continue de regarder le manteau en se demandant comment il a fini entre les mains de Georgette.

— Il connaissait peut-être les semences, poursuit Clémentine en regardant Maggie droit dans les yeux. Mais il ne comprenait rien aux fleurs, n'est-ce pas ?

Maggie recule, sans savoir quoi dire.

— Transmets nos condoléances à ta famille, ajoute Clémentine avant de s'éloigner, la neige crissant sous ses bottes et Georgette sur les talons.

Maggie retourne à la maison de ses parents, mais n'y reste pas longtemps. Encore perturbée par sa rencontre avec Clémentine, elle se sent incapable de recevoir d'autres condoléances, de faire la conversation en mangeant des canapés ou de tolérer l'absence de son père. Elle demande à Gabriel d'emmener le bébé à l'étage pour qu'il fasse sa sieste et elle se dirige là où elle va toujours pour trouver du réconfort, dans le champ de maïs.

Le soleil se couche derrière la maison des Phénix, et le ciel passe rapidement du bleu tendre au bleu marine. En marchant dans le champ gelé, Maggie passe en revue les éléments qui semblaient sans conséquence pris individuellement, mais qui, additionnés les uns aux autres, dressent le portrait d'une situation plus compromettante. Le parfum du savon Yardley sur la peau de Clémentine, le *Guide du jardinier* sur son étagère, le service à thé anglais, le vieux manteau de Violet porté par Georgette.

Maggie se souvient d'une jeune Clémentine en train de prendre soin de sa récolte, une main sur la hanche, l'autre caressant le maïs, une attitude que Maggie l'a vue adopter des centaines de fois. Son père n'a pas pu résister à cette femme, d'autant plus qu'il l'avait constamment sous les yeux.

Ce n'était pas une aventure sans lendemain, comprend Maggie. Leur liaison a sans doute duré longtemps après le jour où elle les a surpris.

Elle tourne les talons et se dirige vers la bicoque des Phénix. Elle frappe à la porte, et Clémentine ouvre aussitôt.

— Entre, lui dit-elle, comme si elle l'attendait.

Elle porte toujours sa robe noire, a toujours les yeux bouffis et tient toujours son mouchoir.

— Georgette est-elle la fille de mon père ? lui demande Maggie de but en blanc.

Clémentine recule, stupéfaite.

— *Oui ou non ?*

— Bien sûr que non, répond Clémentine, une nuance perceptible de défi dans la voix.

Maggie s'assoit sur le canapé sans y être invitée.

— Oui.

— Tout cela vient de lui, dit Maggie, en pointant du doigt les livres sur l'étagère, le service à thé. Nos vieux vêtements…

— Il essayait seulement de nous aider.

— Est-ce que ma mère est au courant ? demande froidement Maggie.

— Bien sûr que non. Elle m'aurait tuée.

— Et Gabriel ?

— Absolument pas.

— Mon père t'a obligée à le supplier de te faire crédit, lui rappelle Maggie. Même si vous étiez amants.

— C'est moi qui ne voulais pas de son argent. J'étais jeune et stupide, et orgueilleuse. Il m'a offert de m'aider financièrement, mais j'ai refusé. Lorsque je lui ai demandé de me faire crédit ce jour-là, au magasin, je crois qu'il m'en voulait de le faire devant tout le monde plutôt que de le laisser m'aider tranquillement. Il m'en voulait d'être têtue et fière.

Elle leur prépare à chacune un scotch, sans même demander à Maggie si elle en veut un.

— Est-ce qu'il t'aimait? demande Maggie.

— À sa façon, répond Clémentine, les yeux enfin secs. Pas comme il aimait ta mère. Pas assez pour la quitter. Il a toujours été sous l'emprise du désir. Il ne comprenait pas vraiment ce qu'était l'amour. Il a essayé pourtant. Il a vraiment essayé.

Maggie rit en entendant cela, et Clémentine rougit.

— *Moi*, je l'aimais, admet Clémentine. Je suis soulagée de pouvoir enfin le dire à voix haute.

Maggie se lève.

— Je suis désolée, murmure Clémentine.

Maggie ne répond pas. Elle est trop fatiguée. Elle n'est même pas en colère, juste épuisée.

Elle retourne à la maison de ses parents, le cœur lourd. Elle se sent seule. Une fois à l'intérieur, elle se dirige vers l'antre de son père et allume, étonnée de découvrir la pièce pratiquement vide. Ça sent les produits de nettoyage et l'eau de Javel. Le parquet fraîchement ciré reluit, et toutes les radios maison ont disparu. *Il* a disparu. On l'a littéralement nettoyé. Maggie reconnaît là l'œuvre de sa mère. Il n'y a plus de papiers éparpillés, de catalogues à moitié finis, de cendriers, de signes de ses passe-temps. Ses livres, habituellement empilés un peu partout, en fonction de ses trois ou quatre lectures du moment, sont maintenant rangés sur l'étagère, par ordre de grandeur. Les ouvrages sur l'agriculture côtoient ceux sur le commerce. Maggie passe la main sur le dos des livres, s'arrêtant sur l'un des vieux catalogues. Elle devra se rappeler de les apporter au magasin pour les ranger dans ce qui sera bientôt son bureau.

Elle s'agenouille devant la boîte à outils de son père qui est pleine de souvenirs: son diplôme d'horticulture, les cartes et les dessins que ses enfants ont faits pour lui au fil des ans, un portrait sépia élimé de sa mère. Elle essaie d'ouvrir le meuble de rangement qui se trouve dans le coin de la pièce, mais il est toujours verrouillé. La clé n'est pas à son endroit habituel.

La mère de Maggie apparaît soudain dans l'embrasure de la porte.

— Pourquoi as-tu déjà fait le ménage de son bureau? l'attaque Maggie, prête à se venger en lui disant la vérité à propos de Clémentine. Ça sent l'eau de Javel! Ça ne sent pas mon père.

— Qu'est-ce que tu voulais que je fasse?

— Tu aurais pu attendre.

— Pour quoi faire? dit Maman, ses yeux foncés remplis de larmes. Il ne reviendra pas!

— Ça t'est égal, l'accuse Maggie.

— Ce n'est pas vrai, répond Maman, je l'aimais.

— Vraiment?

— Je sais que je pouvais parfois être méchante avec lui...

— Ah, ça oui, l'interrompt Maggie avec un petit rire. Tu pouvais.

— Sors de là, maintenant, ordonne sa mère, en s'essuyant les yeux et le nez avec son tablier. Nous avons encore des invités.

— Où est la clé du meuble de rangement? demande Maggie.

— Je ne sais pas. Elle n'était pas dans la pièce quand je l'ai nettoyée. Il l'a probablement cachée après que tu as fouillé dans ses affaires.

Évidemment qu'il a fait cela.

— Qu'est-ce que tu cherches, de toute façon? lui demande sa mère. Tu sais tout ce qu'il y a à savoir.

Maggie éteint la lumière et suit sa mère. Elle ferme la porte derrière elle en se demandant où il pourrait bien avoir caché cette clé et si elle pourra un jour la trouver.

Elle monte dans l'ancienne chambre de Peter où James dort paisiblement, entouré d'oreillers pour l'empêcher de tomber du lit. Elle regarde le petit monticule formé par son corps monter et descendre au rythme de sa douce respiration, et elle est submergée par une puissante vague d'amour et, inexplicablement, d'optimisme. Cette résilience, elle l'a héritée de son père, un homme qui n'abandonnait jamais, un homme qui a persisté et persévéré, qui saisissait le plaisir à pleine main chaque fois qu'il le pouvait.

CHAPITRE 41

Maggie est réveillée par la lumière du soleil qui entre à flots dans la pièce à travers les rideaux diaphanes. Tout ce qui s'est passé la veille lui revient en mémoire : les funérailles, sa conversation avec Clémentine. Elle s'étire, se tourne vers Gabriel et se blottit contre lui.

Elle sent son cœur battre sous sa paume lorsqu'il presse sa main contre sa poitrine.

— Je veux que tu viennes vivre avec moi à Gaspé, dit-il de sa voix rauque de sommeil. J'ai acheté ce terrain pour nous, Maggie. C'est la raison pour laquelle je suis revenu. Pour que nous ayons un nouveau départ.

— Je ne peux pas partir ainsi.

— La Gaspésie est magnifique, s'enthousiasme-t-il, en se tournant pour lui faire face. C'est le meilleur des deux mondes. La campagne à côté de la mer.

— Ma vie est ici.

— Tu peux traduire des livres n'importe où.

— Mon père m'a légué le magasin, lui rappelle-t-elle. Et je veux m'en occuper. C'est ce que j'ai toujours voulu faire.

Gabriel soupire et se retourne sur le dos.

— Tu as complètement disparu de ma vie, reprend-elle. Tu ne peux pas revenir un an plus tard et t'attendre à ce que je laisse tout en plan. Je veux être avec toi, mais *ici*.

— Je veux élever mon fils, dit-il en allumant une cigarette. Un garçon a besoin de son père. Mon terrain est au bord de l'eau. Je peux lui apprendre à pêcher…

— Être père signifie plus que pêcher.

— Je sais bien.

— Tu ne comprends pas, dit-elle. Je veux rester ici pour diriger le magasin de mon père. C'est ce que j'ai toujours voulu faire. Et je vais réussir.

— Comment pourras-tu travailler et t'occuper de James ?

— Je vais trouver un moyen. Violet a offert de m'aider.

— Nous sommes une famille, Maggie. Nous devrions être ensemble.

— C'est-à-dire là où *tu* veux être.

— Je t'aime, dit-il. Je t'ai toujours aimée. Bon Dieu, Maggie. Aie un peu confiance et choisis-moi plutôt que de choisir ton père.

Le bébé pousse un cri retentissant depuis sa chambre, et Gabriel saute instinctivement du lit pour aller le chercher.

— Ne fume pas près de lui ! lui ordonne Maggie.

— Pourquoi pas ?

— Ce n'est pas bon pour ses poumons.

— Qui a dit cela ?

— C'est un bébé prématuré. Ses poumons sont fragiles.

Gabriel écrase sa cigarette, sort de la chambre et y revient quelques instants plus tard, en tenant James dans ses bras.

— Veux-tu venir vivre en Gaspésie, mon petit bonhomme ? demande-t-il au bébé, en lui embrassant le dessus de la tête et les joues.

Le vent qui entre par la fenêtre ouverte souffle sur les rideaux et sur les notes de traduction que Maggie avait déposées sur la table de chevet. Elles tombent par terre comme des feuilles d'automne. Maggie s'accroupit pour les ramasser, reconnaissante d'avoir quelque chose à faire.

Elle les remet en ordre sur la table avant de jeter un rapide coup d'œil à Gabriel.

— N'est-ce pas étrange, Maggie, dit-il en caressant les cheveux de son fils, de constater que tu as fait des fausses couches chaque fois que tu as été enceinte de ton mari? Seul mon enfant a survécu. Comment ne pas y voir un signe du destin?

— Je ne peux pas déménager à Gaspé.

— Tous les obstacles sont derrière nous, insiste-t-il. Ton père est parti. Tu n'as plus besoin de son approbation. Débarrasse-toi enfin de son plan pour ta vie, Maggie.

— C'est ce que tu ne comprends pas, répond-elle. Diriger le magasin est *mon* plan pour ma vie. Ça l'a toujours été.

Gabriel n'a pas l'air convaincu.

— Il ne s'agissait pas seulement de lui plaire, affirme-t-elle, plus sûre d'elle qu'elle ne l'a été depuis longtemps. Si elle décide de rester maintenant, c'est pour poursuivre son propre but, pas celui de son père.

— Ta place est ici, toi aussi, poursuit-elle. Tu ne veux tout simplement pas l'admettre.

— J'ai déjà acheté le terrain, Maggie. J'ai un emploi…

— Eh bien, tu pourras voir James chaque fois que tu viendras dans le coin.

— Si je comprends bien, ta décision est prise, dit-il en fixant son fils des yeux.

— Tu as bien pris la tienne, non?

Elle se détourne, car elle craint de ne pouvoir supporter une autre rupture. Après tout ce temps, ils ne sont pas prêts à faire les sacrifices nécessaires pour être ensemble. Gabriel veut être avec elle à ses conditions à lui, sur son territoire à lui, ce qui est exactement ce qu'*elle* a toujours voulu de *lui*. Tandis qu'il lui tend le bébé, elle comprend qu'elle appréhendait que ça se termine ainsi entre eux dès qu'elle lui a ouvert la porte. Lorsque les choses comptent réellement, ni un ni l'autre n'est prêt à s'engager. Peut-être que l'amour ne peut pas rivaliser avec l'essence d'une personne, avec ce qu'elle est fondamentalement.

Il remet le pantalon noir qu'il portait pour les funérailles, boutonne sa chemise blanche et fourre sa cravate dans sa poche sans dire un mot.

— Gabriel ? l'arrête-t-elle. Avant que tu retournes à Gaspé, il y a quelque chose que j'aimerais que nous fassions ensemble.

CHAPITRE 42

Par un dimanche matin froid et ensoleillé, Maggie regarde l'Hôpital Saint-Nazarius par la fenêtre de la voiture en sachant qu'elle n'a guère de chances de trouver ce qu'elle cherche. Tout ce qu'elle a obtenu du gouvernement en réponse à ses demandes d'information est la fiche de transfert officielle d'Élodie. Daté d'octobre 1957, ce document confirme que la petite a fait partie des dizaines de fillettes âgées de sept à douze ans qui ont été transférées cette année-là dans une institution anonyme de Montréal. Après avoir fait quelques recherches, Maggie a pu déterminer que trois principaux hôpitaux, dont Saint-Nazarius, ont accueilli la plupart des orphelines.

Maggie et Gabriel sont d'abord allés à l'Hôpital de la Merci, une visite qui s'est révélée fort déplaisante. Ils se sont fait réprimander par une équipe de religieuses très peu coopératives, qui de plus ont fait sentir à Maggie qu'il était criminel de tomber enceinte à 15 ans. Celle-ci a alors compris comment Clémentine avait pu se sentir dans sa propre ville.

L'Hôpital Saint-Nazarius est situé sur un vaste terrain comprenant au moins une douzaine de pavillons. L'entrée principale se trouve dans un imposant édifice de pierres grises en forme de U aux innombrables rangées de lucarnes, et dont le centre, bordé de deux piliers et surmonté d'une imposante croix, ressemble à une église.

— Prête ?

Maggie regarde Gabriel et hoche de la tête de manière peu convaincante.

Il lui prend la main lorsqu'ils sortent de la voiture. Sans un mot, ils franchissent le portail et s'approchent de l'édifice.

Avec ses fenêtres à barreaux, ses couloirs caverneux et sa forte odeur d'eau de Javel, le pavillon psychiatrique donne froid dans le dos. Maggie balaie l'étage du regard. Il y règne une propreté et un silence menaçants. Elle se demande où sont les enfants.

Elle se présente à la religieuse de la réception en disant qu'ils sont les parents d'une orpheline qui pourrait avoir été transférée à Saint-Nazarius en 1957.

— Elle est née le 6 mars 1950, précise-t-elle.

— Je ne peux pas vous aider, dit la religieuse, une femme à lunettes et aux lèvres minces. Tous les dossiers des patients sont secrets.

— J'ai la fiche de transfert, dit Maggie en la sortant de son sac à main et en la lui tendant. Je sais que la plupart des orphelines des villes périphériques ont été envoyées ici ou…

— Vous l'avez abandonnée, n'est-ce pas ?

— Oui, ma Sœur, mais j'avais 16 ans à l'époque. Je suis maintenant en mesure de prendre soin d'elle.

— Les dossiers sont secrets, madame. Vous avez cédé vos droits.

— Mais si elle est ici, s'énerve Maggie, élevant la voix, est-ce que ça ne serait pas mieux pour tout le monde que nous l'emmenions ?

— Ne pouvez-vous pas vérifier les dossiers ? demande Gabriel. Nous dire si elle est ici ?

— Nous connaissons la date exacte à laquelle elle a été transférée, ajoute Maggie, en montrant du doigt la fiche de transfert.

— Vous perdez votre temps, madame.

— Mais nous sommes ses parents ! s'écrie Maggie, en perdant tout contrôle. De toute façon, cette expérience barbare est sur le point de se terminer. Le docteur Lazure a récemment déclaré que la place des orphelins n'est pas dans les hôpitaux psychiatriques.

— Ce n'est pas comme ça que ça fonctionne, l'interrompt la religieuse. Nous avons encore des lois au Québec. Si cette petite fille était ici, c'est parce qu'elle était mentalement déficiente.

Gabriel pose la main sur l'avant-bras de Maggie pour la calmer.

— Ne pouvez-vous pas juste nous dire si elle est ici ? Ou si elle y a déjà été ? supplie Maggie, en baissant le ton. Un petit coup d'œil à son dossier ?

— Certainement pas, rétorque la religieuse, indignée.

Gabriel fixe Maggie du regard, lui intimant silencieusement de garder son calme. Elle l'ignore.

— Je reviendrai avec un avocat s'il le faut, dit-elle d'un ton menaçant au moment où une autre religieuse s'approche de la réception.

Celle-ci est petite et a les épaules larges, un visage rond et les yeux bruns, très écartés.

— Bonjour, dit-elle d'un ton chaleureux en prenant la relève de sa collègue. Je suis Sœur Ignatia. Est-ce que je peux vous aider ? Je supervise une des ailes.

Son attitude amicale met aussitôt Maggie à l'aise.

— Oui, ma Sœur, dit-elle, soulagée. Je vous remercie. Je cherche ma fille, Élodie. Elle a été transférée ici en 1957…

Un éclair de reconnaissance évident traverse le regard de Sœur Ignatia. Il n'échappe pas à Maggie et Gabriel qui s'échangent un coup d'œil plein d'espoir.

— Élodie de Saint-Sulpice, dit Sœur Ignatia, tandis que l'autre religieuse lui jette un regard perçant.

— Oui ! crie Maggie, le cœur battant.

— J'ai connu la petite Élodie.

— Connu ? répète Maggie, dont le cœur s'arrête.

— Elle avait 7 ans quand elle a été transférée ici.

— Oui, confirme Gabriel. Elle n'est plus ici ? A-t-elle été adoptée ?

— Élodie était très malade à son arrivée ici, explique Sœur Ignatia. Elle est décédée peu de temps après. Je suis navrée de vous l'apprendre.

Maggie s'effondre contre Gabriel. Elle sent ses mains se refermer sur les siennes, entend la religieuse dire quelque chose sur le fait qu'Élodie était très faible dès sa naissance. Mais elle ne pense qu'au fait qu'elle a abandonné son enfant.

— Je peux vous remettre une copie de son dossier, propose Sœur Ignatia.

— S'il vous plaît, dit Gabriel quand il voit que Maggie ne répond pas. Ce serait très aimable de votre part.

Sœur Ignatia disparaît dans le couloir, ses souliers crissant sur le lino, sa robe bruissant derrière elle. Ils attendent une vingtaine de minutes dans un silence lourd avant qu'elle revienne portant une enveloppe à l'effigie de Saint-Nazarius.

Hébétée, Maggie ouvre l'enveloppe et jette un coup d'œil aux notes gribouillées. Même à travers ses larmes, elle distingue certains mots.

« Retard mental grave. Danger pour elle-même et les autres. Hallucinations paranoïdes. Accès de violence et convulsions. Grippe. »

Le diagnostic est signé par quelqu'un de l'Hôpital psychiatrique Saint-Sulpice. Le nom est illisible. Un gribouillis.

— Elle n'avait pas de retard mental, dit Maggie, en levant les yeux.

Sœur Ignatia sourit avec sympathie, mais ne dit rien. Son regard – plein de pitié et de reproche – est éloquent.

— Ce n'est pas possible, refuse Maggie. Peut-il y avoir eu une erreur ? Un mélange de dossiers ?

— Je l'ai connue, madame, dit doucement Sœur Ignatia. Elle avait beaucoup de problèmes. Non seulement des problèmes de santé, mais des problèmes affectifs et de graves problèmes mentaux. Ces notes ont été écrites par un médecin.

— Où est le certificat de décès? demande Maggie. Il n'y a rien dans le dossier après 1957, même pas la mention de son décès.

— S'il y avait un certificat de décès, répond calmement Sœur Ignatia, il serait archivé au gouvernement.

— Que voulez-vous dire par *si*?

— Votre fille était mentalement déficiente et née en dehors des liens du mariage, dit Sœur Ignatia de sa voix sucrée comme du sirop. Il est peu probable que son décès – sans parler de sa vie – ait été enregistré où que ce soit, autrement que sur le bout de papier que vous avez entre les mains.

Une fois qu'ils sont dehors, Maggie ramasse une pierre et la lance sur la façade en briques de l'hôpital.

— Je ne crois pas ce qu'elle dit, déclare-t-elle, en se tournant vers Gabriel.

— Maggie…

— Ma fille n'est pas morte. Je vais écrire au gouvernement pour obtenir son certificat de décès.

Il l'attire vers lui, essaie de la prendre dans ses bras, mais elle résiste.

— Je ne vais pas abandonner, s'entête-t-elle.

— Cette sœur n'avait aucune raison de mentir, lui dit doucement Gabriel. Il est temps de lâcher prise.

— Il n'en est pas question, rétorque Maggie. Je ne crois pas un mot de ce qu'a dit cette femme. Elle avait une mine sinistre.

— Je comprends que tu as besoin de continuer à croire…

— Ma fille est vivante, et je vais la retrouver.

CHAPITRE 43
Élodie

1961

Par un après-midi de la fin de l'hiver, Élodie est interrompue au milieu de son quart de travail par une religieuse qui lui demande de la suivre. Toute la neige a fondu et le monde extérieur apparaît gris et terne à travers les fenêtres à barreaux. Élodie quitte sa Singer et, silencieuse et désemparée, emboîte le pas à la religieuse, dont la robe balaie le sol. Jamais elle n'oubliera ce bruissement caractéristique de mauvais augure.

Elles grimpent six volées de marches avant d'atteindre le hall principal de l'aile psychiatrique, mais plutôt que de franchir les portes verrouillées menant à l'aile d'Élodie, la religieuse frappe à la porte d'un bureau.

— Entrez*, fait une voix d'homme.

La religieuse ouvre la porte et pousse doucement Élodie dans la pièce.

— Élodie de Saint-Sulpice*, dit-elle avant de disparaître.

— Je suis le Dr Lazure, se présente l'homme en saisissant un dossier sur son bureau et en levant à peine les yeux. Assieds-toi s'il te plaît.

Élodie ne bouge pas d'un iota. Son corps est comme paralysé lorsqu'elle comprend ce qui se passe.

— Je ne te mordrai pas, la rassure-t-il.

Elle ouvre la bouche pour parler, mais aucun son n'en sort. Elle est complètement figée. Son sort dépend de ce qu'elle dira et fera dans ce bureau. Elle a échoué la dernière fois. Elle n'a pas dit ce qu'il fallait, et on a cru qu'elle était idiote ou arriérée ou difficile. L'erreur qu'elle a commise, quelle qu'elle soit, a ruiné son existence. Cela ne peut pas se reproduire une deuxième fois.

Toujours incapable de bouger, Élodie se met à trembler sous le regard du médecin.

— Tu n'as rien à craindre, dit-il.

Il semble gentil, mais il vaudrait mieux qu'elle ne lui fasse pas confiance. Elle s'est fait avoir deux fois par des médecins et a payé cher ces erreurs de jugement.

— Assieds-toi, répète-t-il d'un ton plus ferme.

Ses jambes bougent enfin et elle obéit au médecin.

— Je fais partie d'une équipe de psychiatres qui enquête sur les institutions comme Saint-Nazarius, lui dit-il. Nous examinons des centaines d'enfants comme toi…

— Pourquoi ?

— Parce que nous faisons partie d'une commission qui a pour tâche de déterminer si oui ou non la place des enfants comme toi est dans un endroit comme celui-ci.

— Qu'est-ce qu'une commission ? demande Élodie en le regrettant aussitôt.

Il va penser qu'elle ne connaît rien, qu'elle est arriérée ou ignorante, comme lui a dit Sœur Camille.

— C'est un groupe de personnes à qui l'on confie une responsabilité ou un projet, répond-il d'un ton neutre. Je ne travaille pas dans cet hôpital, vois-tu. Ce n'est pas mon bureau. Je ne suis ici que pour te poser quelques questions.

Elle opine, en respirant nerveusement. Elle remarque le dossier devant lui et ne peut s'empêcher de le fixer du regard. C'est son dossier. Elle a reconnu sa date de naissance : *06-03-50.*

— Pouvons-nous commencer? lui demande-t-il.

— Oui, monsieur*.

— N'oublie pas, je suis ton allié.

Elle ne sait pas ce qu'*allié* veut dire, mais cette fois, elle n'ose pas le dire.

— Depuis combien de temps es-tu ici, Élodie?

— Quatre ans.

— Et avant cela?

— J'étais à l'orphelinat.

— Et maintenant, tu as... ?

— Onze ans? dit-elle en hésitant, en se demandant si c'est une question piège.

— Ce n'est pas un test, précise-t-il, en devinant ce qu'elle pense. Élodie, sais-tu pourquoi tu es ici à Saint-Nazarius?

— Non, monsieur.

Il prend une note dans son dossier.

— Parce que le médecin de l'orphelinat pensait que j'étais arriérée? risque-t-elle. Ou folle?

Le Dr Lazure continue de prendre des notes.

— Le jour du changement de vocation, poursuit-elle, Sœur Tata nous a dit que nous étions toutes arriérées mentales, mais seulement moi et Emmeline et quelques autres petites filles avons été envoyées ici, à Saint-Nazarius. C'est sans doute parce que nous avions fait quelque chose de mal...

Le Dr Lazure lève les yeux vers elle, mais ne dit rien.

— Je ne suis pas arriérée, dit Élodie en élevant la voix. Ma place n'est pas ici. Je suis orpheline, pas malade mentale. Sœur Camille dit que j'ai du retard parce que ça fait longtemps que je suis ici, mais ça ne veut pas dire que je suis folle.

— En effet.

— Alors, je ne connais peut-être pas toutes les réponses aux questions que vous allez me poser, mais je ne suis pas folle.

Le Dr Lazure approuve en fronçant les sourcils. Elle ne sait pas si elle a dit quelque chose qu'il ne fallait pas ou qui a déplu au médecin. *Tais-toi,* s'exhorte-t-elle.

— Je ne connaissais pas les réponses aux questions que les autres médecins m'ont posées et c'est la raison pour laquelle on m'a envoyée ici. Mais j'avais seulement sept ans…

— Ce n'est pas un test auquel tu peux échouer.

— Ah non ? dit-elle. Je veux sortir d'ici. *Il le faut.*

— Je comprends.

Elle hoche la tête.

— Non, vous ne pouvez pas comprendre.

— Explique-moi, alors.

— Elles ont tué mon amie, laisse-t-elle échapper. Emmeline de Saint-Sulpice. Nous sommes arrivées ici en même temps. Ce n'est pas la première qu'elles ont tuée.

Élodie met sa main devant sa bouche. Encore une fois, elle a trop parlé. Ce genre de bavardage imprudent lui a déjà attiré des ennuis auprès de Sœur Ignatia. Que se passera-t-il si ce médecin lui rapporte ses propos comme le précédent l'a fait ?

— C'est une accusation très grave, dit le Dr Lazure.

— Mais c'est vrai, poursuit Élodie, incapable de s'arrêter. Elles ont donné une surdose de Largactil à Emmeline. Une autre petite fille a été tuée parce qu'elle chantait. Elles n'étaient pas arriérées. C'était juste des orphelines, comme moi…

Le Dr Lazure opine. Une veine bleue bat sur son front et un pli profond se forme entre ses yeux. Élodie sait qu'elle a encore fait une grave erreur. Elle baisse les yeux vers le sol, en tentant de cacher ses larmes et d'empêcher ses lèvres de trembler.

Le médecin reprend la parole au bout d'un moment ; sa veine bleue a eu le temps de disparaître de son front.

— Peux-tu me dire ce que c'est, mon petit ? lui demande-t-il en lui montrant une image de ce qui ressemble à une petite boîte sur laquelle il y a des boutons.

— Non, monsieur.
— C'est une radio, lui dit-il. Et ça?
— Non, monsieur.
— C'est un accordéon. Et ceci?
— Une voiture, dit-elle, en la reconnaissant aussitôt.
Il continue à lui présenter d'autres images de différents objets. Elle en reconnaît certains, mais pas tous.
— C'est un réfrigérateur, lui apprend-il.
C'est un ananas, un téléphone, un cadeau, un tracteur, un cœur.
— C'est comme la dernière fois, l'interrompt-elle, la voix brisée. Je n'ai jamais vu ces choses, mais ça ne veut pas dire que je suis folle!
— Bien sûr que non, lui concède-t-il.
— Je suis ignorante. C'est tout.
Il sourit tristement et prend une note dans son dossier.
— Si vous nous laissez sortir d'ici, dit-elle, pensez-vous que vous pourriez vous arranger pour que je retourne à Saint-Sulpice? Au cas où ma mère viendrait me chercher?
Le visage du médecin s'assombrit. Il évite de regarder Élodie.
— C'est tout pour aujourd'hui, dit-il.
Elle reste assise un moment, ne voulant pas partir sans qu'il lui dise quelque chose de concret à quoi elle pourra s'accrocher, une quelconque promesse, ou un peu d'espoir qui lui permettra de persévérer le temps qu'elle restera à Saint-Nazarius.
— Ce n'est pas ma place, ici.
Il acquiesce et se lève.

Les jours s'écoulent dans une sorte de léthargie, chacun plus sombre que le précédent. Les jeunes filles de l'aile d'Élodie disparaissent l'une après l'autre, mais elle y reste. Sœur Camille l'assure que son tour viendra, mais elle commence à en douter. Les plus âgées – celles qui ont 18, 19 ans ou la jeune vingtaine – quittent l'hôpital avec pour tout bagage une valise et une prière. Elles doivent se trouver du travail et un endroit où vivre, une tâche qui semble insurmontable à Élodie, compte tenu de leur manque de compétences et de leur connaissance limitée du monde. Elle s'estime heureuse de n'avoir que onze ans.

— Que fais-tu ?

Élodie relève vivement la tête. Sœur Ignatia se tient au-dessus d'elle.

— Je me berce, répond Élodie, d'un ton légèrement plus défiant que d'habitude.

— Les toilettes et les planchers de la salle de bain de ton dortoir ont besoin d'être nettoyés, dit Sœur Ignatia, le regard dur. Maintenant qu'Yvette est partie, c'est à toi de le faire.

— J'ai déjà un travail…

Le revers de la main de Sœur Ignatia heurte violemment la tempe d'Élodie avant même qu'elle ait fini sa phrase.

Elle se prend la tête entre les mains pour faire cesser le bourdonnement dans ses oreilles. Les larmes lui brûlent les yeux.

— Quand je vais sortir d'ici…

— Tu ne sortiras *pas* d'ici, l'interrompt Sœur Ignatia.

— Je suis orpheline, reprend Élodie, enhardie. C'est pour cette raison que le médecin m'a posé des questions.

— Et où penses-tu aller ?

— Je vais retourner dans un vrai orphelinat ou un foyer d'accueil, quelque part où ma mère pourra me trouver.

— Ta mère est morte, assène la religieuse d'un ton presque triomphant.

Le pouls d'Élodie s'accélère.

— Non, ce n'est pas vrai, dit-elle, la voix tremblante. Vous me faites marcher.

— C'est dans ton dossier, dit Sœur Ignatia, l'expression dénuée de pitié.

— Je ne vous crois pas, réussit à dire Élodie, la bouche sèche.

Sœur Ignatia tourne les talons et quitte la pièce. Élodie se remet à se bercer en tentant de se calmer. Est-ce possible ? Sa mère serait morte ?

La petite fille qui se berce à côté d'elle – une vraie malade mentale – pousse un cri perçant.

— Tais-toi, marmonne Élodie.

La petite fille crie de plus belle, en montrant les dents comme un animal.

— Je t'ai dit de te taire ! crie Élodie en pleurant.

La petite marmonne quelque chose d'inintelligible, puis se met à gémir.

Sœur Ignatia est de retour, brandissant un dossier devant le visage d'Élodie.

— Tiens, lui dit-elle. Pour que tu le saches une bonne fois pour toutes.

Elle ouvre le dossier.

— Mère décédée, lit-elle à voix haute avant de le montrer à Élodie.

Celle-ci arrive à lire le mot « mère », mais l'autre mot – « décédée » – n'est qu'un assemblage de lettres aléatoires. Elle ne sait plus très bien lire.

— Elle est morte, reprend la religieuse. Elle est morte en accouchant. Dieu l'a punie de ses péchés. Tu n'as pas de père. Tu es une bâtarde et tu n'as aucun autre endroit où aller. Tu es trop jeune pour être laissée à toi-même et trop vieille pour aller dans un orphelinat ou une famille d'accueil. *Personne* ne veut d'une fille pubère. Tu es tombée entre les mailles du filet. C'est donc ici que tu resteras.

— Ce n'est pas vrai, répond Élodie, la voix étranglée.

Sœur Ignatia a un sourire suffisant.

— C'est écrit là, dit-elle en pointant du doigt les lettres élégamment tracées à l'encre noire qui indiquent à tout jamais que sa mère est décédée.

— Vous ne me l'aviez jamais dit !

— Je te le dis maintenant.

CHAPITRE 44
Maggie

Maggie entre dans le magasin et allume. C'est la première fois qu'elle a envie de se retrouver ici depuis le décès de son père ; elle y est revenue ce soir pour renouer avec lui en quelque sorte. Elle jette un regard à la ronde, prise d'un accès de douleur. Son père ne remettra plus jamais les pieds ici, n'arpentera plus jamais ces lieux, n'enregistrera plus jamais une vente, ne s'engagera plus jamais dans un débat politique avec les agriculteurs canadiens-français dont il se moquait et qu'il adorait. C'est le magasin de Maggie maintenant.

Elle se dirige vers le grenier, s'arrête devant les caisses de semences. Elle ouvre un tiroir, saisit une poignée de semences de fraisier des Indes et la laisse filer entre ses doigts. Un jour, se dit-elle en gravissant l'escalier, ce sera au tour de James de passer ses samedis à peser les semences – tout comme elle.

Rien n'a changé dans le grenier. La balance, la pile de petites enveloppes jaunes, la cuillère de métal. Elle jette un regard sur la ruelle par la fenêtre, en se remémorant la jeune fille pubère qu'elle était à l'époque : pleine de grandes ambitions et éprise du pire cauchemar de son père. Même l'odeur est la même : humidité, terre, moisissure.

Elle redescend et entre dans le bureau de son père, le sien maintenant : l'endroit où Wellington se prenait la tête sur les factures à régler, additionnait les montants à recevoir, commandait ses semences ; l'endroit où Maggie l'a surpris avec Clémentine. Elle s'assoit à la grande table de travail où des piles bien ordonnées de dossiers l'attendent : *Comptes fournisseurs, Stock, Factures en souffrance, Commandes en attente.*

Demain, elle rencontrera le gérant du magasin pour passer en revue les systèmes de son père et apprendre les ficelles du métier. Cet homme s'est occupé de Semences Supérieures pendant que Wellington était à l'agonie. C'est lui qui a maintenu l'entreprise à flot et l'a dirigée. Maggie devra éviter de marcher sur ses platebandes – ou sur celles de quiconque. Elle devra faire particulièrement attention à la vendeuse. « Si tu décides de rester et de diriger le magasin, lui a dit son père, fais-le avec humilité. Donne à tes collaborateurs le temps de s'adapter à toi. » C'est l'un des derniers conseils qu'il lui a donnés.

C'était étrange venant de lui, car l'humilité n'a jamais été son point fort. Mais Maggie a compris qu'elle-même devra réprimer toute forme d'orgueil si elle veut gagner le respect de ses employés et de ses clients. Assise dans ce bureau maintenant, elle mesure toute l'étendue de la tâche qui l'attend, ce qui la rend nerveuse et mal à l'aise. Et si elle échoue ? Et si l'entreprise fait faillite lorsqu'elle sera entre ses mains inexpérimentées ?

Puis elle se rappelle que son père a eu assez confiance en elle pour lui léguer son bien le plus précieux. Elle a le sens des affaires, a toujours aimé relever des défis, et est sur le point de prendre la relève alors qu'elle n'a même pas 30 ans.

Elle ouvre le premier tiroir du bureau, qui dégage une odeur de moisi, de bois mouillé. Et là, dans ce tiroir par ailleurs vide, se trouve une enveloppe de semences sur laquelle figure son nom, *Maggie*, tracé de l'élégante écriture carrée de son père. Elle l'ouvre et y découvre la clé du meuble de rangement ainsi qu'une simple note. *Tu as toujours été ma fleur sauvage.*

Sans perdre une minute, elle se rend chez ses parents. La maison est dans le noir complet. Tout le monde dort. Elle entre sans faire de bruit dans le bureau de son père et déverrouille le meuble de rangement.

Dans le tiroir du bas, elle découvre, bien pliée, une petite couverture de flanelle blanche pour bébé. Lorsqu'elle la déplie, elle lit les mots PROPRIÉTÉ DE L'HÔPITAL BROME-MISSISQUOI-PERKINS HOSPITAL imprimés sur le tissu, et sent un minuscule bracelet d'hôpital tomber sur ses genoux. Il n'y a qu'une date sur l'étiquette, *6 mars 1950,* mais pas de nom. Elle presse la couverture sur son nez, la sent. La couverture d'Élodie.

Son père était plus sentimental qu'elle ne l'aurait cru.

Sous la couverture se trouve une large enveloppe de papier kraft de Sonny Goldbaum.

Elle s'assoit en tailleur par terre et déchire l'enveloppe pour l'ouvrir. Elle y trouve un certificat de naissance de l'Hôpital Brome-Missisquoi-Perkins et plusieurs lettres écrites sur du papier fin de couleur bleue. Du bureau de Sonny H. Goldbaum.

Le 9 septembre 1949

Je vous remercie d'être venu en ville pour me rencontrer, M. Hughes. C'était un plaisir de faire votre connaissance. Je commence ma recherche immédiatement afin de trouver une famille convenable. Veuillez me tenir au courant de l'évolution de la grossesse de votre fille, de sa santé, de la date prévue pour l'accouchement, etc. Comme je vous l'ai mentionné, la famille adoptive sera de confession juive, mais soyez assuré que les familles que je consens à représenter sont hautement recommandables.

Le 12 décembre 1949

Bonne nouvelle, M. Hughes, j'ai trouvé un couple qui est ravi à l'idée d'adopter le bébé de votre fille. Ces deux jeunes gens sont incapables de concevoir et ont de la difficulté à adopter un enfant en passant par la filière habituelle. Vous les aidez à réaliser leur rêve. Ils ont accepté votre prix. Je communiquerai avec vous pour vous donner de plus amples renseignements. Comment va la grossesse ?

Le 4 février 1950

M. Hugues,

Voici ce qu'il en est de la logistique : vous amènerez l'enfant à Sœur Jeanne-Edmoure à l'Hôpital de la Merci, qui me l'amènera ensuite. Vous serez payé à l'avance, tout comme le seront le médecin et Sœur Jeanne-Edmoure. Il n'y aura aucun échange d'argent entre vous et les autres parties. Vous ne verrez pas les parents adoptifs et ne connaîtrez pas leur nom. Il est entendu qu'il n'y aura pas de contact entre vous.

Le 18 mars 1950

M. Hughes,

Je n'ai pas réussi à convaincre le couple de prendre le bébé à cause de ses problèmes de santé. Je poursuivrai mes recherches afin de trouver une autre famille, mais comme je vous l'ai mentionné, la jaunisse et le faible poids du bébé à la naissance rendent les choses plus difficiles. Je vous tiendrai au courant.

Maggie poursuit son examen de la correspondance et trouve une coupure du journal *La Presse*, datée de février 1954.

« Hier, l'avocat montréalais Sonny Hyman Goldbaum a été mis en état d'arrestation et accusé de falsification de certificats de naissance et d'incitation à infraction majeure, en association avec un réseau international de vente de bébés sur le marché noir. Goldbaum, 31 ans, a plaidé non coupable, mais les preuves accumulées jusqu'à maintenant démontrent que plus de 1000 bébés canadiens-français nés à Montréal ont été vendus illégalement à des familles juives des États-Unis.

Voici comment les choses se déroulaient selon nos sources. Une famille de New York souhaitant adopter un bébé communiquait avec un avocat américain qui l'adressait ensuite à Goldbaum. Une fois les détails financiers réglés, un membre du réseau obtenait un bébé auprès d'un foyer de filles-mères, avec ou sans le consentement de la mère biologique, et l'acheminait ensuite à destination, accompagné d'un visa et d'un passeport falsifiés. On s'attend à ce qu'il y ait plus d'arrestations au sein de ce que l'on décrit comme un réseau de médecins, avocats, infirmières et autres intervenants, dont le chiffre d'affaires s'élève à plusieurs millions de dollars. »

Maggie continue à fouiller dans le meuble de rangement et en sort les autres objets que son père a laissés à son intention. Notamment, des livres sur les affaires – *La bible de l'entrepreneur, La pratique de la direction des entreprises* de Drucker, *Réfléchissez et devenez riche* de Napoleon Hill – et sur le jardinage, de vieux catalogues et une rédaction que Maggie avait écrite en troisième année.

La personne que j'admire le plus

On surnomme mon père l'Homme qui sème, car il a la plus vaste sélection de semences dans tous les Cantons-de-l'Est. Son magasin s'appelle Semences Supérieures/Superior Seeds. L'affiche est en français et en anglais…

En reniflant et en essuyant ses larmes, Maggie tombe sur les épreuves de sa première traduction, *We Shall Overcome.* Puis, elle ouvre *Le guide des fleurs sauvages de l'est du Canada* et découvre, entre les pages, les silphies jaune vif qu'elle avait données à son père le jour où elle a déménagé à Montréal. Elle avait pensé qu'il les oublierait en le voyant déposer le bouquet sur le comptoir du magasin.

Elle presse la couverture d'Élodie sur son visage et ramène ses genoux contre sa poitrine. Assise parmi les précieux souvenirs que son père a accumulés pour elle au fil des ans, Maggie comprend à quel point il l'aimait même s'il ne le lui a pas dit souvent. Il ne semblait même pas approuver sa conduite, mais les découvertes qu'elle a faites aujourd'hui disent le contraire.

En feuilletant encore une fois les pages usées du guide sur les fleurs sauvages, Maggie tombe sur deux enveloppes réunies par une bande élastique, toutes les deux adressées à Wellington Hughes dans une écriture à torsades démodée. Elle en ouvre une première, dont s'échappe une petite photo noir et blanc d'une fillette qui se tient debout dans un jardin. Elle a les cheveux coupés au bol, et porte une robe chasuble et des chaussures bicolores; elle tient une poupée débraillée dans une main et ce qui ressemble à un dessin dans l'autre. Une date est inscrite sur la bordure blanche: 17 juin 1953.

Maggie fixe la photo du regard pendant un moment, puis sort la lettre de l'enveloppe.

Cher M. Hughes,
L'enfant pour laquelle vous et votre épouse avez manifesté de l'intérêt est une petite fille intelligente et sociable qui est avec nous depuis sa naissance. Elle est en parfaite santé et franchit bien toutes les étapes de la croissance. Donnant suite à votre demande, je joins une photographie. Si vous souhaitez lui rendre visite une autre fois, nous serons heureuses de vous accueillir le jour qui vous conviendra. Nous pourrons également discuter des mesures à prendre pour son adoption.
Sincères salutations,
Sœur Alberta

Hébétée, Maggie saisit l'autre enveloppe et en sort une lettre, datée de novembre 1955.

M. Hughes,
Vous n'êtes peut-être pas au courant du fait que, conformément à une récente décision du gouvernement, l'orphelinat de Saint-Sulpice

a été converti et est désormais l'Hôpital psychiatrique Saint-Sulpice. L'enfant dont vous parlez n'est plus ici. Je ne suis autorisée à divulguer aucun autre renseignement.

Sincères salutations,

Sœur Alberta

Maggie a besoin d'un moment pour absorber ce qu'elle vient de découvrir. Elle regarde à nouveau la photo, s'émerveille devant cette petite fille. *Sa fille.*

Soudain, tout se met en place.

Non seulement son père a-t-il trouvé Élodie, mais il lui a rendu visite à l'orphelinat et a prétendu vouloir l'adopter pour savoir… quoi ? Si elle était en vie et en santé, si elle franchissait bien « toutes les étapes de la croissance » ? Était-il simplement curieux ou voulait-il se faire rassurer, se faire dire qu'elle s'en sortait bien, pour se déculpabiliser ?

Puis, une fois qu'il l'a vue et qu'il a constaté qu'elle s'épanouissait et qu'elle serait probablement adoptée, il semble s'en être désintéressé jusqu'en 1955, à peu près à l'époque où les orphelinats étaient convertis en hôpitaux psychiatriques.

Je suis désolé de ne pas l'avoir sauvée quand je le pouvais.

Il a essayé de la recueillir, mais il était trop tard. Elle avait déjà été déclarée malade mentale. Sœur Alberta, la signataire de la lettre, a caché la vérité ; Élodie n'a pas été transférée avant 1957. Ces bonnes sœurs étaient-elles toutes des menteuses ? Ont-elles toutes contribué à détruire la vie d'enfants sans défense pour obtenir le plus de fonds possible tout en protégeant l'Église ?

Maggie presse la photo de sa fille sur sa poitrine et se recroqueville sur elle en pleurant doucement.

On frappe à la porte. Surprise, elle se lève, s'essuie les yeux et le nez, traverse la cuisine et découvre Gabriel qui attend dehors.

— Que fais-tu ici ? lui demande-t-elle en le laissant entrer.

— Je suis allé chez toi, et tu n'y étais pas. J'ai supposé que tu serais ici.

Il la suit dans le bureau de son père.

— On dirait que tu as pleuré, dit-il en posant une main sur sa joue. Tu as eu une dure semaine.

— On peut dire ça, oui.

Elle regarde au loin pour qu'il ne la voie pas pleurer de nouveau.

— Je ne sais pas combien de temps je vais y mettre, dit-il.

— De quoi parles-tu?

— Combien de temps je vais mettre à quitter mon emploi, faire mes bagages, vendre mon terrain.

— Vendre ton terrain? fait-elle en le regardant, déconcertée.

Il opine.

— Mais tu aimes ton travail, demande-t-elle. Tu aimes la mer...

— Je peux pêcher ici, Maggie. Et c'est juste un terrain. Je veux être avec toi et je veux élever notre fils. Je ne pense à rien d'autre depuis que je suis ici.

— Vraiment?

— C'est notre destin d'être ensemble. *Ici*, dans les Cantons-de-l'Est. Comme tu l'as dit. Cela a toujours été notre destin.

Sans un mot, elle tombe dans ses bras en sanglotant.

— Est-ce que ce sont des larmes de joie? lui demande-t-il, en écartant les cheveux de son visage.

Elle s'écarte de lui et lui montre la photo.

— Qu'est-ce que c'est?

— C'est une photo d'Élodie, dit-elle. Je l'ai trouvée dans les affaires de mon père. Il y avait une lettre aussi. Gabriel, elle n'était pas malade.

Il paraît troublé.

— Cette religieuse à Saint-Nazarius nous a menti. Regarde.

Elle lui donne la lettre pour qu'il la lise.

— Élodie n'a jamais été malade, répète-t-elle avec force, relisant la lettre par-dessus l'épaule de Gabriel. Le gouvernement n'a pas de certificat de décès. Pourquoi devrions-nous croire qu'elle est morte?

CHAPITRE 45
Élodie

1967

Allongée sur son lit, Élodie ne dort pas; elle regarde ce plafond qu'elle en est venue à haïr. Peu importe que l'Aile A soit appelée l'Aile de la liberté et qu'il vaille nettement mieux y vivre que dans l'Aile B, elle déteste le moindre centimètre carré de cet hôpital. Il est vrai que dans l'Aile A – où elle se trouve depuis 1964 –, elle peut aller et venir à sa guise dans l'hôpital, elle a plus d'indépendance et elle ne subit plus de mauvais traitements. Mais pour elle, Saint-Nazarius reste ce qu'il a toujours été: une prison.

C'est la dernière nuit qu'elle y passe. Sœur Camille a fait le nécessaire pour qu'elle aille vivre avec Marie-Claude, une jeune fille sortie de Saint-Nazarius presque un an auparavant. Celle-ci habite dans un appartement d'une pièce et demie au sous-sol d'un immeuble situé dans le quartier Pointe-Saint-Charles. Élodie se souvient d'elle: une grande fille tranquille dont l'attitude servile et accommodante lui a évité au moins quelques-uns des supplices et des châtiments subis par les autres. Marie-Claude et Élodie n'étaient pas vraiment amies, mais elles se connaissent pour avoir cohabité sans histoires dans l'Aile B.

Élodie se tourne sur le côté et ferme les yeux. Demain, elle sortira de cet endroit pour entreprendre son avenir. Aussi absurde que cela puisse paraître, ce qu'elle ressent par-dessus tout ce soir, c'est de la peur. En réalité, elle préférerait presque rester à Saint-Nazarius. *Presque.*

Ici, elle sait à quoi s'attendre et elle sait ce qu'on veut d'elle. Ses journées se déroulent à un rythme régulier, et sont caractérisées par une familiarité et une prévisibilité qu'elle n'est pas tout à fait prête à abandonner. Qui sait ce qui l'attend dehors ?

Après que Sœur Camille lui a trouvé un endroit pour vivre, le directeur médical de Saint-Nazarius l'a fait venir dans son bureau pour tenter de la convaincre de rester.

— Que vas-tu bien pouvoir faire dehors ? lui a-t-il demandé.

Elle a haussé les épaules ; elle n'en avait aucune idée. Il lui a offert une chambre particulière – ailleurs que dans l'aile psychiatrique – et un travail rémunéré à la pharmacie de l'hôpital ainsi que la liberté d'aller et venir à sa guise.

C'était une offre tentante, et Élodie a promis au directeur médical d'y penser. De fait, pendant des jours, elle a été tourmentée par la question qu'il lui avait posée. *Que vas-tu bien pouvoir faire dehors ?*

Elle n'a aucune instruction, aucune compétence, pas d'argent, pas d'amis ni de famille. Après l'orphelinat, elle n'a quitté le site de Saint-Nazarius que pour faire quelques sorties en autobus dans les environs. Elle vit en institution depuis l'âge de cinq ans, y a passé la majeure partie de ses 17 années d'existence.

Au moins ici elle a Sœur Camille, qui est devenue sa meilleure amie, à qui elle peut se confier et qui prend sa défense. La religieuse lui a appris à lire en se servant de la Bible, elle l'a fait transférer à l'Aile A. Et c'est à elle qu'Élodie doit sa libération.

Et si le monde réel n'était pas mieux que Saint-Nazarius ? Elle ne sera certainement pas capable de cacher sa stupidité et son manque d'expérience, et tout le monde saura qu'elle a grandi dans un hôpital psychiatrique.

Élodie se lève en même temps qu'apparaît enfin le soleil à la fenêtre ouest de son dortoir. Elle prend sous son lit la petite valise que Sœur Camille lui a donnée la veille au soir et l'ouvre sur le matelas en prenant bien soin de ne pas réveiller les autres. Elle y range soigneusement ses deux robes, chemises de nuit, sous-vêtements et paires de chaussettes – qui lui ont été donnés au fil des ans – ainsi que la Bible dont Sœur Camille lui a fait cadeau. Elle avance à pas feutrés jusqu'à la salle de bain pour s'habiller. Après s'être brossé les dents et les cheveux, elle se regarde une dernière fois dans le miroir ébréché au-dessus du lavabo de porcelaine.

Elle n'éprouve que de la haine pour le reflet que lui renvoie le miroir. Ses cheveux courts coiffés à la Jeanne d'Arc sont plats et d'une couleur indéterminée, sa peau est cireuse et ses yeux sont éteints. Elle a l'air folle et c'est la première chose que les gens remarqueront.

Elle range sa chemise de nuit et ses articles de toilette dans sa valise, avant de la refermer. *Tu devrais être heureuse aujourd'hui,* se dit-elle. *C'est le jour dont tu as rêvé toute ta vie.*

Elle borde son lit et jette un dernier regard sur la pièce.

Les couloirs sont silencieux. Une partie d'elle espère qu'une religieuse apparaîtra pour qu'elle puisse la regarder droit dans les yeux et lui dire : *Aucune de vous ne me dira plus jamais quoi faire.* Mais pas une sœur ne vient la voir partir. En un sens, cette dernière manifestation d'indifférence est presque aussi bouleversante que certains des châtiments les plus cruels qu'elle a endurés.

Elle envisage un instant de faire un saut à l'Aile B pour saluer victorieusement Sœur Ignatia avant de lui cracher à la figure, mais elle a la sagesse de se retenir, en se disant que la religieuse réussirait probablement à la faire enfermer dans une cellule où elle la laisserait croupir. Un scénario qui l'incite à descendre l'escalier en toute hâte.

Dans le hall d'entrée, elle se souvient du soir où elle est arrivée à Saint-Nazarius, de sa peur, de son absence de méfiance. Elle ouvre tout grand les portes, sort dans le matin hivernal qui la fait suffoquer. Elle plisse des yeux, aveuglée par le reflet du soleil sur la neige.

Je suis libre.

— Élo !

Sœur Camille lui fait signe de la main depuis la voiture. Élodie boutonne son manteau jusqu'au cou. Elle avait oublié à quel point les journées d'hiver pouvaient être froides. Elle n'est pas sortie depuis longtemps, et les excursions ont habituellement lieu l'été. Avec quel argent pourra-t-elle s'acheter un chapeau, des mitaines ?

Elle sent sa poitrine se serrer rien qu'à penser aux aspects pratiques de la vie.

Elle descend les marches sans jeter un seul regard derrière elle.

— Élo ! Dépêche-toi ! répète Sœur Camille.

Son frère est au volant. C'est lui qui les emmène à Pointe-Saint-Charles.

— Es-tu prête ? lui demande la religieuse.

Élodie avale sa salive. Elle sait que Sœur Camille profite de sa journée de congé pour l'accompagner, et elle lui en est reconnaissante, mais elle ne trouve pas les mots pour l'exprimer. Elle a dix-sept ans et pas un sou. Elle n'est pas du tout prête à affronter le monde. Elle se met à pleurer dès que la voiture démarre.

— Pleure, dit Sœur Camille en passant le bras par-dessus la banquette avant pour serrer la main d'Élodie. Pleure tout ton soûl.

Et c'est ce qu'elle fait, bruyamment, sans retenue, alors qu'elle se dirige vers l'inconnu.

CHAPITRE 46

Le nouveau domicile d'Élodie se trouve au sous-sol d'une maison en bande de briques rouges, rue de la Congrégation, dans un secteur industriel de la ville.

— Tu vas te plaire ici, dit Sœur Camille, en tentant de remplir le silence de ses habituelles bulles d'optimisme.

— Il y a un parc tout près, ajoute son frère. Au coin de Wellington et Liverpool.

— Wellington et Liverpool? répète Élodie avec un fort accent québécois.

— Il y a beaucoup d'Irlandais, ici.

— Et de Canadiens français, ajoute Sœur Camille, en lançant un regard noir à son frère. C'est le quartier Griffintown, de l'autre côté du canal, qui est surtout irlandais. Mais ne t'en fais pas, ici, dans le quartier Pointe-Saint-Charles, il y a autant de Canadiens français.

Par la vitre de la voiture, Élodie regarde le paysage qui se profile au-delà de la rue de la Congrégation : un mélange d'usines, de cheminées et de maisons en bande.

— Le métro est encore en construction, explique Sœur Camille. C'est pour cette raison qu'il y a autant de débris.

— Le métro?

— C'est un train souterrain qu'on est en train de construire en prévision de l'exposition universelle de cet été.

Sœur Camille pourrait bien parler une langue étrangère. Train souterrain ? Exposition universelle ? Élodie la regarde fixement en retenant ses larmes.

— Nous t'expliquerons tout cela quand tu seras installée, assure Sœur Camille. Ne t'en fais pas, Élo. Ce sera plus facile avec le temps.

Élodie opine, mais ne la croit pas.

— La ville se développe, poursuit la religieuse. C'est fantastique de vivre ici en ce moment. Tu vas voir quand l'été arrivera.

Élodie se force à sourire. Elle voit que Sœur Camille fait des efforts.

— Ça me plaît, dit-elle en regardant l'immeuble en briques rouges.

Elle devra payer la moitié du loyer de l'appartement qui s'élève à 74 dollars par mois et comprend les frais de chauffage.

— Entrons, lance-t-elle en prenant une inspiration.

— Rappelle-toi que cela t'appartient, lui dit Sœur Camille. Et que tu n'as plus à rendre de comptes à personne. Sauf à Dieu.

Élodie ne relève pas la remarque. Elle manque d'humour quand il est question de Dieu.

Marie-Claude les attend à l'intérieur. L'appartement est propre et dépouillé. Les deux jeunes filles se partageront une chambre à coucher, meublée d'un canapé-lit et d'une commode, une minuscule salle de bain et une cuisinette tout juste assez grande pour contenir une table carrée et deux chaises pliantes.

— C'est modeste, s'excuse Marie-Claude. Mais c'est mieux qu'à Saint-Nazarius.

Élodie sourit et dépose sa valise.

— Tiens, lui dit Sœur Camille en lui tendant un bout de papier replié.

— Dominion Textiles ? lit Élodie en le dépliant.

— C'est une usine du quartier Saint-Henri où l'on embauche des couturières, explique la religieuse. J'ai vu l'annonce dans la fenêtre.

— N'est-ce pas cet endroit où une bombe a explosé l'été dernier ? demande Marie-Claude.

— Une bombe ? répète Élodie, sur le point de s'évanouir.

— Un type du FLQ voulait faire sauter l'usine Dominion Textiles, mais sa bombe lui a explosé au visage.

— Pourquoi voulait-il faire cela ?

— Le FLQ est une organisation terroriste qui veut que le Québec se sépare du Canada, répond Marie-Claude. Ses membres attaquent donc les sociétés canadiennes-anglaises comme Dominion Textiles.

Élodie jette un coup d'œil nerveux à Sœur Camille.

— L'usine a quand même besoin de couturières, insiste Sœur Camille fermement. Ça ne se reproduira plus. Pas là, en tout cas. C'est parfait pour toi. Et c'est facile de se rendre à Saint-Henri à partir d'ici.

— Comment est-ce que je ferai ? demande Élodie.

— Tu vas te débrouiller, Élo, dit Sœur Camille en soupirant. Tu n'es pas sans défense.

— Oui, je le suis, s'écrie Élodie. C'est exactement ce que je suis.

— Tu n'as plus besoin de l'être, dit Sœur Camille en la regardant droit dans les yeux. Tu es libre maintenant.

— C'est facile pour vous, marmonne Élodie.

— Tu dois pardonner aux autres religieuses, rétorque Sœur Camille. Certaines devaient s'occuper à elles seules d'une cinquantaine d'enfants. On empêchait les meilleures d'entre nous de vous traiter avec bonté et affection. *Mais nous n'étions pas toutes méchantes.*

— Je suis désolée, murmure Élodie en baissant les yeux. Vous avez été si bonne pour moi. Je ne pourrai jamais vous rendre la pareille.

— Fais-le en pardonnant aux autres.

Élodie se mord la langue. Elle ne pardonnera jamais aux autres – certainement pas à Sœur Ignatia –, mais elle ne dit rien pour ne pas décevoir Sœur Camille.

— Je dois y aller, dit cette dernière.

— Déjà ?

Sœur Camille attire Élodie dans ses bras et l'étreint de façon expéditive, avant de lui remettre de l'argent.

— Pour t'aider à démarrer, explique-t-elle. Je serai de retour dans une semaine.

Puis, elle laisse les deux jeunes filles à leur nouvelle vie.

Il ne s'écoule pas une minute avant qu'Élodie éclate en sanglots. Marie-Claude lui tend un mouchoir en papier.

— J'étais comme toi quand je suis sortie de Saint-Nazarius, révèle-t-elle en s'assoyant sur le canapé. Je n'arrêtais pas de pleurer.

— Comment est-ce que je vais faire pour trouver cette usine ? s'écrie Élodie en montrant le bout de papier. Je ne sais pas du tout où je suis, sans parler de Saint-Henri. Et si quelqu'un essaie encore de faire exploser l'usine ? C'est fou, non ?

— J'irai avec toi, répond Marie-Claude. Pour être sûre que tu la trouves.

— Merci.

— Tu dois te dénicher un emploi sans tarder, ajoute-t-elle. Je ne peux pas payer le loyer toute seule.

Élodie acquiesce, anéantie.

— Veux-tu défaire ta valise ? Je t'ai libéré un tiroir.

Élodie ouvre sa valise et en retire ses quelques possessions. Elles entrent facilement dans le dernier tiroir de la commode.

— As-tu faim ? lui demande Marie-Claude. Je partagerai avec toi ce qu'il y a dans le réfrigérateur jusqu'à ce que tu aies de l'argent pour faire tes propres courses.

Le réfrigérateur. Élodie regarde la boîte de métal blanc dans la cuisine et se souvient du médecin de Saint-Nazarius qui lui avait demandé si elle savait de quoi il s'agissait. Elle n'en avait pas la moindre idée.

Débordant d'une énergie nerveuse, Marie-Claude se lève d'un bond pour aller à la cuisine.

— J'ai des restes de porc, dit-elle. Et nous pouvons faire cuire quelques pommes de terre.

Élodie opine sans dire un mot.

— Viens me donner un coup de main.

Élodie rejoint sa nouvelle colocataire dans la cuisine. Elle la regarde, abasourdie, remplir une casserole d'eau, la fermer d'un couvercle, la mettre sur la cuisinière.

— C'est comme ça que tu allumes la cuisinière, lui explique Marie-Claude, en tournant le bouton. Ensuite, nous allons peler les pommes de terre.

Elle saisit un des couteaux dépareillés dans un tiroir et se met à peler adroitement la peau terreuse d'une pomme de terre.

— Pourquoi fais-tu cela ? lui demande Élodie.

— Parce qu'il faut enlever la peau des pommes de terre avant de les faire bouillir.

— Pourquoi ?

— C'est comme ça.

Marie-Claude continue de peler les pommes de terre, la peau s'enroulant sur elle-même en une parfaite torsade.

— Tu veux essayer ?

— Non.

— Tu vas apprendre tous ces trucs, l'assure Marie-Claude. Je l'ai fait.

Élodie approuve, les larmes coulant sur ses joues.

— Je m'excuse…

— Mais non, voyons. Tu sais quoi ? Laissons tomber. Sortons.

— Sortir ?

— Pour aller déjeuner.

— Mais il y a tellement de gens...

— Oui, le monde est rempli de gens. On ne peut pas les éviter.

— J'ai trop peur.

— De quoi ?
— Qu'ils sachent, dit Élodie en haussant les épaules.
— Qu'ils sachent quoi ?
— Que je viens tout juste de sortir d'une institution psychiatrique.
— Il n'y a que toi et moi qui sachions cela.
— J'ai l'impression que c'est écrit sur mon front…
— Eh bien, ça ne l'est pas. Combien d'argent Sœur Camille t'a-t-elle donné ?
Élodie fouille dans sa poche et en sort quelques billets.
— Nous n'en utiliserons pas beaucoup, décide Marie-Claude. Cinquante sous, tout au plus. Juste pour célébrer.
Elles s'emmitouflent dans leurs manteaux, et Marie-Claude prête un foulard à Élodie pour qu'elle s'en couvre la tête puisqu'elle n'a pas de bonnet. Dehors, elles sont surprises par la morsure du froid sur leurs joues. Élodie remonte son foulard jusqu'aux yeux.
— Tabarnac, jure Marie-Claude, y fait frette !*
La neige crisse sous leurs pas tandis qu'elles s'approchent du parc Marguerite-Bourgeoys. Élodie remarque alors un groupe d'enfants en combinaison de ski qui jouent dans la neige. Elle est sidérée de voir à quel point ils sont libres. Ils n'ont pas l'air de craindre le moins du monde de rire fort ou de crier ou de s'amuser.
Le rire des enfants poursuit Élodie tandis qu'elle et Marie-Claude s'engagent dans la rue Wellington.
— C'est ici, dit Marie-Claude en s'arrêtant devant un endroit qui s'affiche comme étant PAUL PATATES FRITES*. C'est mon casse-croûte préféré.
À l'intérieur, il fait chaud et ça sent la friture comme à la cantine de Saint-Nazarius les jours où l'on servait de la perchaude frite pour souligner une occasion spéciale. Elles tapent des pieds pour faire tomber la neige de leurs bottes, et s'assoient côte à côte au comptoir sur des tabourets tournants en cuir rouge. Élodie craint d'abord de tomber,

mais bientôt elle tournoie sur son tabouret comme une enfant sur un manège.

Marie-Claude commande deux *steamés** et deux Pepsi. Moins de cinq minutes plus tard, la serveuse dépose devant elles deux assiettes dont émane un arôme divin.

— Qu'est-ce que c'est? demande Élodie, penchée au-dessus de son assiette pour en humer l'agréable odeur de graisse.

— Un hot-dog et des frites, dit Marie-Claude.

Élodie prend une frite et l'engouffre sans se soucier de se brûler la langue. Elle ferme les yeux et en apprécie le goût et la texture – croquante à l'extérieur, moelleuse et parfaitement graisseuse à l'intérieur – avant d'en prendre une pleine poignée.

— Essaie ceci, dit Marie-Claude, en faisant gicler sur son assiette une substance rouge visqueuse d'une bouteille de verre portant l'inscription HEINZ. Trempe une frite dans le ketchup. Comme ça.

— Mon Dieu*! s'exclame Élodie, tendant une main avide vers le hot-dog. C'est délicieux.

— Mets du ketchup sur ça aussi, l'encourage Marie-Claude.

— Mon Dieu*! s'exclame de nouveau Élodie, en prenant une bouchée de la saucisse rose nichée dans un petit pain chaud et spongieux. Pourquoi est-ce qu'on ne nous donnait pas cela à manger à Saint-Nazarius?

— C'est de la *vraie* nourriture, dit Marie-Claude, la bouche pleine. Tu as du ketchup partout sur le visage.

— Je m'en fous.

La serveuse dépose deux verres d'un liquide foncé sur le comptoir. Élodie prend sa paille pour en aspirer une gorgée et faire passer le hot-dog.

— Oh, mon Dieu*! répète-t-elle, en sentant les bulles et le picotement de la boisson gazeuse sur ses lèvres et sa langue. C'est tellement sucré!

— Pepsi, dit Marie-Claude. C'est bien, n'est-ce pas?

— Oui, lance Élodie en riant, ravie, avant de prendre une longue gorgée bruyante. Merveilleux.

CHAPITRE 47
Maggie

Maggie s'installe sur la balancelle avec une tasse de café et du papier à lettres, pieds nus et encore dans sa chemise de nuit. Le soleil est déjà haut, et l'air embaume cette fraîche odeur des matins d'été. Gabriel et James dorment encore, ce qui lui procure un rare moment rien de moins que sacré. Si ce n'étaient les parulines à tête cendrée qui chantent en chœur dans son jardin, elle pourrait se croire seule au monde.

Elle prend une feuille de papier vierge et sa jolie plume. Puisqu'un nouveau premier ministre vient d'être élu au Québec, elle a de nouveau l'occasion de plaider sa cause. Elle commence à écrire.

Cher M. Bourassa,
Je vous écris au nom de ma fille, Élodie de Saint-Sulpice, une orpheline née…

— Bonjour, mon amour.

Maggie lève les yeux et aperçoit Gabriel dans l'embrasure de la porte, les cheveux en bataille, vêtu d'un simple caleçon. Il allume une cigarette et vient la rejoindre sur la balancelle de bois qu'il a construite lui-même.

— Il fait chaud, constate-t-il.

Maggie met sa lettre de côté et ils se bercent en silence pendant un moment. Gabriel prend une gorgée de café dans la tasse de Maggie.

— Tu étais en train d'écrire à Bourassa, n'est-ce pas ?

— Oui.

Elle perçoit une pointe de pitié dans ses yeux tandis qu'il hoche la tête.

— Le pauvre, dit-il pour la taquiner. Il ne sait pas qu'il va souvent entendre parler de toi. S'il avait su, il ne se serait pas présenté aux élections.

— Je sais que tu penses qu'elle est morte, dit Maggie, reprenant la conversation qu'ils ont chaque fois qu'elle envoie une lettre au gouvernement.

— Peu importe ce que je pense.

— Ça compte pour moi.

— Je sais que tu as besoin de croire qu'elle est vivante, Maggie.

— Et toi ?

— Je ne crois pas que le gouvernement va t'aider à la retrouver, estime-t-il, d'un ton pragmatique. *C'est* le gouvernement qui l'a mise là où elle est.

— Bourassa est nouveau, dit-elle. C'est un nouveau départ. Il ne connaît pas notre histoire. Peut-être que nous pourrions aller à Québec.

— Et faire quoi ? Frapper à la porte de son bureau et demander à lui parler ? Nous n'avons même pas pu parler à quelqu'un d'autre que ces foutues bonnes sœurs !

— Elle a vingt ans cette année, lui rappelle-t-elle en regardant au loin.

— Elle aurait eu vingt ans.

— Tu as lu la lettre que Sœur Alberta a écrite à mon père, rétorque Maggie, une énième fois. Elle était en parfaite santé. Retard mental grave ? Nous savons tous les deux que c'est faux et nous en avons la preuve.

— Mais ça ne veut pas dire qu'elle n'est pas morte, Maggie. Qui sait si sa santé ne s'était pas détériorée avant qu'elle arrive à Saint-Nazarius ? Vas-tu envoyer des lettres au gouvernement pour le restant de tes jours ?

— Je ne sais pas quoi faire d'autre.

— Nous pourrions avoir un autre enfant.

Maggie regarde Gabriel comme s'il était devenu fou.

— Je suis sérieux, dit-il.

— Pourquoi ? Pour que j'oublie Élodie ?

— Non. Pour que James ait un petit frère ou une petite sœur.

— Il a neuf ans.

— Et alors ?

— Je suis trop vieille pour avoir un autre enfant.

— Tu as trente-six ans.

— Ça ne remplira pas le vide, dit-elle. James n'a pas rempli ce vide. Toi non plus. Rien ne peut remplir ce vide, sauf elle.

— Il est possible que tu aies à supporter ce vide pour le restant de tes jours, prévient-il. Nous avons tous une croix à porter.

CHAPITRE 48
Élodie

1970

Élodie laisse tomber quatre menus de plastique sur la table et sourit sans regarder les clients.

— Vous voulez quelque chose à boire ? demande-t-elle, en sortant un carnet de commandes de la poche de son tablier.

Les garçons dans le box la regardent sans comprendre.

— *English ?* dit l'un d'eux en pointant du doigt sa casquette de baseball. *Anglais*? Nous sommes de Boston.

— *Drinks ?* fait Élodie sans lever les yeux de son carnet.

— Quatre cocas.

Elle opine, puis va rapidement chercher les boissons. Elle travaille au centre-ville, chez Len's Delicatessen, depuis plus d'un an. Elle marchait dans la rue Sainte-Catherine l'été dernier lorsqu'elle a remarqué l'offre d'emploi affichée dans la fenêtre du restaurant. Elle y a répondu sur un coup de tête. L'endroit lui a plu immédiatement, car il lui rappelait le casse-croûte où, en compagnie de Marie-Claude, elle avait mangé des frites et bu une boisson gazeuse pour la première fois de sa vie. Elle a compris qu'elle était à sa place lorsqu'elle a vu l'immense comptoir vitré plein à craquer de grosses pièces de viande fumée.

Derrière le comptoir, un homme en blouse blanche de médecin – comme elle le croyait à l'époque – fredonnait en tranchant de la viande sur un appareil qui vrombissait comme une voiture. Dans un réfrigérateur vitré à l'avant du restaurant trônaient une douzaine d'énormes gâteaux nappés de crème à la vanille, décorés de copeaux de chocolat et surmontés de cerises marasquin. Une femme plus âgée, vêtue d'un uniforme de serveuse beige, n'arrêtait pas de balancer des sandwiches sur le comptoir, où ils restaient quelques minutes sous une lampe chauffante qui bourdonnait avant d'être emportés par une autre serveuse. Avec leur épaisse masse rose de viande fumée émincée, ces extraordinaires sandwiches étaient tellement gros qu'ils avaient l'air de bouches béantes.

Chaque box du restaurant était occupé ce jour-là, et le vacarme des conversations et des couverts qui s'entrechoquaient couvrait la voix du médecin. Élodie se sentait délicieusement enivrée par l'arôme de la viande fumée et des frites. Elle a dû attendre que la horde de clients venus déjeuner se disperse avant de pouvoir parler à qui que ce soit. Mais une fois que les choses se sont calmées tard dans l'après-midi, le médecin (qui s'est plutôt avéré être le propriétaire du restaurant) s'est installé avec elle dans un box pour lui faire passer un entretien.

Il l'a sans doute prise en pitié, car même si elle pouvait à peine le regarder dans les yeux ou lui parler en anglais, il l'a embauchée sur-le-champ.

— Tu es adorable, lui a-t-il dit. Il y a très peu de Canadiennes françaises qui se sont présentées pour travailler ici.

Elle a quitté Dominion Textiles le lendemain, ce qui l'a énormément soulagée. Elle détestait la couture et encore plus l'usine qui lui rappelait Saint-Nazarius, et s'est estimée heureuse de ne plus avoir à entendre le ronronnement d'une machine à coudre. De plus, elle regardait constamment par la fenêtre, craignant que quelqu'un projette un cocktail Molotov contre la vitre. C'est l'automne 1970, et les choses bougent au Québec – on a promulgué la *Loi sur les mesures de guerre*, et il y a eu enlèvement de politiciens –, ce qui fait qu'Élodie se sent beaucoup plus en sécurité au restaurant.

En quelques années, elle a réussi à s'adapter au monde extérieur du mieux qu'elle a pu. Elle trouve moyen de passer inaperçue, de faire partie du décor, d'attirer très peu l'attention. Elle aime être au centre-ville où elle peut se fondre dans la foule. Elle excelle à disparaître au grand jour, à se mêler aux autres, à devenir invisible. Elle a plus de difficulté avec les relations – l'intimité, les regards sans détour, les tête-à-tête. Elle préfère l'anonymat des étrangers. Elle a peu confiance en son intelligence et craint constamment qu'on remarque son ignorance et son manque d'instruction. Au moins, à Saint-Nazarius, elle ne ressortait pas du lot. Elle n'était qu'une jeune fille malheureuse parmi d'autres, qui ne valaient pas mieux qu'elle.

À tort ou à raison, elle est angoissée par le regard des autres. Outre l'appartement qu'elle partage avec Marie-Claude, le restaurant est le seul endroit où, momentanément, elle n'est pas paralysée par son insécurité. Elle doit cela à son patron, Lenny Cohen, dont la personnalité chaleureuse et sociable l'a mise à l'aise dès le premier jour. Lenny est un grand costaud à la voix retentissante et au rire tonitruant. Il porte une blouse blanche de boucher pour trancher la viande et chante des chansons de Johnny Cash à longueur de journée. Il mange les restes de viande fumée et de frites que les clients laissent dans leurs assiettes sans le moindre soupçon de honte, et il encourage ses employés à l'imiter.

— J'ai payé pour ça, dit-il. Pourquoi est-ce que je le jetterais ?

Les deux autres serveuses sont les cousines de Len, des femmes d'âge mûr qui maternent Élodie et lui enseignent l'anglais un peu comme Sœur Camile lui a un jour appris à lire la Bible. Non seulement elles acceptent Élodie, mais elles semblent aimer sa compagnie. Elles ne lui posent pas de questions sur son boitillement ou ses cicatrices ; elles savent qu'elle est orpheline et ont probablement déduit le reste. Elle est la petite réfugiée canadienne-française qu'elles ont entrepris d'éduquer et de guérir.

Élodie dépose les quatre verres de coca sur la table du box à côté de la fenêtre, avant de prendre son carnet de commandes et son stylo.

— *You know what you order,* dit-elle dans son terrible anglais. *Vous êtes prêts à commander ?*

— Quatre sandwiches à la viande fumée, choisit celui qui porte une casquette.

Elle le regarde juste assez longtemps pour remarquer ses yeux bleus, les taches de rousseur sur ses joues roses, ses dents d'un blanc éclatant. Les quatre garçons sentent la bière, ce qui n'est pas inhabituel. Le restaurant est ouvert jusqu'à minuit pour accueillir les fêtards ivres qui meurent d'envie d'un sandwich à la viande fumée. Élodie aime bien cette clientèle nocturne – un échantillon d'étudiants universitaires, de hippies, de vagabonds et de touristes. Plus ils sont étranges et marginaux, plus elle est à l'aise.

— Je ne suis pas sûre de pouvoir vous servir si vous n'enlevez pas cette casquette, l'avertit-elle, pince-sans-rire, surprise par sa propre boutade.

Elle est à Montréal depuis assez longtemps pour connaître la rivalité ancestrale entre les deux équipes de hockey que sont le Canadien de Montréal et les Bruins de Boston.

Le garçon sourit et enlève obligeamment sa casquette à l'effigie des Bruins. Il a les cheveux blond-roux coupés en brosse. Pourtant, la mode est aux cheveux longs. Élodie elle-même les laisse tomber librement de chaque côté de son visage, séparés par une raie au milieu.

— C'est mieux comme ça ? dit-il en lançant sa casquette sur la table.

Elle s'éloigne rapidement, en rougissant. Elle les entend rire. *Feisty French gal. Elle a du tempérament, la Canadienne française.* Elle aurait dû se taire.

Lorsqu'elle revient quelques minutes plus tard chargée de leur commande, le garçon à la casquette lui demande son nom.

— Élodie, répond-elle, en poussant son assiette devant lui.

— Élodie, répète-t-il en fermant les yeux. Comme Melody, sans le M.

— Elle ne comprend pas l'anglais, Den, lui dit l'un des garçons lorsqu'il voit le regard vide que lui jette Élodie.

— À quelle heure finis-tu de travailler? lui demande Dennis, sans se démonter.

— Minuit, dit-elle, le visage en feu.

— C'est dans une demi-heure, constate Dennis en regardant sa rutilante Timex sur son solide poignet parsemé de taches de rousseur. Est-ce que je peux t'attendre?

— Bien, non*, fait-elle, refusant non pas parce qu'elle n'en a pas envie, mais parce que c'est la chose convenable à faire.

D'autres clients débarquent pour avoir leur dose de viande fumée avant la fermeture du restaurant, et Élodie se précipite pour prendre quelques menus à côté de la caisse enregistreuse. Elle a à peine le temps d'installer les gens dans d'autres box que Dennis et ses amis la rappellent.

— Dennis a le béguin pour toi, dit l'un des garçons.

— Béguin?

— Tu lui *plais.*

— Il ne me connaît pas…

— Mais il veut te connaître. Il a un faible pour les Canadiennes françaises.

— Permets-moi de te raccompagner, intervient Dennis, plaidant sa propre cause.

— Je vis à Pointe-Saint-Charles, dit-elle, comme s'il pouvait savoir où se situe ce quartier.

— Nous prendrons un taxi. Ou le tramway.

— Non*, refuse-t-elle, déconcertée par l'attention dont elle fait l'objet, convaincue qu'elle ne peut pas le laisser la raccompagner.

Il est trop impertinent et trop bien de sa personne. Trop bien pour elle.

— Laisse-le te raccompagner, insiste un de ses amis. Il part pour le Vietnam la semaine prochaine.

Élodie a entendu parler du Vietnam. Marie-Claude écoute constamment la radio, et le moindre journal en fait sa une. Cet adorable garçon aux cheveux orange et aux yeux lumineux s'en va à la guerre.

— Je suis désolée, persiste-t-elle, mais…

— Ne sois pas désolée. Permets-moi de te raccompagner.

Élodie hésite. Les autres garçons se mettent de la partie, en la suppliant, les mains jointes dans une fausse prière. Elle ne peut pas croire qu'elle plaît assez à ce garçon pour qu'il se donne tout ce mal afin de la raccompagner.

— Tu t'en vas vraiment au Vietnam ? lui demande-t-elle.

— Oui, vraiment.

Il sourit victorieusement avant même qu'elle accepte. Elle se demande, le cœur gonflé de tristesse, quelle conséquence aura la guerre sur lui.

Seul dans son box, Dennis attend Élodie jusqu'à l'extinction des lumières. Ils sortent en ignorant les haussements de sourcils et les clins d'œil bon enfant de Lenny et Rhonda.

— Où sont passés tes amis ? lui demande-t-elle lorsqu'ils se retrouvent dans la rue Sainte-Catherine, qui est encore brillamment éclairée et pleine de fêtards.

— Ils sont retournés au Café Cléopâtre, avoue-t-il honteusement. Sais-tu ce que c'est ?

Élodie hoche la tête. Le Café Cléopâtre est un bar d'effeuilleuses dans le quartier chaud de Montréal. Elle le sait, car sa voisine de la rue Sébastopol y fait un numéro.

— C'était la première fois que j'y allais, ajoute Dennis. Nous sommes partis parce que ça me mettait trop mal à l'aise. Ce n'est pas mon truc. J'ai plutôt voulu essayer la viande fumée.

— Mais tes amis ?

— Ils aiment les effeuilleuses, dit-il en riant.

— Pourquoi es-tu venu à Montréal ? lui demande-t-elle, alors qu'elle voudrait plutôt savoir *pourquoi Montréal est sa dernière destination avant d'aller à la guerre.* Mais les mots lui manquent en anglais. En fait, elle comprend beaucoup mieux cette langue qu'elle ne la parle.

— Montréal est une ville tellement européenne, s'enthousiasme-t-il. Les bars sont ouverts plus tard, les femmes sont plus belles et, ici, je suis en âge de boire de l'alcool. Et il y a les bars d'effeuilleuses et la viande fumée.

— Tu as dit que tu n'aimais pas les bars d'effeuilleuses…

— Je ne le savais pas avant ce soir.

Élodie sourit et il lui prend la main. Tout le corps de la jeune femme se tend.

— Ne t'en fais pas, lui assure-t-il. Je suis simplement courtois.

Elle le laisse lui tenir la main jusqu'à ce qu'ils atteignent la rue Ontario.

— Tu boites, lui fait-il remarquer.

— C'est de naissance, dit-elle en s'arrêtant.

— Je croyais que ça pouvait avoir été à cause de la polio.

— C'est mon arrêt de tramway. Tu peux m'accompagner, mais tu devras revenir ensuite.

— Parole de scout, promet-il en levant la main.

— Qui ?

— Les scouts. C'est une expression.

Elle hausse les épaules et ils éclatent de rire.

Ils font le trajet assis côte à côte dans le tramway vide. Dennis a la parole facile, et Élodie l'écoute attentivement pour le comprendre, heureuse de lui laisser la vedette. Elle en profite pour jeter de longs regards à la dérobée à son adorable profil. Il a le nez droit et les joues rondes et duveteuses. Elle se demande s'il se rase. Il n'a pas l'air d'être assez vieux pour être un soldat.

Plus il parle, plus il lui plaît. Il dit adorer le sport, mais ne pas être un grand athlète. Il a deux sœurs cadettes qui sont toutes les deux à l'école secondaire. Son père est plombier. Sa mère voulait qu'il aille à l'université, mais les études ne sont pas son truc. *Son truc*, une expression qu'il emploie souvent. Les bars d'effeuilleuses et les études ne sont pas son « truc ». Les Canadiennes françaises le sont.

À la place, il a passé l'année dernière à apprendre les ficelles du métier auprès de son père. Puis, il a été enrôlé.

— J'essaie de rester optimiste, dit-il, tandis que son regard s'assombrit. Ça ne m'a pas vraiment embêté de faire l'instruction de base. J'ai passé huit semaines à Fort Lewis, puis huit autres à Fort Polk pour l'instruction individuelle avancée. Je suis plus en forme que je ne l'ai jamais été de ma vie, même si j'ai repris un peu de poids ces dernières semaines, depuis que je suis en permission.

Élodie opine, faisant semblant de comprendre tout ce qu'il dit.

— Après huit semaines d'instruction de base et huit semaines d'instruction individuelle avancée, c'est évident que je suis prêt pour la guerre. Je pars pour Da Nang la semaine prochaine.

— Tu dois avoir peur.

— Je serais idiot si je n'avais pas peur, marmonne-t-il en haussant les épaules et en regardant par la fenêtre. Mais il faut bien que je défende la démocratie.

Malgré la barrière de la langue, Élodie saisit le sarcasme et la bravade dans sa voix.

Ils descendent à la rue Wellington et traversent le parc de la Congrégation. C'est une magnifique nuit d'automne, avec un soupçon de moiteur dans l'air. Le sol est recouvert d'une épaisse couche de feuilles humides jaunes et rouges. Élodie ne tient rien de tout cela pour acquis. L'air frais, un ciel étoilé, un dédale d'arbres majestueux, une douce brise, la chaleur, la neige sur son visage, le bruit d'une éclaboussure dans une flaque d'eau de pluie, le soleil sur son dos, le bourdonnement des moustiques dans son oreille, le parfum d'une fleur – elle sait que ce sont des cadeaux.

— À quoi penses-tu ? lui demande Dennis.

Elle sourit pour elle-même. Il n'y a pas de mots pour exprimer le sentiment doux-amer d'une telle nuit, certainement pas dans une langue qu'elle ne maîtrise pas. Sans répondre à Dennis, elle se penche, cueille un tas de feuilles et les lance en l'air. Tandis que les feuilles retombent sur elle, elle se demande si ces rares moments de bonheur seront toujours empreints de tristesse, s'il n'y aura jamais de joie sans chagrin.

Dennis l'imite et se met à rire quand les feuilles s'accrochent à l'uniforme et aux longs cheveux d'Élodie.

— Tu ressembles à une hippie, dit-il en enlevant une feuille sur son épaule.

Elle se penche de nouveau et lui lance un tas de feuilles avant de se mettre à courir à travers le parc. Comme elle aime sentir ses pieds sur le trottoir et le souffle court dans sa poitrine. C'est ça, la liberté, pense-t-elle, tandis que Dennis l'attrape et l'attire vers lui. Avant même qu'elle puisse l'arrêter ou paniquer ou penser, il l'embrasse.

Son premier baiser. Elle est envahie par l'émotion lorsqu'il presse doucement ses lèvres contre les siennes. Les larmes lui montent aux yeux. Il goûte la bière, la viande fumée et la moutarde, et c'est merveilleux.

— Tu ne vas tout de même pas me renvoyer à mon hôtel ? fait-il en posant ses doigts sur sa joue.

Elle évite de le regarder dans les yeux.

— Alors ? Est-ce que tu m'invites chez toi ?

Marie-Claude est absente. Elle rend visite à la famille de son petit ami à Valleyfield pour toute la durée de la fin de semaine prolongée. Élodie a donc l'appartement pour elle seule jusqu'à lundi soir. Et ce n'est pas comme si elle allait perdre sa virginité. Il y a des années qu'elle l'a perdue grâce à un aide-soignant de Saint-Nazarius.

— La semaine prochaine à la même heure, je serai dans la jungle, lui rappelle-t-il.

— C'est bien vrai ? lui demande-t-elle, ne sachant pas trop si elle peut lui faire confiance, si elle peut faire confiance à qui que ce soit d'ailleurs.

— Je ne raconterais pas un tel mensonge, lance-t-il d'un ton légèrement offensé.

L'esprit d'Élodie bouillonne tandis qu'elle pèse le pour et le contre, et qu'il attend qu'elle se décide. Contre : elle est terrifiée.

Pour : Il part pour le Vietnam. Il ne l'abandonnera donc pas lorsqu'il constatera à quel point il vaut mieux qu'elle ou qu'il pourrait trouver quelqu'un de beaucoup mieux qu'elle. Comme elle ne le reverra plus jamais, elle n'a pas à s'inquiéter de ce qu'il pensera d'elle. Encouragée par le départ imminent de Dennis, elle se sent libre d'être qui elle veut ce soir. Et même s'il découvre ce qu'elle veut cacher à tout prix – son ignorance et son manque d'instruction –, ce n'est pas très grave, car peut-être qu'il mourra bientôt. Ce soir, elle peut donc prétendre être une fille normale en compagnie d'un garçon normal qui s'en va à la guerre.

Les religieuses la cernent. Elle entend leurs ricanements, respire l'odeur de savon et de cigarettes sur leurs mains rugueuses, mais elle ne les voit pas, car elle a la tête recouverte d'une taie d'oreiller.

« Non ! » crie-t-elle lorsque deux d'entre elles la saisissent par les poignets et les chevilles, la projettent sur une chaise et l'y attachent au moyen de lanières de cuir. Elles sont au moins six, leurs robes bruissant telles des ailes de corbeaux.

« *Non*, je vous en prie ! » crie-t-elle en gémissant.

L'une des sœurs arrache la taie d'oreiller de sur sa tête, et Sœur Ignatia apparaît, blanche et incandescente, terrifiante. Elle a un petit couteau à la main. « Je vais maintenant t'enlever le cerveau », annonce-t-elle calmement.

Élodie se réveille en suffoquant. Elle se tourne, étonnée de voir le visage de Dennis tout près d'elle sur l'oreiller.

— J'avais oublié que tu étais là, réussit-elle à dire, d'une voix engourdie.

— Ça va ? demande-t-il. Tu es trempée jusqu'aux os...

— Est-ce qu'elles m'ont fait une lobotomie ? lui demande-t-elle, désorientée.

— Hein ? De quoi tu parles ?

Il est chez elle depuis trois jours. Comme tous les nouveaux amants le font, ils ont bavardé pendant des heures, tard dans la nuit et jusqu'au petit matin. Ils se sont confié leurs espoirs pour l'avenir – lui voudrait être plombier comme son père, se marier et avoir des enfants, tandis qu'elle voudrait retrouver un de ses parents, son père, peut-être, ou une tante. Bien qu'ils aient parlé de certaines de leurs blessures du passé, Élodie n'a pas dit un mot sur Saint-Nazarius. Elle lui a simplement raconté que ses parents étaient morts et qu'elle avait grandi dans un orphelinat des Cantons-de-l'Est. Il n'a pas cherché à savoir pourquoi le moindre bruit – coup de klaxon, autobus, chaudière, souris – la fait sursauter, pourquoi elle a autant de cicatrices, ni pourquoi elle fait des cauchemars et se réveille complètement trempée. Elle suppose qu'il a tiré ses propres conclusions sur les épreuves de la vie en orphelinat. Il n'a pas besoin de savoir que le sien était en fait un hôpital psychiatrique.

— Tu avais l'air un peu folle dans ton cauchemar, lui dit-il.

— Je ne suis pas folle, rétorque-t-elle en se détournant de lui.

— Hé, dit-il en posant une main sur son épaule. Ça ne voulait rien dire. Je faisais une blague.

Il l'attire vers lui, et elle met sa tête sur son épaule. Il lui caresse les cheveux. Elle lève les yeux vers lui, sachant que ce sont leurs dernières heures ensemble. Ils ne se sont pas dit s'ils se reverraient ou non. Ils ont tacitement convenu que cette fin de semaine était un moment volé, suspendu dans le temps. S'il survit au front, il aura un bon souvenir de la Canadienne française qui l'a dépucelé. Pour sa part,

Élodie n'oubliera jamais qu'il a été la première personne – homme ou femme – à lui témoigner physiquement de l'affection et de la tendresse.

— Tu as les yeux les plus tristes que j'aie jamais vus, lui dit-il. Et tu n'as même pas vingt et un ans.

Elle détourne rapidement le regard et allume la télévision.

— Tabarnac*, s'exclame-t-elle, en s'assoyant. Ils l'ont tué.

— Qui ?

— Le politicien kidnappé par le FLQ. Ils viennent tout juste de retrouver son corps dans le coffre d'une voiture.

— Le FL quoi ?

— Le FLQ. C'est une organisation qui veut que le Québec se sépare du Canada. Ils font sauter des immeubles et tuent des gens, lui explique-t-elle dans son anglais laborieux. Ils ont lancé une bombe là où je travaillais.

— Étais-tu là ?

— Non.

— Comment cela sert-il leur cause ?

— Je ne sais pas. *I just know they 'ate the English,* prononce-t-elle. *Tout ce que je sais, c'est qu'ils détestent les Canadiens anglais.*

— *They ate the English ?* répète-t-il d'un ton moqueur. *Ils ont mangé les Canadiens anglais.*

— *Hate,* dit-elle en insistant sur le H aspiré. *Détestent*[17].

— *Toi,* détestes-tu les Canadiens anglais ?

— Bien non*.

— Mais tu es une Canadienne française, précise-t-il, complètement perdu.

— Ce ne sont pas tous les Canadiens français qui détestent les Canadiens anglais.

---

17 N.d.t. : Puisque, en français, on aspire rarement le H en début de mot, les francophones ont tendance à oublier de le faire lorsqu'ils prononcent un mot anglais commençant par cette lettre. D'où la confusion entre « hate » (haïr, détester) et « ate » (manger au prétérit).

En réalité, tous ceux qui lui ont fait du mal étaient des Canadiens français. C'est peut-être pour cette raison qu'elle ne se sent pas particulièrement attachée à eux, qu'elle est plus à l'aise avec les Len Cohen et les Dennis de ce monde.

Elle monte le volume de la télé pour entendre le présentateur du *Téléjournal**.

— Ce n'est même pas un Canadien anglais, souligne Dennis. Le politicien qui est mort a un nom francophone, ce qui signifie qu'ils viennent juste de tuer un des leurs.

— Mais il était Libéral*, lui explique Élodie. Il faisait partie des ennemis.

— Tu es pas mal intelligente pour une…

— Une quoi ? l'interrompt-elle, prête à fourbir ses armes.

Pour une arriérée. Pour une cinglée.

— Pour une Canadienne, termine-t-il innocemment.

Elle rit, soulagée.

— J'aime quand tu souris, dit-il. Tes yeux sont moins tristes.

CHAPITRE 49
Maggie

Maggie ouvre la porte à toute volée et s'avance dans l'entrée.

— Il y a quelqu'un ? fait-elle, en se dirigeant vers la cuisine. Maman ?

La maison est silencieuse. Maggie attrape quelques craquelins dans le garde-manger – elle sait que sa mère en a toujours une boîte – et en engouffre un pour atténuer sa nausée. Comme toujours durant une grossesse, les craquelins lui procurent un soulagement instantané.

— Maman ?

Elle trouve sa mère assise sur le canapé dans le salon, le regard absent.

— Maman ?

— Yvon est mort, dit sa mère, en état de choc.

Le cœur de Maggie fait un bond. *Bon débarras,* pense-t-elle, indifférente.

— Comment ?

— Il s'est pendu.

En même temps que la surprise, Maggie a un sursaut de triomphe.

— Pourquoi ? demande-t-elle à sa mère, en s'assoyant sur l'ottomane usée de son père. A-t-il laissé une note ?

— Non. Une jeune fille a déclaré qu'il l'avait violée.

Je te l'avais dit ! a envie de crier Maggie. Mais elle se mord la langue. Elle se demande combien d'autres victimes il a faites.

— Elle a douze ans, dit Maman. Son père est un fermier qui travaillait pour Yvon. Il a presque battu ton oncle à mort et l'a prévenu qu'il alerterait la police. Yvon serait allé en prison.

— Comment as-tu appris cela ?

— Le voisin de Deda m'a téléphoné, dit-elle, sanglotant dans son mouchoir. Dieu merci, elle n'a pas eu à assister à tout cela.

L'année précédente, Deda a subi un infarctus et est morte dans son sommeil. Maggie n'a pas assisté aux funérailles.

— D'autres jeunes filles se sont manifestées, continue Maman. Partout dans Frelighsburg.

Elle s'effondre et se met à gémir bruyamment, exprimant une plus grande détresse qu'à la mort de son propre mari. Maggie se raidit et elle se lève.

— Tu as l'air très bouleversée par sa mort, jette-t-elle froidement. Je vais te laisser.

Maman cesse aussitôt de pleurer et lève les yeux vers Maggie.

— Ce n'est pas sa mort qui me bouleverse, s'écrie-t-elle. C'est *toi.* Tu as essayé de me le dire…

Elle s'effondre à nouveau. Maggie n'a jamais vu sa mère dans cet état.

— C'est bon, dit-elle gauchement. C'était il y a longtemps.

— Je ne t'ai pas crue, se lamente Maman en continuant à pleurer. Tu as essayé de me le dire et je cherchais plus à protéger Deda qu'à te protéger.

Maggie regarde au loin, se remémorant la peine qu'elle a éprouvée le jour où elle a compris cela il y a de nombreuses années.

— Peux-tu me pardonner ?

Il y a dans les yeux d'Hortense une vulnérabilité difficilement compatible avec la femme que Maggie a connue toute sa vie.

Elle n'arrive pas à dire oui. Même si elle sent que sa mère lui rend justice, ce n'est pas suffisant. Pas encore.

Maman se lève d'un bond et enlace étroitement Maggie.

— Je suis tellement désolée, ma cocotte*, murmure-t-elle, soufflant son haleine chaude dans les cheveux de Maggie.

Maggie reste raide. Comme cette étreinte est étrange, se dit-elle, pendant que les gros bras de Maman la serrent avec une surprenante vigueur. Plus de trente ans d'amour concentrés en un seul geste bien intentionné, mais qui arrive trop tard.

— N'écrase pas le bébé, lui dit Maggie.

CHAPITRE 50
Élodie

1971

Dans la salle de bain, Élodie retrousse sa jupe et remarque en s'essuyant qu'elle n'a pas vu de sang depuis longtemps. Elle réfléchit pour savoir à quand remontent ses dernières règles – ce qui est difficile pour elle puisqu'elle a une très mauvaise mémoire – et constate qu'elle n'en a pas eu depuis l'automne, probablement depuis septembre. Elle avait de terribles crampes et avait dû sortir pour acheter d'autres serviettes hygiéniques. C'était tard le soir et le temps était encore doux. Or, nous sommes en janvier.

Elle baisse les yeux sur son ventre protubérant. La réalité lui paraît tellement évidente qu'elle pousse un petit cri. Elle avait mis son gain de poids sur le compte des frites et des sandwiches à la viande fumée dont elle se gave au restaurant. Elle avait même dit à Marie-Claude qu'elle devrait moins manger, car elle commençait à avoir une bédaine*.

Elle se précipite vers la cuisine où Marie-Claude est en train de laver la vaisselle.

— Je crois que je suis enceinte, lâche-t-elle.

— Hein ?

— Je n'ai pas eu mes règles depuis l'automne.

— Mais, bon sang, qui est le père ?

— Quelqu'un que j'ai rencontré au restaurant, admet Élodie. Il partait pour le Vietnam la semaine d'après. Je ne connais même pas son nom de famille.

Marie-Claude rougit.

— C'était juste… une fin de semaine, murmure Élodie.

— *Ici ?* Tu as fait ça ici ? Dans notre appartement ?

Élodie baisse les yeux de honte.

— Es-tu certaine ? demande Marie-Claude, le ton cassant et moralisateur. Tu n'as pas vomi le matin…

— Je ne sais pas.

— *Qu'est-ce* que tu sais ?

— Je suis fatiguée et je me sens barbouillée, admet Élodie.

— Oh, mon Dieu*. Évidemment, tu ne peux pas le garder.

— Qu'est-ce que tu veux dire ?

— Tu ne peux pas avoir un bébé toute seule.

— Tu penses que je devrais le donner en adoption ? s'écrie Élodie. Sérieusement ?

Marie-Claude soupire. L'eau coule toujours dans l'évier, et ses gants de caoutchouc dégouttent d'eau savonneuse sur le lino.

— S'il y a quelqu'un qui devrait savoir que je ne pourrai jamais abandonner mon bébé, c'est bien toi, dit Élodie.

— Mais comment peux-tu être une mère, Élo ? Tu n'es *pas capable.*

— Je suis fatiguée de me faire dire ce que je peux et ne peux pas faire. J'en ai assez.

— Tu ne sais rien faire. Comment pourras-tu t'occuper d'un enfant ?

— Au moins, il aura une mère.

Marie-Claude retourne à sa vaisselle sans dire un mot. Élodie reste là pendant quelques minutes, abasourdie. Elle ne pensait pas que Marie-Claude réagirait ainsi. Ne pensait pas, point.

— Tu ne peux pas rester ici, finit par dire Marie-Claude, sa voix à peine audible au-dessus du bruit de l'eau.

Élodie fige sur place, bouche bée.

— Je ne peux pas t'aider à élever un enfant, reprend Marie-Claude. J'en suis incapable.

— Je ne t'ai rien demandé.

— Il faudra que tu te trouves un autre endroit où rester.

L'esprit d'Élodie fonctionne à toute allure. Elle a toujours sa valise de Saint-Nazarius, et elle est assez grande pour contenir tout ce qu'elle possède. Mais où ira-t-elle ?

— Quand veux-tu que je parte ? demande-t-elle froidement.

Sans répondre, Marie-Claude s'affaisse contre l'évier et ferme le robinet. Elle reste silencieuse pendant un long moment. Élodie sort de la cuisine et va se réfugier dans la chambre où elle s'allonge sur le canapé-lit, encore hébétée. Elle y reste un long moment, la main sur la pente douce de son ventre. *Un bébé.* C'est fou. Elle ferme les yeux. Elle ne veut pas penser au lendemain, sans parler des mois à venir.

— Je ne veux pas être méchante, dit Marie-Claude, qui apparaît soudain à côté du canapé. Simplement, je ne peux pas élever cet enfant avec toi.

— Je comprends.

— Tu peux rester un certain temps, concède-t-elle. Mais tu devras partir après la naissance de ton bébé.

— Merci.

— Je suis désolée, Élo.

— C'est ma faute, dit Élodie en s'assoyant. Je ne m'attends pas à ce que tu m'aides à élever mon enfant.

— Jean-Marc et moi allons probablement nous marier de toute façon…

— Tu n'as pas à t'expliquer.

Marie-Claude opine en regardant au loin, incapable de regarder Élodie dans les yeux.

— Comment as-tu pu faire ça, Élo ? Tu aurais dû avoir assez de jugeote pour ne pas répéter les erreurs du passé.

Élodie sait que son amie a raison, mais elle était tellement heureuse cette fin de semaine-là. Elle a complètement cédé à l'illusion de la normalité.

— Tu es sûre que tu ne te souviens pas du nom du garçon ? lui demande Marie-Claude. Peut-être qu'il pourrait t'aider.

— Je n'ai jamais su son nom de famille. Il est probablement mort à l'heure qu'il est, de toute façon.

— Oh, Élo, répète Marie-Claude en hochant la tête. Comment as-tu pu faire ça ?

Les mois filent – trop rapidement. Élodie voit la fin imminente de sa grossesse comme le jour du jugement dernier. Elle travaille toujours comme serveuse – les quarts de jour seulement –, mais ses chevilles enflées lui rendent la vie très difficile, tout comme la chaleur de l'été et ses horribles brûlures d'estomac. Par bonheur, Len et ses cousines ne lui ont pas fait la morale.

— Le rouquin de Boston ? lui a demandé Rhonda un soir, quand son état commençait à être apparent.

Élodie a fait oui de la tête.

— Va-t-il t'épouser ?

— Il est au Vietnam.

Il n'en a plus été question. Élodie les a laissés croire qu'elle poursuivait une relation à distance avec Dennis et qu'à la fin de sa mission il pourrait revenir l'épouser.

Par un après-midi particulièrement étouffant du dernier trimestre de sa grossesse, Élodie rentre chez elle après le travail en traînant les pieds. Elle passe par la cuisine pour prendre une boisson fraîche. Assise à la table, Marie-Claude fume une cigarette en s'éventant avec le magazine *Allô Police.*

— Comment te sens-tu, demande-t-elle à Élodie. Je te trouve un peu pâle.

— Je suis fatiguée.

— Il va falloir que tu arrêtes bientôt de travailler.

— Je ne peux pas, dit Élodie en prenant une bouteille de Pepsi dans le réfrigérateur avant de s'affaler sur une chaise. Pas tant que le bébé ne sera pas arrivé.

— C'est dans moins d'un mois.

— J'ai besoin de mon salaire.

Elle s'est déjà arrangée pour déménager à la fin du mois dans l'appartement en sous-sol de l'immeuble voisin. Mme Drouin, la propriétaire, a accepté de s'occuper du bébé pendant qu'Élodie ira travailler moyennant un tarif mensuel raisonnable qu'elle ajoutera au loyer. Élodie a calculé qu'elle pouvait s'en tirer grâce à ses pourboires et aux allocations du gouvernement.

— Je sais que tu penses que je fais une grosse erreur en élevant un bébé toute seule, dit Élodie en mordant goulûment dans le petit gâteau à la crème May West dont elle vient de déchirer l'emballage.

— En réalité, non, dit Marie-Claude, contre toute attente. N'oublie pas que je suis orpheline, moi aussi. Je sais ce que c'est que de grandir sans parents. Et je sais que tu ne pourrais jamais donner ton bébé en adoption.

Élodie fait passer le gâteau en prenant une longue gorgée de Pepsi.

— Mais je pense effectivement que tu as fait une erreur en tombant enceinte, ajoute sèchement Marie-Claude. Surtout d'un étranger.

— J'ai peur de ne pas savoir quoi faire, lui confie Élodie.

— Tu ne sauras pas quoi faire, renchérit Marie-Claude en lui tapotant la main. Mais tu vas le découvrir. Tu es intelligente.

Marie-Claude a été bonne avec elle au fil des ans. Après le transfert de Sœur Camille dans un hôpital de Repentigny, elle est devenue la seule et unique confidente d'Élodie. Elle lui a permis de rester avec elle pour la durée de sa grossesse, et lui a pardonné son erreur. Elle n'est peut-être pas la personne la plus conciliante, mais elle est compatissante.

— Je vais aller faire une sieste, dit Élodie en se dirigeant vers le canapé-lit, la bouteille de Pepsi à la main.

Elle s'allonge sur le dos, un oreiller sous les genoux et ferme les yeux. Le lit ne lui a jamais paru aussi confortable. Le bébé appuie un pied ou un coude contre elle. Étrange petite créature, pense-t-elle, tandis qu'il continue à lui donner des coups et à s'agiter. C'est toujours lorsqu'elle s'apprête à dormir qu'il a le plus d'énergie. Mais bizarrement, toute cette activité et tous ces mouvements la calment.

Puis, Marie-Claude la secoue pour la réveiller.

— Élodie ! s'écrie-t-elle. Le lit est complètement trempé !

Élodie ouvre un œil.

— Touche le matelas.

Élodie pose sa main sur le lit et constate qu'il est effectivement imbibé. Elle s'assoit, désorientée.

— Que se passe-t-il ?

— On ne t'a pas dit à la clinique que tu perdrais les eaux, juste avant d'accoucher ?

— Oui, mais…

— C'est sans doute ce qui se passe. Il faut que tu ailles à l'hôpital.

— Je ne suis pas prête !

— J'appelle un taxi.

— Mon Dieu* ! fait Élodie en se mettant à pleurer. Qu'est-ce que j'ai fait ?

— Ce n'est pas le moment !

— Je ne sais pas ce que c'est qu'être un parent. Je ne saurai jamais quoi faire !

Marie-Claude l'ignore, compose un numéro, demande une voiture.

— Vas-tu venir avec moi ? s'écrie Élodie, de plus en plus paniquée.

— Bien sûr, répond Marie-Claude. Il faut que je sois au travail à sept heures seulement. Il a intérêt à naître avant.

Elle travaille au *pool* de secrétaires de la société ferroviaire Grand Trunk Railway.

— J'ai peur, chuchote Élodie.

— Et pour cause.

Treize heures plus tard, seule dans un lit d'hôpital, Élodie se demande comment elle fera pour être la mère de la petite fille dont elle vient tout juste d'accoucher. Lorsque l'infirmière a déposé le bébé sur sa poitrine, Élodie n'a rien senti. Ni joie, ni soulagement, ni attachement d'aucune sorte. Et certainement pas de l'amour. Comme d'habitude, elle n'a ressenti que *du vide.*

Elle ne s'est détendue que lorsque l'infirmière a repris le bébé pour l'emmener à la pouponnière.

— Vous pourrez lui rendre visite plus tard, a-t-elle assuré en souriant lorsqu'elle a quitté la chambre.

— Quand est-ce que je pourrai partir? lui a demandé Élodie.

— Dans deux jours, lui a répondu l'infirmière en lui jetant un regard perplexe.

Deux jours. Elle préférerait être à la rue que coincée ici. Elle n'a pas remis les pieds dans un hôpital depuis qu'elle a quitté Saint-Nazarius. Tout la rend malade dans ce lieu: l'odeur, les néons, l'horrible nourriture de la cafétéria...

Et maintenant, que va-t-il se passer?

Les paroles de Sœur Ignatia lui reviennent à l'esprit. *Imbécile. Arriérée.* Comment une telle personne est-elle censée prendre soin d'un autre être humain?

Elle se sert du drap pour essuyer ses larmes. Pendant une fraction de seconde, elle envisage de s'enfuir. Ce serait très facile! Puis elle pense à sa fille et change d'idée. Pour la petite, une vie sans mère serait sans doute pire qu'une vie avec Élodie.

Toutes ces pensées se bousculent dans sa tête au moment où l'infirmière vient reprendre son plateau – intact.

— Il faut que vous mangiez, Mam'selle de Saint-Sulpice*, soutient-elle. Vous allez avoir besoin d'énergie.

— Ce n'est pas mangeable, marmonne Élodie.

— Avez-vous choisi un nom pour votre fille? demande l'infirmière d'un ton enjoué. C'est un petit ange.

— Non.

— Votre famille va-t-elle venir la voir ?

Élodie se détourne, sans répondre.

— Je vais vous laisser vous reposer, dit l'infirmière, sans se départir de sa bonne humeur.

Marie-Claude vient lui rendre visite après le travail, un petit bouquet d'œillets roses à la main.

— Comment va-t-elle ?

Élodie met un moment à comprendre que Marie-Claude parle de son bébé.

— Je ne sais pas, dit-elle. Je ne l'ai pas vue encore.

Marie-Claude dépose les fleurs sur la table et s'assoit au bord du lit.

— Il faut que tu ailles de l'avant, dit-elle. Tu ne peux pas rester dans le passé.

— Je n'éprouve aucun sentiment pour elle, lui confie Élodie. Quel genre de mère est-ce que je suis ?

— Tu dois apprendre à la connaître, c'est tout.

— Je ne serai pas capable.

— Arrête de t'apitoyer sur toi-même, rétorque Marie-Claude. Tu as un bébé maintenant et elle a besoin de toi. Lui as-tu donné un nom ?

Élodie secoue la tête.

— Tu ferais mieux d'y penser.

Élodie détourne la tête, honteuse.

— Elle est mieux avec toi que dans un orphelinat, lui lance brusquement Marie-Claude. Tu ne pourras jamais lui faire *plus* de mal que les bonnes sœurs.

— Qui sait ?

— Une mère pourrie, c'est toujours mieux que pas de mère du tout.

— Te souviens-tu de la façon dont Sœur Ignatia nous forçait à nous mettre en rangs pour nous fouetter, pour l'erreur d'une autre ?

— Bien sûr.

— Un jour, elle nous a fouettées parce que Sylvie avait crié en voyant une souris. Quand elle a eu terminé, elle nous a dit que c'était pour nous montrer comment bien nous comporter.

— Qu'est-ce que cela a à voir avec la situation actuelle ? fait Marie-Claude avec impatience.

— C'est tout ce que je connais de l'éducation des enfants.

— C'est ce que tu veux pour ta fille, alors? Qu'elle grandisse comme ça, sans mère ?

— Je pourrais la faire adopter par une bonne famille, dit Élodie, ragaillardie. Des gens que *je* choisirais : riches et bons.

— Lève-toi, ordonne Marie-Claude.

— Hein ?

— Sors du lit et viens avec moi.

— Où ?

— Nous allons voir ta fille.

Élodie obéit, glissant lentement ses jambes hors du lit. Elle traîne les pieds à côté de Marie-Claude, le cœur rempli d'effroi à mesure qu'elles s'approchent de la pouponnière.

— Pense à quel point les choses ont changé, dit Marie-Claude, en la prenant par le bras. Nos mères n'avaient pas le droit de nous garder et de nous élever toutes seules. Elles étaient *obligées* de nous abandonner. Au moins, nous avons le choix maintenant. Ce n'est plus honteux pour une femme d'avoir un enfant sans être mariée.

Elles s'arrêtent devant la fenêtre de la pouponnière et appuient le front contre la vitre. Élodie balaie les petits lits du regard jusqu'à ce qu'elle repère *de Saint-Sulpice*, qui semble être devenu son nom de famille officiel. Elle éclate en sanglots en le voyant sur le lit de sa fille – ce n'est pas du tout son nom, mais le nom de l'orphelinat où elle a passé les sept premières années de sa vie.

Enveloppée dans sa couverture rose au creux de son petit lit, sa fille n'est pas plus grosse qu'une poupée. Un visage rose, de longs cils, aucun cheveu sur la tête.

Marie-Claude étouffe un petit cri avec sa main.

— Elle est magnifique, Élo !

— Vraiment ? fait Élodie en regardant son bébé.

— Bien sûr qu'elle l'est. Ça ne va pas la tête ?

— Je ne sais pas ce que je suis censée ressentir.

Marie-Claude se tourne vers Élodie, la prend par les épaules et la secoue sans ménagement.

— Donne un prénom à ce bébé, *et va de l'avant*, martèle-t-elle. M'entends-tu ? Tu dois trouver un moyen d'oublier ce qui t'est arrivé.

— *Toi*, as-tu été capable ?

— J'essaie, s'écrie Marie-Claude en relâchant Élodie. Au moins, j'essaie.

— Je ne sais pas comment faire pour oublier.

— Eh bien, alors, raconte aux gens ce qu'on nous a fait à Saint-Nazarius, suggère Marie-Claude. Écris-le, parle à un journaliste. Le *Journal de Montréal* publie ce genre d'histoire à tout bout de champ. Parle de Sœur Ignatia et de la façon dont nous étions traitées là-bas. Fais *quelque chose* et donne un foutu nom à ta fille.

PARTIE IV

1974

LA PLANTATION

« Qu'un jardin est beau parmi les difficultés et les passions de l'existence. »

Benjamin Disraeli

CHAPITRE 51
Maggie

Maggie lève les yeux de sa machine à écrire pour regarder par la fenêtre et admirer la magnifique vue sur le lac. Elle sirote son café, en savourant cette paisible matinée dominicale. L'air est embaumé par le subtil arôme anisé des fleurs sauvages que Stéphanie a cueillies pour elle – un joli bouquet de verges d'or, d'asters, de chardons et de polygales. Maggie adore sa nouvelle demeure et sa vie à Cowansville. Après la naissance de Stéphanie, elle et Gabriel ont décidé de vendre la villa de Knowlton pour vivre plus près du magasin. D'ailleurs, Gabriel n'avait jamais été à l'aise d'habiter une maison dont Roland ne voulait plus.

Remarié et désormais père, Roland a accepté sans faire d'histoires que son ex-épouse vende la maison, heureux de lui laisser tout le produit de la vente. Maggie et Gabriel ont ensuite acheté une propriété toute blanche de style georgien datant de 1830, située sur un terrain d'un peu plus de cent ares[18] surplombant le lac Brome. Gabriel s'adonne à la pêche durant ses heures de loisir tout en dirigeant

18 L'équivalent de deux acres au Québec.

la ferme de Dunham. Clémentine, qui a maintenant un fiancé, en a abandonné la gestion quotidienne. Gabriel peut enfin faire ce qu'il a toujours voulu faire : travailler dans son champ, à ses conditions. Il a réussi à augmenter la rentabilité de la ferme en raison du prolongement de l'autoroute 10 jusqu'à Magog et Sherbrooke. Grâce à ses revenus et à ceux du magasin de Maggie, ils mènent une existence confortable, qui dépasse toutes les espérances qu'ils avaient pu avoir.

Maggie ne peut nier que sous bien des aspects elle suit les traces de son père. Elle passe ses journées à servir les fils des agriculteurs avec qui elle a grandi, à parler avec eux de semences, de récoltes et de chrysomèles, et à les prévenir des dangers des pesticides qui ont fait de son père une triste légende. Comme Wellington, elle est connue pour s'engager dans de longs débats politiques – ou parfois même dans des disputes (ou des sermons, si besoin est), car au fond, elle est toujours une Anglo – et elle ne craint pas d'exprimer ses opinions. On la respecte pour ce trait de caractère autant que pour sa connaissance et sa compréhension des semences.

À la fin de chaque journée, avant de rentrer à la maison préparer le dîner familial, elle s'enferme dans le bureau de son père – ainsi qu'elle l'appelle toujours – et prend le temps de revoir les ventes de la journée ou de revérifier la tenue de livres de Fred, et de dresser la liste des tâches qu'elle doit faire le lendemain. Elle comprend maintenant pourquoi son père hésitait à déléguer, même un tant soit peu. La connaissance pratique de toutes les facettes de son entreprise la rassure, surtout depuis l'ouverture de cette nouvelle jardinerie à Granby : *Seed World.* Les propriétaires ne se sont même pas donné la peine d'ajouter un nom français. C'est une grande surface de type entrepôt où les clients doivent pousser leur chariot dans les allées et se servir eux-mêmes. Ça sent la quincaillerie, pas le jardinage. Au moins, les choses qui poussent embaument toujours le magasin de Maggie.

Gabriel et les enfants sont affalés sur la pelouse autour d'un seau de myrtilles fraîchement cueillies. Maggie voit Gabriel en lancer une vers James, puis une autre vers Stéphanie. Les enfants contre-attaquent et bientôt les trois se retrouvent en pleine bataille de myrtilles. Maggie les entend rire et crier par la fenêtre.

Maggie s'amuse à voir James riposter à coups de myrtilles. Elle n'en revient pas encore de le voir sur le point d'entrer dans l'âge adulte – ce grand dégingandé qui est presque de la même taille que Gabriel, avec sa mâchoire carrée et ses cheveux en broussaille, un peu trop « hippie » au goût de sa mère. À treize ans, il a un charme tout juste naissant, car ses traits sont en train de s'adapter à ses nouvelles dimensions. Son corps s'est développé pratiquement du jour au lendemain, tandis que tout le reste de sa personne s'ingénie à faire du rattrapage. Maggie se surprend à chercher désespérément le petit garçon qu'elle a connu derrière ces larges épaules, ces grandes mains et ces grands pieds lourds et maladroits, mais toute trace de son bébé a disparu.

Elle reporte son attention sur sa machine à écrire et se remet à la planification du contenu du catalogue du printemps. Bien que la saison du maïs soit à peine entamée, elle aura tout juste le temps de préparer sa maquette pour l'envoyer chez l'imprimeur avant l'échéance de novembre. Elle a tendance à reproduire la mise en page de son père, en divisant le catalogue par catégories de semences – graminées et légumineuses ; herbes ; fruits et légumes ; céréales ; fleurs – et en consacrant des sections distinctes aux outils, aux pesticides ainsi qu'à l'emballage et à la livraison. Elle a ajouté une section *Conseils,* dans laquelle elle traite des différents moyens de repérer les anomalies des semis, de la façon de vérifier l'humidité, des meilleures conditions de germination et d'autres sujets tout aussi fascinants.

Habituellement, le maïs vole la vedette. Elle vend toujours très bien la variété Golden Bantam. Et pendant qu'elle tape le texte de présentation accompagnant ses photos, elle décide de l'offrir en promotion. Trente cents le sachet de cent semences.

Une fois qu'elle a terminé, elle vérifie le tout une deuxième, voire une troisième fois, à la recherche d'éventuelles coquilles – une obsession qu'elle tient de son père, qui détestait relever des erreurs dans son catalogue. Puis elle retire le papier d'un geste spectaculaire, comme si elle venait de terminer un roman.

Le téléphone sonne au moment où elle se lève pour refaire le plein de café. Son humeur s'assombrit, car elle suppose que c'est sa mère qui l'appelle pour se plaindre de son déménagement imminent dans une maison de retraite. Elle envisage de ne pas répondre, mais la culpabilité la gagne et elle prend le combiné à la dernière minute. Maman n'a plus personne d'autre qu'elle à embêter depuis que ses autres enfants ont quitté la région : Géri et Nicole sont à Montréal, Peter à Toronto et Violet à Val-Racine.

— Maggie, c'est Clémentine. As-tu lu *Le Journal de Montréal* aujourd'hui ?

— Non, pourquoi ? lui demande Maggie, le cœur battant à cause de l'urgence qu'elle entend dans la voix de Clémentine.

— Il y a un reportage à la page trois sur les orphelins de Duplessis.

— Je te rappelle.

— Maggie, je pense que ça pourrait être elle…

Maggie raccroche et part à la recherche du journal. Elle le trouve sur la table de toilette de la salle de bain, là où Gabriel l'a laissé en prévision de sa lecture du soir. Elle ne prend même pas la peine d'aller dans une autre pièce, s'assoit sur le plancher de céramique froide, à côté de la cuvette, et ouvre le journal à la page trois.

L'ADAPTATION À LA SOCIÉTÉ DES ORPHELINS DE DUPLESSIS

« En 1967, par une chaude journée de printemps, Monique (nom d'emprunt), 17 ans, est sortie de l'Hôpital Saint-Nazarius de Montréal, enfin libre. Monique a grandi derrière les fenêtres à barreaux de l'aile psychiatrique de Saint-Nazarius, non pas parce qu'elle était mentalement déficiente, mais bien parce qu'elle était orpheline. Elle n'était qu'une parmi des milliers d'enfants illégitimes et en santé que l'on a déclarés déficients mentaux dans les années 1950, sous le régime du premier ministre Maurice Duplessis, et que l'on a envoyés dans différents hôpitaux psychiatriques du Québec.

En 1954, Duplessis a signé un décret ordonnant la conversion des orphelinats du Québec en hôpitaux afin que les congrégations qui prenaient soin des orphelins obtiennent plus de financement du gouvernement fédéral. À l'époque, le gouvernement québécois recevait pour les orphelinats une fraction des subventions pour les hôpitaux: 1,25 $ par orphelin, comparativement à 2,75 $ par patient d'un hôpital psychiatrique.

Ces enfants n'étaient pas seulement des orphelins, ils étaient les enfants du péché, nés en dehors des liens du mariage, abandonnés par la province et sans personne pour les défendre. Monique se souvient de l'endroit où elle a vécu jusqu'à l'âge de sept ans, l'orphelinat de Saint-Sulpice à Farnham, mieux connu à l'époque sous le nom de Maison des petites filles non désirées. Ce n'était pas mal comme endroit, se souvient-elle. Je n'en ai pas de mauvais souvenirs avant qu'on le convertisse en hôpital psychiatrique.

Monique se souvient du jour où un groupe de malades mentaux âgés a débarqué d'un autobus pour s'installer dans ce qu'elle considérait comme sa maison. Soudain, il n'y a plus eu classe, et on a chargé Monique de prendre soin de certains malades mentaux, ce qu'elle a fait jusqu'à son transfert à Saint-Nazarius en 1957.

À quoi ressemblait la vie d'une enfant normalement constituée grandissant dans une institution psychiatrique? Dans son appartement en sous-sol de Pointe-Saint-Charles, Monique sort un carnet rempli de témoignages de son expérience – ses dessins, ses journaux et ses rêves. Il est difficile d'imaginer ce que seraient devenus les enfants comme Monique s'ils n'avaient pu compter sur la bonté des Sœurs de Saint-Nazarius et les soins quotidiens qu'elles leur prodiguaient. Les religieuses responsables des ailes psychiatriques surpeuplées avaient beaucoup de pain sur la planche. En règle générale, une seule et unique religieuse supervisait au moins une cinquantaine d'enfants. Comme elles étaient sous pression, elles devaient faire preuve de rigueur et certaines étaient des adeptes d'une stricte discipline.

On m'a mise au travail immédiatement, rapporte Monique. *J'ai nettoyé des salles de bain, fait de la couture. Nous étions sévèrement punies pour la moindre erreur.*

Mais il y a aussi eu des moments de bonheur. Les concerts de Noël, les excursions dans les villes environnantes, les amitiés durables. Après avoir quitté l'hôpital, Monique a vécu avec une ancienne camarade de Saint-Nazarius, qui, elle aussi, avait été libérée après qu'une commission créée au début des années 1960 eut enquêté sur ces institutions. Cette commission a conclu en 1962 que plus de vingt mille patients n'étaient pas à leur place dans ces hôpitaux. Il s'en est suivi une libération graduelle de nombreux orphelins ayant atteint l'âge adulte. Une fois dans le monde extérieur, ils ont dû se trouver du travail et apprendre à vivre normalement.

Comme la plupart des orphelins dans sa situation, Monique a quitté Saint-Nazarius avec peu d'aptitudes sociales. Se décrivant elle-même comme enfantine et en retard , elle révèle qu'elle ne savait même pas comment peler et faire bouillir une pomme de terre.

Mais grâce à la diligence des Sœurs de Saint-Nazarius, Monique savait coudre et elle s'est trouvé du travail presque immédiatement. Elle a donc pu subvenir à ses besoins et s'adapter à la société. Avec le temps, nous en apprendrons davantage sur les répercussions des initiatives de Duplessis, mais pour le moment, Monique mène une vie tranquille et normale, ce qui, dit-elle, a toujours été son objectif. Je ne suis pas folle, dit-elle. Je ne l'ai jamais été. Je suis comme tout le monde. »

Une fois qu'elle a fini de lire l'article, Maggie se relève et sort en courant, sans prendre la peine de téléphoner à Clémentine. Elle appelle Gabriel en agitant frénétiquement le journal.

CHAPITRE 52
Élodie

Élodie étudie le croquis qu'elle vient de dessiner dans son carnet et constate qu'elle a fait une erreur. Elle prend sa gomme à effacer et son crayon, et apporte les retouches nécessaires: il y avait trois bandes transversales munies de boucles sur la camisole de force et non pas quatre. La quatrième boucle, au bas de la camisole, servait à serrer la bande qui passait entre les jambes et s'attachait dans le dos.

Une fois satisfaite, elle referme son carnet et le cache dans le tiroir de sa table de chevet. Devenu un véritable pavé au fil du temps, ce cahier contient des pages et des pages de ses croquis et de ses notes sur sa vie à Saint-Nazarius – une chronique d'une insoutenable précision, car ses souvenirs sont intacts et toujours aussi vifs.

Elle n'a pas l'intention de montrer ce carnet à qui que ce soit. Elle s'est confiée à ce journaliste et, plutôt que de dire la vérité, il a écrit un conte de fées qui se terminait bien. Elle était tellement impatiente de lire l'article lorsqu'il est paru, samedi dernier. *Enfin,* avait-elle pensé, *je vais pouvoir me venger.* Elle croyait que tout le Québec serait bientôt au courant de ce que les religieuses avaient fait aux orphelins et qu'elles en subiraient enfin les conséquences.

Élodie sanglotait quand elle a eu fini de lire l'article, assise par terre, complètement dévastée. Le journaliste n'avait pas parlé de la torture et des mauvais traitements qu'elle avait subis quotidiennement, ni de Sœur Ignatia, ni du fait que « Monique » était elle-même mère d'une fille illégitime qu'elle élevait seule. Cela ne cadrait pas avec la fin heureuse de son histoire ni avec la prétendue « vie tranquille et normale » qu'elle menait.

Tout cela, c'était de la foutaise. Des mensonges par omission ou pire. Les « concerts de Noël » ? Les « amitiés durables » ? Élodie avait eu envie de vomir en lisant ce passage. Mais le pire, c'était l'évocation de la « bonté » des religieuses et des « soins quotidiens » qu'elles prodiguaient aux orphelins.

Élodie a déchiré le journal en mille morceaux et y a mis le feu dans l'évier. Elle est restée là à regarder les flammes détruire sa première tentative de représailles, mais non sa dernière.

Elle n'écrit pas assez bien pour rédiger elle-même son autobiographie, mais elle s'est promis qu'un jour elle raconterait l'histoire à quelqu'un qui serait prêt à dévoiler la vérité ; pas un récit superficiel et édulcoré qui continuerait à protéger l'Église, mais un compte rendu impitoyable et explicite des atrocités infligées aux orphelins. Elle espère seulement que Sœur Ignatia sera encore en vie lorsque le monde découvrira ce qu'elle a fait.

— Maman* ?

Élodie lève les yeux et aperçoit Nancy qui la regarde de ses yeux bleus remplis de dévotion. Elle a bientôt trois ans, de jolis cheveux blonds et un visage rose et rond. Élodie n'en revient toujours pas d'avoir réussi à concevoir cet ange exubérant, cette turbulente étincelle de lumière et de joie, qui rit de tout, qui trépigne si elle n'obtient pas ce qu'elle veut ; cette enfant qui n'a peur de rien, qui est confiante et intrinsèquement heureuse.

Pas une journée ne se passe sans qu'Élodie se pose la même question : *Comment ai-je fait pour mettre cette créature au monde ?*

Mère et fille sont complètement différentes. Nancy est curieuse, intelligente, optimiste. La morosité passagère d'Élodie semble à peine atteindre son moral d'acier ou la dissuader d'explorer, de divertir et d'en faire à sa tête. En réalité, bien peu de choses découragent la petite fille si ce n'est de se faire dire non. Élodie considère que Nancy a une enfance merveilleuse comparée à la sienne, ce dont elle est très fière.

Élodie est la première à admettre qu'elle n'est probablement pas la meilleure mère qui soit. Elle travaille comme serveuse cinq soirs par semaine, et elle est toujours bénéficiaire de l'aide sociale. Et lorsqu'elle est à la maison, elle passe beaucoup trop de temps le nez dans son carnet de doléances, s'échinant à y consigner le moindre mauvais traitement qu'elle a enduré. Mais Nancy est en sécurité et bien nourrie, elle n'a pas de bleus ni de cicatrices, et elle n'a jamais été enfermée. Elle se fait constamment câliner, embrasser, chatouiller et dire « je t'aime ». Élodie a dépassé ses propres attentes quant au genre de mère qu'elle est devenue et, en dépit de tout, a réussi à repousser ses nombreuses limites.

— Maman, *debout,* fait Nancy en levant ses bras dodus au-dessus de sa tête.

Élodie la prend dans ses bras pour la faire monter sur le canapé-lit qu'elles partagent. Nancy se love dans son giron comme un chaton.

— Je t'aime, Maman*, roucoule-t-elle.

Élodie est toujours troublée d'entendre ces mots prononcés aussi librement. *Je t'aime.* Elle n'a pas eu à faire grand-chose pour les mériter.

— Moi aussi, je t'aime, dit-elle, en allumant une cigarette.

— Quand est-ce que je vais chez grand-maman* ? demande la petite fille en regardant sa mère, le visage empreint d'une pure adoration.

— Qui ? demande Élodie. Tu n'as pas de grand-mère.

— Madame Drouin m'a dit qu'elle était ma grand-maman* et que c'est comme ça que je dois l'appeler.

Élodie tire une longue bouffée de sa cigarette et sent son pouls palpiter. Elle essaie de se calmer.

— Eh bien, elle ne l'est pas, dit-elle avec colère.

— Alors, c'est qui ma grand-mère ?

Élodie ouvre la bouche pour dire la vérité à Nancy, mais change rapidement d'avis. Nancy la regarde avec des yeux remplis d'espoir, comme le font les enfants.

— Madame Drouin n'est pas ta grand-mère, répète-t-elle prudemment.

— Mais elle s'occupe de moi.

— Ce n'est pas comme ça que ça fonctionne.

— Tous les autres enfants du voisinage ont des grands-mères, des tantes, des oncles et des cousins. Où sont les miens ?

Élodie écrase sa cigarette dans une tasse sur la table de chevet, clignant des yeux pour empêcher ses larmes de couler.

— Ça ne te suffit pas de m'avoir ? demande-t-elle à Nancy.

La petite fille semble réfléchir, ses adorables sourcils dorés froncés.

— Est-ce que je ne pourrais pas avoir les deux ? demande-t-elle.

— Peut-être un jour, ma chouette*, dit Élodie, n'abandonnant jamais la possibilité de trouver un membre de sa famille.

— Maintenant, va me chercher une canette de Pepsi.

Nancy saute du lit et se précipite vers la cuisinette en chantant *Frère Jacques.*

— Ne la secoue pas ! crie Élodie.

Quelques instants plus tard, Nancy revient dans la chambre avec une canette de Pepsi. Bien entendu, aussitôt qu'Élodie l'ouvre, la boisson gazeuse jaillit comme de la lave, aspergeant sa chemise et les draps. Nancy éclate de rire, sans craindre les conséquences de son geste, et Élodie rit avec elle, certaine que sa fille est le cadeau que l'univers lui a offert pour compenser son épouvantable enfance.

Le téléphone sonne et Élodie rampe vers l'autre côté du lit pour prendre le combiné.

— Allô* ?

— Élodie, ici Gilles Leduc du *Journal de Montréal*.

Tout le corps d'Élodie se raidit et sa figure s'empourpre.

— Votre article, c'était de la foutaise, s'emporte-t-elle. En protégeant les bonnes sœurs comme vous l'avez fait, vous n'êtes pas mieux qu'elles. Vous dites que vous êtes journaliste, mais vous n'êtes qu'un menteur. Vous avez omis tout ce qui était important. Ma « vie tranquille et normale » ? Êtes-vous aveugle ?

Elle l'entend soupirer à l'autre bout du fil, mais elle continue.

— Nom de Dieu, à vous lire, on dirait que j'ai eu une enfance de rêve dans cet endroit. Pourquoi n'avez-vous pas tout simplement dit la vérité ? Ça aurait fait un bien meilleur reportage !

Nancy la regarde avec de grands yeux.

— Lisez-vous les petites annonces? lui demande-t-il en l'interrompant.

— Non.

— Peut-être que vous devriez.

— Je ne lirai plus jamais votre journal, connard ! Vous ne dites pas la vérité !

— Je crois vraiment que vous devriez acheter l'édition d'aujourd'hui.

— Pourquoi ?

— Un réviseur que je connais à la section des petites annonces m'a dit que quelqu'un faisait publier la même petite annonce depuis des années le premier samedi du mois. Il pense que c'est vous qu'il cherche.

— *Moi ?* Qu'est-ce que vous dites là ?

— Votre récit correspond aux détails de cette annonce. Allez acheter le foutu journal.

Il raccroche. En dépit de la promesse qu'elle s'est faite de ne plus jamais lire un journal, Élodie traîne Nancy au magasin du coin pour acheter le *Journal de Montréal*. Elle parcourt rapidement toute la section des petites annonces jusqu'à ce qu'elle tombe sur celle qui lui fait pratiquement faire un arrêt cardiaque.

> «Je suis à la recherche d'une jeune femme du nom d'Élodie, née le 26 mars 1950, à l'Hôpital Brome-Missisquoi-Perkins dans les Cantons-de-l'Est. Elle a vécu à l'orphelinat de Saint-Sulpice près de Farnham jusqu'en 1957, année où elle a été transférée à l'Hôpital Saint-Nazarius à Montréal. J'ai des renseignements sur sa famille biologique. Prière d'appeler... »

Et tout à coup, tout change.

Sa famille biologique. Elle se répète ces mots encore et encore, en se précipitant chez elle, le journal serré sur son cœur.

— Qu'est-ce qu'il y a, Maman? demande Nancy en tentant de rattraper sa mère.

— Il n'y a rien, dit Élodie en s'accroupissant pour se mettre à la hauteur de sa fille. Tout va bien. Je pense que tout pourrait enfin rentrer dans l'ordre.

CHAPITRE 53
Maggie

C'est le chaos habituel du samedi soir. Gabriel est à la ferme et Maggie est seule avec les enfants. Le téléphone sonne au moment où Stéphanie pique une crise de nerfs parce que sa mère refuse qu'elle porte ses bottes de pluie dans la baignoire. Assis à la table de la cuisine, James regarde un match des Expos en avalant son troisième repas de la soirée. Il a un appétit insatiable ces jours-ci. Le volume de la télé est au maximum.

Maggie décroche le combiné, ignorant Stéphanie qui, suspendue à son pantalon à pattes d'éléphant, hurle son besoin de porter ses bottes dans la baignoire pour faire comme si c'était une mare.

— Allô* ? fait Maggie.

— J'ai vu votre annonce dans le *Journal de Montréal* aujourd'hui, dit une voix de femme.

— Je vous demande pardon, quelle annonce ?

— Celle où l'on dit que vous avez des renseignements sur ma famille biologique. Je m'appelle Élodie.

Maggie sent ses genoux se dérober sous elle. Elle s'accroche au comptoir pour se retenir.

— Madame ? dit Élodie.

— Oui, je suis là. Désolée.

— On disait d'appeler à ce numéro dans l'annonce.

— Bien sûr, fait Maggie en réfléchissant à toute vitesse.

C'est probablement Gabriel qui a fait paraître l'annonce. Toutes ces années, il l'a laissée partir en croisade, tandis qu'il faisait tranquillement ses propres recherches de son côté.

— Donc, *c'est* le bon numéro, s'assure la femme.

— Oui, réussit à dire Maggie. Oui.

Elle n'est pas morte. C'est elle.

Maggie a eu un regain d'espoir la semaine dernière, en lisant l'article sur « Monique » et les orphelins de Duplessis. Il était fort possible que Monique fût Élodie. Mais elle ne savait toujours pas comment la retrouver. Elle a suggéré à Gabriel de patrouiller dans les rues de Pointe-Saint-Charles, à la recherche d'une femme de vingt-quatre ans qu'ils pourraient reconnaître avec un peu de chance. Mais Gabriel lui a opposé un refus catégorique, en lui disant qu'elle avait perdu la raison. Ils sont cependant allés dans toutes les usines de couture de Pointe-Saint-Charles, de Saint-Henri et de Griffintown, mais n'ont trouvé aucune ouvrière correspondant à la description d'Élodie. Maggie s'est même rendue au Centre de Retrouvailles*, où elle a pu seulement laisser ses coordonnées, en espérant qu'Élodie s'y présenterait un jour pour retrouver sa mère biologique.

— D'après l'annonce, vous avez des renseignements sur ma famille biologique…

— Je… Oui, balbutie Maggie, tout en essayant de prendre un ton normal.

Stéphanie est toujours accrochée à son pantalon, toujours obsédée par ses foutues bottes de caoutchouc. Maggie éloigne le combiné de sa bouche.

— Emmène-la ! dit-elle à James, qui l'ignore.

— *Maintenant !* gronde Maggie. Donne-lui son bain.

— Avec mes bottes ? demande Stéphanie.

— Oui, jette Maggie avec impatience.

Soudain ragaillardie, Stéphanie s'en va en sautillant vers la salle de bain. James ferme la télé et la suit à contrecœur, laissant Maggie seule dans la cuisine.

— Que savez-vous de vos antécédents ? demande-t-elle à Élodie dans l'espoir de déterminer qu'il s'agit bien d'elle.

— Je suis née en 1950, dit Élodie. Je ne connais pas la date. Personne ne m'a adoptée parce que j'étais petite et chétive. Je n'en sais pas beaucoup plus. Ma mère est morte en accouchant.

Maggie met sa main devant sa bouche pour s'empêcher de crier. *Morte en accouchant ?* Pourquoi diable les religieuses lui ont-elles dit cela ?

— Qui suis-je ? lui demande Élodie. Quel est mon nom de famille ?

— Votre nom est Élodie Phénix, dit Maggie, en essayant de maîtriser sa respiration et de rester calme.

— Et qui êtes-vous ?

Maggie hésite, ne sachant pas quoi répondre. Cette pauvre fille pense que sa mère est morte. Comment Maggie peut-elle lui dire la vérité au téléphone ?

— Mon nom est Maggie, dit-elle. Je pense que je suis votre tante.

— La sœur de ma mère ?

— Oui, ment Maggie. Elle a eu une fille le 26 mars 1950, quelques semaines avant la date prévue de l'accouchement. La petite est restée à Saint-Sulpice jusqu'en 1957, puis elle a été transférée à Saint-Nazarius. Ma sœur l'a appelée Élodie.

— Avant de mourir ?

— Oui, souffle Maggie en serrant les paupières. C'était sur le certificat de naissance.

— J'ai tellement de questions.

Moi aussi, pense Maggie.

— Je veux tout savoir d'elle, dit Élodie. Est-ce que j'ai d'autres parents ? Et mon père ?

— Aimeriez-vous me rencontrer ?

— Oui, une réponse qui fait bondir Maggie de joie.

Elles prennent rendez-vous pour la fin de semaine suivante. Maggie aurait espéré la voir avant – elle prendrait sa voiture pour aller chez elle sur-le-champ si elle le pouvait. Mais elle a senti que les choses allaient un peu trop vite pour Élodie et elle a fait machine arrière.

Elle appelle Clémentine pour parler à Gabriel, mais il a déjà quitté la ferme pour rentrer. Maggie ne lui dit rien de sa conversation avec Élodie. Gabriel doit être le premier à être mis au courant.

Maggie va et vient dans la cuisine, impatiente de mettre la main sur ce journal et de voir Gabriel arriver. Encore agitée de tremblements, elle s'assoit à la table. Une douleur lui martèle le crâne, signe avant-coureur d'une migraine.

Ma fille est vivante. Elle n'a jamais vraiment cru qu'Élodie était morte, et ne voit toujours pas pourquoi cette Sœur Ignatia lui a menti ce jour de 1961. Qui est assez cruel et inhumain pour empêcher délibérément une mère de retrouver son enfant? Maggie ne sera jamais capable de comprendre ou de pardonner un tel comportement. Cette religieuse lui a volé treize années de vie avec sa fille.

La porte arrière s'ouvre. Maggie se lève d'un bond, se précipite dans les bras de Gabriel.

— Que se passe-t-il? demande-t-il. Les enfants sont couchés?

Les enfants. Ils lui sont complètement sortis de la tête. Ils ne font aucun bruit à l'étage, probablement ravis à l'idée de se faire oublier de leur mère et de pouvoir se coucher plus tard.

— Je ne sais pas, dit-elle.

— Tu ne sais pas où sont les enfants? fait-il en déposant un seau de myrtilles sur le comptoir.

— Élodie a téléphoné.

Gabriel s'arrête et se tourne vers elle.

— Quoi?

— Élodie a téléphoné ici, répète-t-elle. Elle est vivante.

Gabriel devient livide.

— Elle a lu ton annonce et elle a appelé ! s'écrie Maggie. Depuis combien de temps la fais-tu paraître ? Cela veut dire que cette religieuse nous a menti, ce que j'ai toujours su d'ailleurs. Tu te souviens ? Elle nous a dit qu'Élodie était très malade quand elle a été transférée à l'hôpital.

— Attends, là. Quelle annonce ?

— La petite annonce dans *Le Journal de Montréal.*

Gabriel hoche la tête, une expression vide dans les yeux.

— Je ne vois absolument pas de quoi tu parles.

Ils restent là un moment, à se dévisager.

— Va acheter le journal, dit Maggie.

— Et Élodie ? Qu'est-ce qu'elle a dit ? Quelle impression t'a-t-elle donnée ?

— Nous ne nous sommes pas parlé très longtemps, lui répond-elle, avant de lui résumer leur conversation.

Gabriel s'essuie les yeux, puis sort par la porte arrière. Comme le magasin est au coin de la rue, il revient rapidement. Maggie l'attend à la porte. Silencieusement, frénétiquement, ils feuillettent le journal.

— Là, dit Gabriel, en pointant l'annonce du doigt.

« Je suis à la recherche d'une jeune femme du nom d'Élodie, née le 6 mars 1950, à l'Hôpital Brome-Missisquoi-Perkins dans les Cantons-de-l'Est. Elle a vécu à l'orphelinat de Saint-Sulpice près de Farnham jusqu'en 1957, année où elle a été transférée à l'Hôpital Saint-Nazarius à Montréal. J'ai des renseignements sur sa famille biologique. Prière d'appeler… »

Ils regardent fixement l'annonce, plus perplexes que jamais.

— C'est bien notre numéro, s'étonne Gabriel.

— Appelons le journal, suggère Maggie. Pour savoir qui a fait paraître cette annonce. C'est quelqu'un qui connaît notre numéro.

— Nous sommes samedi soir. Nous ne parlerons à personne avant lundi.

— Est-ce que ça pourrait être Clémentine ?

— Elle n'oserait pas s'immiscer ainsi, doute-t-il. Pas dans cette affaire-là.

— Ma mère ?

Gabriel lève les yeux au ciel.

— Elle est la seule à connaître l'existence d'Élodie, dit-elle. À part elle, tous ceux qui étaient au courant sont morts. Qui d'autre est-ce que ça pourrait bien être ?

Gabriel saisit une cigarette dans son paquet, l'allume.

— Et si c'était un canular ?

— Mais c'est *notre* numéro dans l'annonce !

— Comment peux-tu savoir que c'était vraiment elle au téléphone ? Ce n'est peut-être pas elle.

— Qui serait cette femme, alors ? Une autre orpheline du nom d'Élodie ? Elle savait des choses.

— Ça pourrait être quelqu'un de l'hôpital, qui connaissait les faits concernant Élodie et qui cherche à obtenir quelque chose. Nous devons faire attention, Maggie. Nous avons beau vouloir que ce soit elle, rien de tout cela n'a de sens !

— Cette personne n'aurait rien à gagner à se faire passer pour notre fille.

— Mais bien sûr que si. Une famille, une aide financière. N'importe qui peut prétendre s'appeler Élodie.

— Quand es-tu devenu aussi cynique ? l'accuse Maggie. Pourquoi ne peux-tu simplement pas croire au miracle qui est en train de se produire ?

— Bon sang, Maggie ! s'écrie-t-il en tapant du poing sur la table. Je n'ose pas me permettre de croire que c'est elle ! Il ne s'agit pas seulement de toi dans cette affaire. Jusqu'à preuve du contraire, c'est aussi ma fille.

— Pardonne-moi.

Il s'assoit et se passe la main dans les cheveux.

— Nous allons devoir attendre jusqu'à lundi, dit-il.

— Elle pense que je suis morte, lui apprend Maggie. On lui a dit que j'étais morte en accouchant. C'est probablement ce qui est inscrit dans son faux dossier.

— Mais pourquoi ?

— Dieu seul le sait. Je ne l'ai pas détrompée, admet-elle. Je ne savais pas quoi faire. J'ai dit que j'étais sa tante.

— *Calice** !*

— Je devrais la rappeler et lui dire que je suis vivante. Je n'aurais pas dû lui mentir.

— Tu ne peux pas lui annoncer ça au téléphone. *Tu l'as abandonnée.* Elle va déjà avoir tout un choc en apprenant que tu es vivante, imagine quand elle va savoir que tu l'as abandonnée.

— Tu as raison, acquiesce-t-elle, démoralisée. Elle va me détester.

— Elle va avoir besoin de temps – *si* c'est elle.

— *C'est* elle, dit Maggie, du même ton que Stéphanie lorsqu'elle n'obtient pas ce qu'elle veut. Penses-y, Gabriel. Le jour où nous sommes allés à Saint-Nazarius pour nous informer, elle était là. Nous étions probablement à quelques mètres d'elle, de l'autre côté de ces portes. Et qu'est-ce que les religieuses ont fait ? Elles nous ont dit qu'elle était morte, et elles lui ont fait croire que moi aussi j'étais morte.

Gabriel se relève et tourne autour de la table. Elle le regarde balayer la pièce du regard, sachant qu'il cherche quelque chose à lancer ou à frapper, pour passer sa colère. Ses yeux s'allument quand ils tombent sur le vase de fleurs sauvages cueillies par Stéphanie, mais il se contient.

Maggie se lève et va vers lui, lui touche le visage. Ses joues sont humides.

— Penses-tu vraiment que c'est elle ? demande-t-il doucement.

— Nous allons la rencontrer, lui dit-elle. Nous saurons, alors. Nous devons nous concentrer là-dessus pour le moment. Et nous devons découvrir qui a fait paraître cette annonce.

— Appelle ta mère.

Maggie se dirige vers l'appareil.

— Je vais tuer cette foutue bonne sœur, menace Gabriel pendant qu'elle compose le numéro. Et toutes celles qui nous ont fait ça. Si Élodie est vivante et qu'elles nous ont dit qu'elle était morte, c'est *dégueulasse.* Pourquoi ? Pour la garder enfermée dans ce foutu hôpital psychiatrique plutôt que de nous la rendre ? Pourquoi diable auraient-elles fait ça ?

— Je ne sais pas, dit Maggie, en tentant de garder les pieds sur terre pour eux deux. Je ne comprends pas plus que toi. Mais écoute. Écoute-moi. Elle va enfin faire partie de notre vie. C'est ce qui compte.

Sa mère répond au bout d'une douzaine de sonneries.

— M'man ! s'écrie Maggie. Est-ce que c'est toi qui as fait paraître la petite annonce ?

— Je suis en train de regarder *La Petite Patrie* !

— As-tu fait paraître la petite annonce dans le *Journal de Montréal* ? répète Maggie.

— Quelle annonce ? fait sa mère. Je ne vois pas de quoi tu parles ! Mon émission est sur le point de se terminer.

— Tu n'as pas fait paraître une annonce disant que je cherchais Élodie ?

— Bien non* ! dit-elle. Pourquoi j'aurais fait cela ?

— Je ne sais pas. Je pensais... Peu importe. Va finir de regarder ton émission.

Elle raccroche, déçue.

— Ce n'est pas elle, dit-elle à Gabriel, en le rejoignant à la table.

— Je le savais bien.

— Qui alors ?

Gabriel hausse les épaules.

— Je ne pense pas que je vais pouvoir attendre jusqu'à lundi.

— Je me demande si elle est de moi, réfléchit Gabriel en soufflant un rond de fumée. Nous le saurons en la voyant, tu ne crois pas ?

— Probablement.

— Vingt-quatre ans.

— Elle a souffert, souffle Maggie, la voix brisée. Si elle était dans cet horrible endroit.

— Ça n'avait pas l'air si mal, d'après l'article.

— Peut-être que le journaliste n'a pas tout dit, relève Maggie. Tu sais à quel point les journaux francophones protègent l'Église. Tu te souviens de ce livre *The Mad Cry for Help* que j'ai lu il y a quelques années? Il faisait un portrait complètement différent de la situation.

— Ça ne te donne rien de te tourmenter pour le moment, lui dit Gabriel. Tu pourras bientôt lui demander toi-même.

— Et ça me fait peur, dit Maggie en tendant la main pour prendre la cigarette que Gabriel laisse brûler dans le cendrier.

CHAPITRE 54

Gabriel appelle le journal à la première heure lundi matin.

— Assure-toi d'obtenir un nom, murmure Maggie. Peut-être qu'on ne voudra pas te le donner.

— On ne m'a pas encore passé la section des petites annonces.

— Demande à la personne si c'est un homme ou une femme, continue-t-elle. Et depuis combien de temps paraît l'annonce? Et à quelle fréquence?

— Bonjour, madame*, dit Gabriel en faisant un geste pour faire taire Maggie.

Maggie recule d'un pas pour lui donner de la place. Elle se ronge un ongle, tue une mouche qui bourdonnait sur le rebord de la fenêtre, ouvre la porte arrière pour jeter l'insecte dehors. C'est une magnifique journée. Le soleil est déjà éblouissant, l'air est humide, son jardin embaume. Elle contemple ses roses trémières complètement épanouies qui forment le mur rose, corail et blanc qu'elle avait imaginé lorsqu'elle les a plantées il y a deux ans.

De retour à l'intérieur, elle est irritée de voir que Gabriel est toujours au téléphone.

— Qui a fait paraître l'annonce? articule-t-elle silencieusement.

Gabriel la fixe du regard, et met un doigt devant sa bouche.

— N'oublie pas de demander si elle va encore paraître, insiste-t-elle.

— Et va-t-elle continuer à paraître? demande-t-il, faisant un geste pour que Maggie lui apporte sa tasse de café. Je vois. Oui, s'il vous plaît, annulez-la. Elle n'a plus besoin de paraître… Oui. Oui, elle nous a contactés.

Maggie gesticule pour qu'il raccroche.

— Merci, dit-il. Vous êtes très aimable.

Maggie lève les mains au ciel d'un air exaspéré pendant qu'il raccroche.

— Et puis? s'écrie-t-elle. Je suis surprise que tu ne l'aies pas invitée à dîner.

— L'annonce a été payée par un dénommé Peter Hughes.

— *Peter?* fait-elle en hochant la tête. Mon frère? Je ne… Ça n'a pas de sens.

— Appelle-le.

Gabriel lui tend le téléphone et elle compose son numéro au travail.

— Peter Hughes, répond-il, d'un ton que Maggie trouve suffisant.

Il est depuis peu associé d'un grand cabinet d'architectes à Toronto, comme l'annonçait la lettre photocopiée qu'il a envoyée à toute la famille à Noël.

— Élodie m'a téléphoné, laisse-t-elle échapper. Pas de préambule. Pas de salutations.

Peter ne dit rien.

— As-tu entendu ce que j'ai dit?

— Oui, dit-il. C'est bien, non?

— Oui, mais pourquoi? Je suis sous le choc, Peter.

Peter rit avec bonhomie.

— Vraiment, reprend-elle. Je suis étonnée. Pourquoi ne pas me l'avoir dit?

— Ce n'était pas moi, Maggie. C'était papa.

Maggie met un moment à absorber ces paroles.

— Il a commencé à faire paraître cette annonce il y a des années, poursuit Peter. Avant d'être malade. Le premier samedi de chaque mois.

— Il ne me l'a jamais dit…

— Il m'a fait promettre de continuer à le faire après sa mort. Et de ne pas te le dire.

— Je n'arrive pas à y croire.

— Moi, ce que je n'arrive pas à croire, dit-il, c'est qu'Élodie a vu l'annonce et qu'elle t'a appelée. Après toutes ces années, je n'aurais pas cru qu'elle le ferait. J'avais dit à papa que je trouvais cela inutile. Mais, comme tu sais, il pouvait être entêté.

— Maman était-elle au courant ?

— Tu plaisantes ? Bien sûr que non.

Maggie se penche au-dessus du lavabo, fait couler de l'eau et s'en asperge le visage. Il fait chaud dans la cuisine. Elle coince le combiné entre son oreille et son épaule, et ouvre la fenêtre pour aérer.

— Vas-tu la rencontrer ? demande Peter.

— Oui, la semaine prochaine.

La semaine s'étire en longueur. Chaque jour, Maggie et Gabriel accomplissent tous les gestes quotidiens habituels, pour donner le change aux enfants. Ils ne se parlent pas beaucoup d'Élodie, préférant y réfléchir chacun de leur côté. Maggie n'arrive pratiquement pas à penser à autre chose, mais avec deux enfants, la vie continue, qu'elle le veuille ou non. Il y a des repas à préparer, des humeurs à gérer, des crises à calmer, des disputes auxquelles mettre un terme, des bains à donner, du ménage à faire. C'est aussi le temps de l'année où elle doit travailler sur le catalogue de Semences Supérieures. Et pour couronner le tout, son éditeur vient de lui proposer la traduction d'un livre. Ça n'arrête pas, et ça ne lui donne pas beaucoup de temps pour ruminer ses craintes.

Pourtant le nœud dans sa poitrine ne disparaît pas. Pas même une minute. Une angoisse impitoyable sous-tend chacun de ses mots, de ses gestes. Ses pensées retournent obstinément vers Élodie. Que lui dira-t-elle lorsqu'elles se verront enfin ?

Elle imagine sans cesse ce moment – la façon dont Élodie réagira, la possibilité qu'elle soit en colère, qu'elle la déteste, qu'elle n'arrive pas à lui pardonner. Maggie ne peut supporter cette pensée. Sa peur est viscérale, aussi réelle que si Élodie était déjà devant elle, en train de l'accuser et de la rejeter.

Lorsque la mère de Maggie a vent de l'éventuelle rencontre, elle appelle sa fille, paniquée.

— Dans certains cas, il vaut mieux ne pas changer le cours des choses ! s'écrie-t-elle.

— C'est ma fille, m'man. Ça ne vaut même pas la peine d'en parler.

— Ce n'est pas une bonne idée, Maggie. Tu l'as abandonnée.

— Nous sommes dans les années 70, m'man. Tout le monde se fout que j'aie eu un bébé à seize ans.

— Tu ne peux pas le dire aux enfants. Qu'est-ce qu'ils vont penser de toi ?

— Ils vont comprendre. Je te l'ai dit, les temps ont changé. Ils ne me jugeront pas comme on le faisait à ton époque.

— Qu'est-ce *qu'elle* va penser de toi ? s'entête Maman. Et si elle te déteste ? Y as-tu pensé ?

— C'est tout ce à quoi je pense, dit Maggie, avant de raccrocher.

La nuit précédant sa rencontre avec Élodie, Maggie se réveille, le cœur battant la chamade. Elle se blottit contre Gabriel. Pour se calmer, elle essaie de se souvenir des histoires que son père lui racontait pour l'aider à s'endormir. L'une de ses maximes préférées lui revient à l'esprit. Elle peut presque entendre sa voix. *Celui qui plante une semence sème la vie.*

Elle a au moins fait cela. Elle a donné la vie à Élodie, mais guère plus.

CHAPITRE 55

Maggie sort le gâteau du four et le dépose sur le comptoir pour qu'il refroidisse. La maison est silencieuse. Les enfants passent l'après-midi chez leur grand-mère. C'était plus simple de les éloigner que de tenter de tout leur expliquer. Dans le jardin, Gabriel se change les idées en construisant une cabane dans un arbre pour eux. Par la fenêtre, Maggie le regarde jouer de la scie et du marteau, son bonnet du Canadien enfoncé jusqu'aux sourcils. Elle l'aime autant qu'à l'époque où elle le regardait travailler dans son champ de maïs.

— Ton gâteau s'est affaissé, dit Clémentine, venue apporter son soutien moral.

Maggie regarde son pauvre gâteau et se sent aussi à plat que lui.

— Tu es vraiment nulle en pâtisserie, Maggie.

— C'est à cause de ce four ! se défend Maggie, une remarque qui les fait rire toutes les deux.

Le gâteau disparaît dans la poubelle.

— J'ai apporté des craquelins et du fromage, offre Clémentine. Et des petits gâteaux.

— Des petits gâteaux du commerce ?

Clémentine lève les yeux au ciel.

— Ma mère ne servirait jamais des petits gâteaux du commerce à un invité, marmonne Maggie, mais elle le regrette aussitôt.

Le sourire de Clémentine disparaît, et elle se détourne rapidement. Maggie est devenue très proche de sa belle-sœur au fil des ans, et parfois elle oublie que celle-ci a été la maîtresse de son père, l'ennemie jurée de sa mère.

— Je suis navrée, dit Maggie, en saisissant la main de Clémentine. Je ne voulais pas t'offenser.

— Je sais bien, répond Clémentine en laissant tomber des morceaux de fromage dans une assiette. Est-ce que le thé Red Rose fera l'affaire ? Ou est-ce que ta mère ferait venir des feuilles de Chine ?

Maggie éclate de rire, aussitôt imitée par Clémentine, ce qui dissipe rapidement le malaise.

On frappe à la porte. Elles se regardent l'une l'autre sans bouger jusqu'à ce que Clémentine dise :

— Allons faire la connaissance de ta fille.

Maggie est paralysée. Clémentine lui serre la main, et elles se dirigent vers la porte sans dire un mot.

Elle est là, à quelques mètres, se dit Maggie en essayant de se convaincre de la réalité. *Elle est derrière cette porte.*

Mais la scène a quelque chose de surréel pour Maggie, comme s'il s'agissait encore d'un de ses stupides fantasmes. Elle a l'impression que Clémentine ouvre la porte au ralenti.

Puis, elle est là. Maggie en a le souffle coupé. *C'est elle.* Son visage porte manifestement l'empreinte des Hughes et des Phénix.

— Allô*, dit Élodie, en tentant de sourire, mais sans regarder Maggie dans les yeux.

— Entre, invite Clémentine en s'écartant.

Maggie s'essuie les yeux tandis qu'Élodie entre. Elle ne veut pas effrayer la jeune fille avec une explosion d'émotion avant même qu'elle ait franchi le pas de la porte. Elle doit constamment se rappeler qu'Élodie ne sait absolument pas qui elle est.

— Je suis Maggie, se présente-t-elle d'une voix qui lui paraît étrange. Et voici mon amie Clémentine.

Élodie les salue de nouveau, mais toujours sans les regarder dans les yeux. Elle semble nerveuse, agitée, mais qui pourrait le lui reprocher ?

Clémentine amène Élodie dans la salle de séjour après avoir pris son poncho en macramé. Maggie remarque la légère claudication de la jeune fille, son jean, son débardeur vert olive – sa maigreur –, mais c'est surtout son visage qu'elle étudie avec insistance, même s'il est en grande partie caché derrière un rideau de longs cheveux, séparés par une raie au milieu. La ressemblance avec sa famille est indéniable : la courbe de la bouche de Géri, le large espace entre les yeux de Vi et les épais sourcils de tous les Hugues. Par ailleurs, elle a le teint pâle et les cheveux châtain clair, et son long corps dégingandé est du Phénix pur jus.

— Voudrais-tu une tasse de thé ? demande Maggie en l'invitant du geste à s'asseoir sur le canapé. Ou un Pepsi ?

— Un Pepsi, s'il vous plaît, accepte Élodie en s'assoyant.

— Oui, bien sûr, fait Maggie. Je reviens tout de suite.

Dans la cuisine, elle s'asperge le visage d'eau, en se concentrant pour ne pas hyperventiler. Elle ouvre la porte arrière et appelle Gabriel. Les coups de marteau cessent, et il se tourne vers elle, livide. Il s'approche lentement.

— C'est elle, dit Maggie avant même qu'il demande quoi que ce soit. Viens voir par toi-même.

Gabriel prend une longue inspiration en guise de préparation, et ils entrent dans la maison.

— Voici mon mari, Gabriel, dit Maggie, de retour dans la salle de séjour, en tendant un verre de boisson gazeuse à Élodie.

— Gabriel, je te présente Élodie.

Gabriel a les larmes qui lui montent aux yeux dès qu'il la voit. Il sait qu'il est son père. Maggie le voit à sa façon de la regarder. Sans crier gare, il attire la jeune fille vers lui et l'enlace étroitement. Il n'a jamais été du genre à se retenir.

— Laisse-la respirer, lui dit doucement Maggie.

Gabriel desserre son étreinte, recule d'un pas et reste là à la regarder, bouche bée. Aucun des trois ne peut détacher son regard de la jeune fille. Maggie a peine à croire qu'elle est le bébé dans cette bassine d'émail à qui elle a donné naissance il y a plus de vingt ans. Et en un sens, elle ne l'est pas. Elle a l'air sous-alimentée ; sans doute qu'elle se nourrit mal. Et elle n'a pas de bonnes dents ni une belle peau – des signes de pauvreté. Elle a une cicatrice au-dessus de l'œil.

— Je ne peux pas croire que je suis ici, dit Élodie, faisant écho aux pensées de Maggie. Que vous êtes ma *tante.*

— L'annonce paraît depuis des années, dit Maggie. Comment as-tu fini par tomber sur elle ?

— Il y a eu un article sur moi dans le journal, il y a deux semaines, mentionne Élodie, le regard sombre. Le journaliste qui l'avait écrit m'a reconnue dans votre annonce. C'est lui qui m'en a parlé.

— C'est un miracle, chuchote Clémentine.

— Nous avons lu l'article, lance Maggie. Je trouvais qu'il y avait beaucoup de points communs.

— C'est un tas de mensonges, fait Élodie d'un ton sec. Il a omis tout ce qui était important, comme les *faits.* On aurait dit que j'avais vécu un conte de fées, ce qui n'était pas le cas. Je ne mène pas exactement une « vie tranquille et normale ».

Maggie est dégoûtée. Elle se doutait bien que, comparé à d'autres comptes rendus qu'elle avait lus, ce récit était bien trop beau pour être vrai.

— Le journaliste disait que tu étais couturière ? fait Clémentine pour changer de sujet.

— C'est ce que je faisais avant, dit Élodie en se rongeant les ongles. Quand je suis sortie de l'hôpital. Maintenant, je suis serveuse.

Maggie réprime son sentiment de déception, en se rappelant qu'elle n'a pas le droit de juger. Elle jette un coup d'œil à Gabriel et sait à voir le pli de sa bouche et la veine qui bat sur son front qu'il contient ses émotions.

— Je cousais des draps à Saint-Nazarius, poursuit Élodie. C'est à peu près tout ce que je savais faire quand je suis sortie. Mais je suis beaucoup plus heureuse au restaurant.

Maggie tente en vain de croiser le regard de Gabriel.

— J'ai tellement de questions, dit Élodie en se tournant vers Maggie. Étiez-vous proche de ma mère ? Est-ce que vous étiez au courant de mon existence ?

— Oui, je savais qu'elle t'avait eue, répond Maggie, mal à l'aise.

— Quel genre de personne c'était ?

— Elle était très jeune.

— Ses parents l'ont forcée à t'abandonner, ajoute Gabriel.

— Ils pensaient que tu serais adoptée tout de suite, dit Maggie. Tout le monde le croyait. C'était avant que l'on convertisse les orphelinats.

— Cette partie de l'article était vraie, commente Élodie. Le jour du changement de vocation, aussi bien dire que ma vie s'est terminée.

Ils tombent tous silencieux. Maggie ferme les yeux pour réprimer ses larmes.

— On nous a dit que nous étions folles, raconte Élodie. C'est tout. Du jour au lendemain, nous étions devenues folles.

— Qu'est-ce qui t'a poussée à raconter ton histoire à un journaliste ?

— C'est l'idée de mon amie Marie-Claude. Elle pensait que ça m'aiderait à passer ma colère, raconte Élodie en laissant échapper un petit rire triste. Mais ce stupide article m'a mise encore plus en colère.

Elle sort une cigarette de son sac à main.

— Ça vous dérange ?

— Pas du tout.

Elle allume sa cigarette, en prend une longue bouffée.

— Marie-Claude ne pensait pas à mal, dit-elle en agitant la main pour éloigner la fumée de son visage. Et finalement, les choses ont bien tourné puisque vous m'avez retrouvée.

Pendant qu'Élodie parle, Maggie ne cesse de se demander comment elle va s'y prendre pour lui dire la vérité.

— As-tu un petit ami ? demande Gabriel.

Il pense probablement qu'un homme bien, capable de prendre soin d'elle et de la protéger, pourrait en quelque sorte compenser sa vie tragique, se dit Maggie. Les hommes raisonnent de cette façon, ça les rassure.

— Non, mais j'ai une fille, laisse tomber Élodie. Elle s'appelle Nancy.

Une fille ?

— Elle a trois ans.

Le même âge que Stéphanie. Maggie est sans voix. *J'ai raté trois années de la vie de ma petite-fille,* pense-t-elle avec un pincement de douleur.

— Son père est parti pour le Vietnam tout juste après que nous nous sommes rencontrés, explique Élodie. Il n'a même pas su que j'étais tombée enceinte. Je ne suis même pas sûre qu'il soit encore en vie.

— As-tu essayé de le retrouver ?

— Non, je ne connais pas son nom de famille.

Maggie voit Gabriel serrer les mâchoires.

— As-tu une photo d'elle ? demande-t-il.

— Non. Elle est très jolie et sûre d'elle. Tout le contraire de moi.

— Je suis sûre qu'elle te ressemble beaucoup, dit Maggie en retrouvant enfin la voix.

Élodie baisse les yeux, agitant nerveusement le genou.

— Qui s'en occupe quand tu travailles ? demande Clémentine.

— Ma voisine.

— Et tu gagnes assez d'argent pour subvenir à vos besoins ? ne peut s'empêcher de demander Maggie.

— On s'arrange, répond Élodie. J'ai aussi l'aide sociale.

Maggie opine, ne sachant pas quoi ajouter. Elle n'ose pas regarder Gabriel, de peur d'éclater en sanglots.

— Je suis tellement contente que vous m'ayez trouvée, dit Élodie. Je ne voulais pas que Nancy grandisse sans famille comme moi. J'espérais qu'elle aurait des cousins ou, je ne sais pas, une gentille tante ou un oncle. Avez-vous des enfants ? demande-t-elle à Maggie.

— Oui, un garçon et une fille.

— Ouah ! J'ai des cousins.

Maggie ne dit rien.

— Quel âge avait ma mère quand elle m'a eue ? reprend Élodie.

— Seize ans.

— Étiez-vous proche d'elle ? Vous ne me l'avez pas dit tout à l'heure.

— Oui.

— Avez-vous connu mon père ?

— Non, répond Maggie sans oser regarder dans la direction de Gabriel.

— Est-ce qu'on t'a dit autre chose sur tes parents ? demande-t-il à Élodie.

— Non, juste que ma mère était morte.

— Qui t'a dit cela ?

— Sœur Ignatia. Elle était responsable de notre aile. Elle m'a montré mon dossier et m'a dit que ma mère était morte à cause de ses péchés.

Le cœur de Maggie se serre. Elle se mord les lèvres pour ne rien dire.

— Quand t'a-t-elle dit ça ? demande Gabriel, maîtrisant sa colère de façon impressionnante.

— J'avais onze ans, répond Élodie. Après que le médecin m'a interrogée. C'était à l'époque où on commençait à envoyer les orphelins dans des foyers d'accueil. Finalement, nous n'étions pas tous fous.

Gabriel a descendu sa bière. Ses doigts tremblent sur la canette.

— Moi, je ne pouvais pas quitter Saint-Nazarius parce que ma mère était morte et que personne ne voulait d'une adolescente, ajoute Élodie d'un ton sans appel.

— Excusez-moi un moment, dit Maggie en se levant brusquement. Je reviens.

Elle monte dans sa chambre, s'assoit sur le lit. Gabriel la rejoint quelques minutes plus tard.

— Si les souvenirs d'Élodie sont exacts, lance-t-elle avant même qu'il ait franchi le pas de la porte, ça veut dire que Sœur Ignatia lui a dit que j'étais morte *tout de suite après* notre visite à Saint-Nazarius, quand nous la cherchions.

Gabriel secoue la tête d'un air impuissant.

— Elle m'a dit qu'Élodie était morte, poursuit Maggie. Et ensuite, elle a dit à Élodie que *j'étais* morte, juste pour nous séparer. *Pourquoi a-t-elle fait ça ?* Pourquoi ?

— Je vais aller jeter un cocktail Molotov dans l'aile de ce foutu hôpital, gronde-t-il en s'assoyant à côté d'elle.

— Je ne sais pas quoi faire, Gab.

— Nous allons descendre et lui dire que nous sommes ses parents.

— J'ai trop peur.

— De quoi ?

— J'ai peur qu'elle me déteste. L'as-tu vue, Gab? Elle est… As-tu remarqué ses yeux ? Je n'ai jamais vu autant de tristesse dans le regard de quelqu'un d'aussi jeune. L'article était un tissu de mensonges.

— Elle a eu une vie difficile, Maggie. Nous l'avons toujours su. Mais elle est solide. C'est une battante, comme sa mère.

— Je ne peux même pas imaginer ce qu'elle a traversé. Je ne veux pas. Elle boite, tu sais. Et cette cicatrice au-dessus de l'œil… C'est ma faute.

— Ce qu'on lui a fait dans cet endroit n'est pas ta faute.

— *C'est* ma faute si elle y a été, rétorque-t-elle. Et tu le sais, et je suis sûre qu'une partie de toi me déteste pour ça.

— Nous avons déjà eu cette conversation, Maggie, l'arrête Gabriel en allumant une cigarette. J'ai accepté ta décision depuis longtemps.

— Elle a souffert et on ne peut pas revenir en arrière. C'est ce qu'elle est maintenant.

— Tu ne sais pas qui elle est. Tu ne sais rien d'elle encore.

— J'ai peur de savoir, dit Maggie d'une voix puérile.

— Je vais aller la chercher, tranche-t-il en se levant. Il est temps.

Maggie ne dit rien, mais ne fait rien pour l'en empêcher.

Quelques minutes plus tard, Élodie frappe doucement, puis passe la tête par la porte, manifestement inquiète.

— Vous voulez me voir ? fait-elle d'une petite voix apeurée.

— Entre, l'accueille Maggie en se forçant à prendre un ton léger.

Élodie s'approche.

— Là, dit Maggie en lui faisant une place. Assieds-toi.

Élodie cligne des yeux nerveusement, hésitante. Elle ne fait pas confiance à Maggie. Probablement à personne.

Maggie la dévisage pendant de longues secondes avant de parler. Elle donnerait n'importe quoi pour pouvoir simplement la prendre dans ses bras.

— Je sais que c'est une journée importante pour toi, commence-t-elle. Rencontrer ta tante…

— Ce n'est pas comme si je rencontrais ma mère.

Maggie bouge nerveusement sur le lit et baisse les yeux.

— J'ai quelque chose à te dire, dit-elle d'une voix tremblante. Tu *es en train* de rencontrer ta mère.

— Quoi ? Qu'est-ce que vous voulez dire ? s'écrie Élodie. L'autre dame, Clémentine. Est-elle ma mère ?

— *Je* suis ta mère, Élodie.

Élodie ne bouge pas. Dans son regard se succèdent la surprise, le scepticisme et l'incrédulité.

Elles restent assises sans dire un mot un long moment, les larmes glissant sur leurs joues.

— Je ne vous crois pas, s'exprime enfin Élodie. Ce n'est pas possible.

— Je suis ta mère, déclare Maggie, plus fermement cette fois. Tu es née le 6 mars 1950. C'était un dimanche soir.

— C'est impossible. Ma mère est morte…

— C'est ce que cette religieuse t'a dit, lui dit doucement Maggie. Mais ce n'est pas vrai.

Élodie laisse échapper un étrange gémissement – un son guttural qui vient du plus profond de son être, le cri d'une âme torturée qui brise le cœur de Maggie.

— Elle m'a dit la même chose, reprend Maggie. Que tu étais morte.

— Sœur Ignatia ? Quand ?

Maggie saisit la main de sa fille. Elle est inerte.

— Élodie, dit-elle. Avant tout, est-ce que je peux te tenir dans mes bras ?

Élodie accepte en pleurant, et elles se tombent dans les bras l'une de l'autre. Le corps de Maggie s'abandonne complètement à cette étreinte, le cœur débordant d'amour, les muscles et les membres détendus par un formidable soulagement. En un instant se relâche toute la tension d'une vie vouée à une inquiétude devenue une seconde nature. Elle ne s'est jamais sentie apaisée ou complète depuis qu'elle a donné naissance à cette enfant.

— Vous ne savez pas depuis combien de temps j'attends ce moment, dit Élodie d'une voix étouffée par les larmes dans le cou de Maggie.

— Oui, lui apprend Maggie, en desserrant son étreinte. Je le sais. Pas une journée des vingt-quatre dernières années ne s'est passée sans que je pense à toi, ma fille.

— Quand Sœur Ignatia vous a-t-elle dit que j'étais morte ?

— Nous sommes allés à Saint-Nazarius en 1962 pour te retrouver, lui apprend Maggie. Je te cherchais depuis longtemps. Avant, j'étais allée à l'orphelinat.

— Saint-Sulpice ?

— Oui, mais c'était déjà devenu un hôpital.

— Avez-vous parlé à Sœur Alberta ? demande Élodie, les yeux à nouveau remplis de larmes. Elle a été bonne avec moi. Je l'aimais. Les religieuses surnommaient l'orphelinat la Maison des petites filles non désirées, mais c'était plutôt bien avant qu'on le transforme en hôpital psychiatrique.

Maggie réprime la colère qu'elle sent monter en elle. Encore cette expression – *non désirées* – comme si elles étaient des poupées dont on se débarrasse.

— Elle était là ? questionne Élodie. Sœur Tata ?

— J'ai parlé au responsable, dit Maggie. Il m'a suggéré d'écrire au gouvernement pour obtenir des renseignements, ce que j'ai fait. J'ai alors appris qu'en 1957 deux groupes d'orphelins avaient été transférés à l'Hôpital de la Merci et à Saint-Nazarius. Gabriel et moi sommes allés aux deux endroits.

— Et elle vous a dit que j'étais morte ?

Maggie fait signe que oui.

Les doigts tremblants, Élodie allume une cigarette du paquet qu'elle vient de sortir de sa poche.

— C'était un monstre, cette femme. Mais de nous dire à toutes les deux que l'autre était morte, alors qu'elle aurait pu vous laisser me ramener…

— Je ne peux pas comprendre ce genre de cruauté, moi non plus, murmure Maggie. Je… Il n'y a pas de mots.

La douleur que Maggie éprouve est suffocante, la laisse pantelante. Soudain, elle se souvient de la rugosité de cette couverture de laine pendant qu'elle se faisait violer dans sa chambre chez Deda et Yvon. Comme si elle étouffait, ne pouvait respirer.

— Ça fait beaucoup d'information à digérer, dit-elle. Tu dois avoir un million de questions à me poser.

— Pourquoi m'avez-vous abandonnée ? demande Élodie, sa voix brisant leur douleur partagée.

Maggie a l'impression que la pièce se vide de son air. *Nous y voilà*, pense-t-elle.

— J'avais quinze ans quand je suis tombée enceinte, raconte-t-elle en plongeant le regard dans les tristes yeux bleus de sa fille. On m'a interdit de te garder. Ce n'est pas très original comme histoire, mais c'est la vérité. Mon père s'est arrangé pour…

Un peu plus et elle disait *te vendre*, mais elle se retient à temps.

— …pour que tu sois adoptée par un couple qui ne pouvait pas avoir d'enfants naturellement. Mais il y a eu des complications quand tu es née, et ces gens ont changé d'avis. Tu as été envoyée à Saint-Sulpice quand tu as été assez bien.

Élodie éteint sa cigarette dans le cendrier près du lit. Elle renifle et s'essuie le nez. Comme tout cela doit être difficile à entendre, se dit Maggie, plus difficile que de le dire.

— Je t'ai appelée Élodie, continue Maggie. C'est un type de lys. C'est très solide…

Sa voix s'éteint. Élodie la regarde, elle attend autre chose.

— J'ai essayé de te retrouver après ma troisième fausse couche, reprend Maggie. C'était en 1959. Je me sentais responsable de mes fausses couches. Je pensais que Dieu me punissait de t'avoir abandonnée. Je n'ai jamais cessé de penser à toi. Je ne me suis jamais sentie complète. Jamais.

Elle s'essuie les yeux avec la manche de son chemisier.

— Je sais à quel point tu as souffert, mais…

— Non, la coupe Élodie. Vous ne le savez pas.

Maggie se mord les lèvres.

— Qui est mon père ?

Maggie inspire longuement, nerveusement.

— C'est Gabriel, avoue-t-elle, en tentant de maîtriser sa voix et son regard.

— Lui ? dit Élodie, en montrant la porte du doigt, son dos se raidissant. Votre *mari* ?

— Oui.

— Vous l'avez épousé ?

— Oui, mais…

— Pourquoi ne pouviez-vous pas me garder, alors ? demande-t-elle, manifestement blessée. Si vous étiez ensemble et que vous vous aimiez ?

— C'était compliqué, dit Maggie, poursuivant son explication malgré le fait que sa fille soit bouleversée. Mes parents m'avaient envoyée chez mon oncle et ma tante dans une autre ville pour m'éloigner de Gabriel.

— Pourquoi ?

— Mon père voulait quelqu'un d'autre pour moi. Quelqu'un d'instruit, issu d'une meilleure famille. J'ai découvert que j'étais enceinte pendant que j'habitais chez mon oncle et ma tante. J'y suis restée jusqu'à ta naissance.

— Gabriel savait-il que vous étiez enceinte ?

— Je ne le lui ai pas dit, avoue Maggie.

— Vous ne pouviez pas l'épouser ?

Du point de vue d'Élodie, les choses paraissent tellement simples et logiques. Peut-être qu'elles auraient dû l'être.

— Je pensais que je n'avais pas le choix, dit Maggie honteusement. J'avais seulement quinze ans.

Élodie réfléchit à cette explication, mais la peine et la perplexité qui se lisent sur son visage sont des reproches en soi.

— Mes parents m'ont dit que je ne pouvais pas te garder, et c'était sans appel, se remémore Maggie. C'étaient les années 50. Je ne pouvais pas aller à l'encontre de leur décision.

Élodie reste silencieuse.

— J'ai rompu avec Gabriel cet été-là, poursuit Maggie. Il a déménagé à Montréal et je l'ai perdu de vue. Nous nous sommes mariés chacun de notre côté.

— Comment vous êtes-vous retrouvés ? Quand ?

— Nos familles étaient voisines. Nous nous sommes revus environ dix ans plus tard. Nous sommes redevenus amis et puis… Les choses ont été assez compliquées pendant un bout de temps, mais nous avons fini par divorcer pour commencer une nouvelle vie ensemble.

— Donc, vos enfants sont mon frère et ma sœur ?

— Oui, dit Maggie, en se sentant presque fautive. James et Stéphanie.

— Mon Dieu*.

— Je sais que ça fait beaucoup de choses à digérer, répète Maggie en reprenant la main de sa fille. Je ne sais pas si tu peux me croire, mais je me suis sentie coupable de t'avoir abandonnée tous les jours de ma vie. Si je pouvais revenir en arrière, je t'aurais gardée, je serais restée avec Gabriel et nous aurions été tous ensemble dès le début. Si seulement je n'avais pas eu si peur. Mais j'avais peur. J'étais terrifiée.

— Je comprends, dit Élodie d'une petite voix.

— Je l'espère, chuchote Maggie, la voix brisée.

Elles pleurent ensemble, les mains d'Élodie enfermées dans celles de Maggie.

— Est-ce que je leur ressemble ? demande Élodie en s'essuyant les yeux.

— Je pense que oui, dit Maggie. Aimerais-tu les rencontrer ? Je n'étais pas sûre…

— Mais bien sûr, l'interrompt Élodie. Toute ma vie, j'ai rêvé d'avoir une grande famille. Des sœurs, des frères, des grands-parents, des tantes, des oncles, des cousins… *Bien sûr* que je veux les rencontrer.

Maggie prend Élodie dans ses bras et se cramponne à elle. Élodie la laisse faire. Au bout d'un long moment, Maggie s'éloigne et regarde les yeux tourmentés de sa fille. Elle caresse ses longs cheveux blonds.

— Tu es tellement belle, chuchote-t-elle en lui prenant le menton dans sa main.

— Non, réfute Élodie. Mais vous, vous l'êtes. Je ne vous aurais jamais imaginée avec des cheveux noirs.

Maggie se lève, entraîne Élodie vers la glace surmontant la commode de l'autre côté de la chambre. Côte à côte, elles observent le reflet que leur renvoie le miroir.

— Nous avons certainement un air de famille, dit Maggie. Nous n'avons pas le même teint ni la même couleur de cheveux, mais regarde ici – elle montre leurs sourcils et leur nez – et nos yeux ont exactement la même forme.

— Peut-être, dit Élodie, manifestement peu convaincue.

— Tu ressembles aussi un peu à mes sœurs, continue Maggie. J'en ai trois, et un frère. Tu voulais une grande famille, tu vas être servie.

Élodie ne quitte pas le miroir des yeux comme si elle ne pouvait pas croire ce qu'elle voyait.

— Est-ce réellement vous? fait-elle. J'ai peur que vous disparaissiez si je regarde ailleurs.

— Je suis ici et je ne vais nulle part, l'assure Maggie.

Élodie tend la main et la pose sur le miroir.

— Je sais que c'est beaucoup demander, dit Maggie, les yeux toujours fixés sur leur reflet. Mais penses-tu que tu pourras me pardonner un jour?

Élodie hésite, prend le temps de réfléchir. Ce silence est interminable.

— Vous étiez jeune, dit-elle enfin. Qu'est-ce que vous pouviez faire d'autre? Je suis la mieux placée pour savoir qu'avoir un bébé en dehors des liens du mariage est un péché.

— C'est plus que je ne pouvais espérer, souffle Maggie. Merci.

Élodie pose sa tête sur l'épaule de Maggie, qui ne bouge pas d'un iota. C'est à peine si elle respire. Elle veut faire durer ce moment le plus longtemps possible.

— Maman*, articule Élodie.

Et Maggie comprend qu'elle prononce simplement le mot à voix haute pour voir quel effet ça lui fait. Elle n'attend pas de réponse. Maman*.

— Je vois aussi ton père dans ton visage, dit doucement Maggie, avant d'ajouter au bout de quelques minutes : Peut-être que nous devrions redescendre, maintenant.

Elles quittent la chambre et retournent dans la salle de séjour où Gabriel les attend, assis dans un fauteuil. Élodie s'approche de lui.

— Allô, papa*, dit-elle.

Longtemps après que tout le monde est allé se coucher, Maggie sort de son lit et se faufile dans le couloir. Elle s'arrête devant la chambre de James, entrouvre la porte et constate, à la lueur bleue et verte de sa lampe à lave, que ses jambes pendent hors du lit, son corps montant et descendant sous la courtepointe. Dans la chambre suivante, elle trouve Stéphanie de travers dans son lit, sa poupée *Raggedy Ann* par terre. Maggie la ramasse et la met sous le bras de sa fille avant d'embrasser sa joue chaude.

La chambre d'ami, la dernière au bout du couloir, est occupée pour la nuit par son autre fille – son aînée. Maggie se tient devant la porte, submergée par l'émotion. Elle n'aurait jamais cru qu'un jour tous ses enfants dormiraient sous le même toit.

Elle ouvre la porte le plus doucement possible, et s'immobilise quand elle entend Élodie pleurer doucement. Elle envisage d'aller la consoler, mais rejette aussitôt l'idée. Sa fille préfère peut-être être seule. Elle a toujours été seule, après tout. Elle serait peut-être mal à l'aise de voir une étrangère débarquer en pleine nuit. Et Maggie *est* une étrangère, qu'elle soit sa mère ou non. Elle ne doit pas oublier cela. Elle ne doit pas oublier d'y aller lentement.

Elle fait donc marche arrière et descend à la cuisine. Elle se verse un verre de vin, allume une des cigarettes de Gabriel et s'assoit à la table. Elle a le cerveau en ébullition. Bien qu'elle soit envahie par un engourdissement bienvenu qui, en quelque sorte, adoucit l'intensité des événements de la journée, elle ne peut pas faire taire ses pensées.

Que lui est-il arrivé à cause de moi ? La question la hante.

Élodie pleure dans son oreiller là-haut – combien de larmes a-t-elle versées au cours de son existence ? Combien de nuits a-t-elle passées à pleurer pour s'endormir ? Jusqu'où vont ses blessures ? À quel point son âme est-elle meurtrie ? – et tout ce que Maggie peut faire, c'est s'asseoir ici, impuissante, sachant qu'elle est à l'origine de toute cette souffrance.

Sa plus grande crainte est que tout l'amour du monde – qu'elle et Gabriel sont prêts à donner – ne soit jamais suffisant pour contrebalancer ce qu'on a fait à Élodie ou pour réparer ce qui a été détruit.

Maggie se lève et prend la bouteille de vin dans le frigo. Aussi bien la finir. C'est tout ce qui reste du dîner. Ils ont tous trop bu. En partie pour célébrer, mais aussi pour évacuer la tension. En remplissant son verre, Maggie remarque sur le sol du garde-manger la boîte de souvenirs que son père avait gardée pour elle. Elle l'a remontée l'autre jour en prévision de la visite d'Élodie.

Elle s'assoit par terre avec son vin et un cendrier, et entreprend de ranger le contenu de la boîte par catégorie – les vieux livres sur l'agriculture, les livres sur les affaires et le développement personnel, les cartes et les dessins que les enfants lui ont donnés au fil des ans.

Un jour, elle parlera de son grand-père à Élodie, peut-être même qu'elle l'emmènera au magasin, où il était plus grand que nature. Elle voudrait qu'Élodie sache qu'il était bien plus que la personne qui l'a enlevée à sa mère, qu'il était fondamentalement bon et qu'il essayait simplement de protéger sa fille. Il a tenté à maintes reprises de racheter ce qu'il avait fait, par des gestes discrets, pertinents, qui ont fini par porter leurs fruits. D'abord, il a donné son nom à Élodie – un détail apparemment sans importance, mais qui a facilité la réunion de la mère et de la fille –, puis il a essayé de la sortir de l'orphelinat, et enfin il a conçu l'annonce qui lui a permis de retrouver sa mère.

Il y a une parfaite symétrie dans tout cela, pense Maggie. Une douce symbiose, une boucle qui se referme par leurs retrouvailles. *Le Seigneur donne, le Seigneur reprend*, avait l'habitude de dire sa mère.

C'est maintenant qu'elle s'en souvient. Son père a pris, son père a redonné.

On surnommait ton grand-père l'Homme qui sème…

En dépit de tout, Maggie s'en est bien tirée dans la vie. Elle a trois enfants – qui sont tous ici ce soir dans cette maison qu'elle aime tant – et un mari, elle est une amoureuse des semences et de la langue, une Canadienne française qui a du sang canadien-anglais, une Canadienne anglaise qui a du sang canadien-français. Elle n'est ni complètement l'une ni complètement l'autre, comme elle l'a toujours voulu. Elle est arrogante et humble, téméraire et craintive, vivante. Elle grandit encore et ne cessera jamais de le faire.

Elle retire la couverture et le bracelet d'hôpital d'Élodie de la boîte, puis un paquet de photos retenues par une bande élastique. Perdue dans une nostalgie douce-amère, elle s'attarde sur ces objets jusqu'à ce qu'elle découvre une photo de son père au milieu d'un jardin qu'elle ne reconnaît pas. Il est devant une clôture de bois, des fleurs jusqu'aux genoux. Il a la fin trentaine, il porte des bretelles et un chapeau blanc qui camoufle sa calvitie prématurée. Il a le visage rond, une moustache aux pointes rebiquées et un cigare à la main. Il a l'air heureux de communier avec la nature dans toute sa splendeur, et ne semble pas vouloir se retrouver ailleurs que dans ce jardin.

C'est une expression que Maggie lui a souvent vue lorsqu'il travaillait au magasin – complètement et parfaitement dans son élément. Un état qu'a souvent connu Maggie ces dernières années et qu'elle connaîtra encore.

CHAPITRE 56
Élodie

Élodie entend la porte s'ouvrir et retient son souffle. Elle sait que c'est sa mère. Sa *mère*. Elle ne cesse de se répéter ce mot. Il ne s'agit plus d'une idée folle ou d'une illusion d'enfant. Sa mère est là pour la prendre dans ses bras dans le noir, sécher ses larmes et faire disparaître sa douleur et ses angoisses.

— Maggie ? chuchote-t-elle, mais sa voix n'est pas assez affirmée, pas assez forte.

La porte se referme aussitôt, et Élodie entend Maggie descendre l'escalier. Son cœur se serre. Ses pleurs l'ont sans doute fait fuir.

Élodie ne bouge pas. Elle se rend compte à quel point elle voulait que sa mère la réconforte. Même dans cette maison pleine de gens, dans cette jolie chambre au papier peint fleuri, dans ce magnifique lit de bronze, sous cette courtepointe rouge, elle a peur et se sent vide. Le ressentiment commence à fermenter en elle, et elle se dit que malgré toutes les paroles gentilles et l'hospitalité de ses hôtes, probablement qu'elle les dérange.

Elle se demande quelle enfance elle aurait eue si elle l'avait passée dans cette charmante et chaleureuse maison pleine d'amour. Cette petite fille, cette Stéphanie – sa sœur, qui a le même âge que Nancy, avec ses grosses joues roses et son intrépidité et son tempérament heureux –, grandira avec tout ce qui lui a été enlevé. Ça aurait dû être moi, pense-t-elle avec amertume. *J'étais là la première.*

Elle reste ainsi étendue à ruminer pendant un temps qui lui paraît très long. Puis, elle entend les grillons dehors ; ils lui rappellent ses premières années à Saint-Sulpice. Elle avait oublié qu'elle aimait les entendre par la fenêtre. Aucun autre son ne pouvait couvrir leur chant, sauf le parfait silence d'une nuit en pleine campagne. Sœur Tata lui avait dit que c'étaient les grillons mâles qui produisaient cette stridulation en se frottant les ailes. Comment avait-elle pu oublier cela ?

Elle n'arrive pas à dormir. Comment le pourrait-elle ? Tout ce qu'elle veut, c'est rentrer et retrouver Nancy. Son petit corps chaud, blotti contre elle, son souffle doux contre sa peau, tout cela lui manque.

La porte s'ouvre à nouveau, et cette fois Maggie entre. Le plancher craque sous ses pas, le bord du matelas se creuse sous son poids. Elle pose sa main sur la joue mouillée d'Élodie.

— Élodie, chuchote-t-elle. Veux-tu que je te laisse seule ?

— Non, s'écrie Élodie de manière puérile.

— Parfait, je suis ici.

Élodie se rapproche d'elle.

— Ne t'en va pas, prie-t-elle, et son amertume s'évanouit quand elle entend le cœur de Maggie battre.

— Je ne m'en irai certainement pas, dit Maggie. Je ne savais pas si tu voulais que je sois là.

— J'ai toujours voulu que tu sois là.

Maggie s'installe dans le lit à côté d'elle, remonte un oreiller, y appuie sa tête.

— Voudrais-tu écrire mon histoire ? lui demande Élodie. La raconter exactement comme elle s'est passée ?

— Oui, accepte Maggie sans avoir besoin d'y réfléchir. Je vais le faire.

— Et est-ce qu'elle va être publiée ?

— Absolument, répond Maggie, certaine qu'elle le sera.

Elle fera des pieds et des mains pour qu'elle le soit. Au besoin, Godbout l'aidera. L'idée lui semble aussi légitime que toutes celles qu'elle a jamais eues.

— Nous devons le faire bientôt, dit Élodie. Je veux que ça soit publié pendant que Sœur Ignatia est encore à Saint-Nazarius. Et je veux utiliser son vrai nom, et je veux que nous lui remettions le livre nous-mêmes.

— Oui, répète Maggie, dans un élan d'enthousiasme.

Elle est transportée à l'idée d'entreprendre un projet qui les obligera à travailler ensemble pendant plusieurs mois – leurs vies entremêlées, leurs liens approfondis – et qui lui permettra de révéler la vérité sur les mauvais traitements qu'a subis Élodie.

— Merci, dit Élodie. Je vais commencer par te donner le carnet où j'ai absolument tout noté.

— Peut-être que tu pourrais vivre ici pendant que nous travaillerons là-dessus, suggère Maggie. Je ne veux pas te presser, mais Stéphanie et Nancy ont à peu près le même âge…

Élodie arrive à peine à croire que Maggie est en train de lui faire cette offre.

— Nancy adorerait ça ici, à la campagne, songe-t-elle. C'est merveilleux pour les enfants.

— Et tu pourrais rester à la maison avec elle, dit Maggie. Au moins jusqu'à ce qu'elle aille à l'école. Et après il y aurait du travail pour toi à mon magasin.

— Ça serait bien, dit Élodie, tout en pensant à son appartement de Pointe-Saint-Charles, au restaurant de Len et à quel point son travail lui manquerait.

— Je ne veux pas t'envahir, ajoute Maggie. Nous avons tout le temps pour décider.

Elle prend Élodie dans ses bras, et lui caresse les cheveux. Elles restent ainsi longtemps, les yeux grand ouverts dans le noir.

— Je ne serai jamais capable de dormir cette nuit, dit Élodie.

— Quand j'étais petite, mon père me récitait un poème pour m'aider à m'endormir, chuchote Maggie.

— Récite-le-moi.

— Laisse-moi voir si je peux m'en souvenir. Jean Pépin-de-Pomme*.

« Dans ce sac sur son dos
Dans ce sac talisman
Les pêches, les poires et les cerises de demain
Les raisins et les framboises de demain
Les semences et l'âme des arbres, choses précieuses,
Recouvertes d'ailes microscopiques… »[19]

Élodie ferme les yeux. *Peut-être que je suis morte,* pense-t-elle. Ce qu'elle ressent est trop agréable, inhabituel. Naturellement, il y a aussi de la tristesse. Elle l'accepte comme l'aspect le plus naturel et le plus incontournable de sa vie. La tristesse fait partie de ses cellules, elle y côtoie le sentiment d'injustice et d'indignation que Sœur Ignatia et Dieu ont suscité en elle. Elle ne peut pas en faire abstraction. Ces sentiments font partie d'elle au même titre que ses membres, ses organes et Nancy. Mais ce soir il y a autre chose : *l'espoir.*

Elle a une famille maintenant, à la tête de laquelle vit et respire cette superbe mère. Une mère qui veut faire partie de sa vie, qui a été forcée de l'abandonner, qui a essayé de la retrouver plus d'une fois, qui veut se faire pardonner et qui veut se racheter.

---

19 Traduction libre du poème original.

Élodie peut s'accommoder de cela. Elle ne récupérera jamais ces vingt-quatre années – elle sait qu'elle portera toute sa vie le fardeau de son passé –, mais au moins maintenant elle a un avenir dans cette famille.

— Tous les grands espaces que le cœur d'enfant connaît, et la pomme, verte, rouge et blanche, continue Maggie. Le soleil de ses jours et de ses nuits, la pomme alliée à son épine, enfant de la rose…[20]

Élodie ne comprend pas le poème. Ce n'est pas nécessaire. Rien n'est amoindri par le fait de ne pas savoir.

---

20 Idem.

Achevé d'imprimer chez
Imprimerie Norecob
en mars 2018